BRITHYLL

I Rhian, Owain a Rhodri,
i haearn yr Hendre,
i blant y Cwm a'r teulu oll,
i'm ffrindia yn y byd hwn a thu hwnt,
i'r werin driw a'r cŵn troednoeth,
a'r llafnau o haul dan dorlan y nant.

BRITHYLL

DEWI PRYSOR

y Lolfa

DIOLCHS

*Rhi, Ows a Rhods – yr Intrepid Picylodeons – am y bara
beunyddiol.
Alun Jones fy ngolygydd, Lefi a'r Lolfa am eu ffydd.
Fy nheulu a ffrindia am gredu.
Bobol Bryn Coed.*

*Twm Miall, Eirug Wyn, Bukowski, Hunter S, Roddy Doyle a
Jac Glan y Gors am yr ysbrydoliaeth. Llion am agor y drws.
Diolch arbennig i Rhian am ei hamynedd, a'i chariad di-
ben-draw.*

Diolch i selogion y nos am y wawr.

Argraffiad cyntaf: 2006
Ail argraffiad: 2008

© Dewi Prysor a'r Lolfa Cyf., 2006

Dymuna'r Lolfa gydnabod cefnogaeth ariannol Cyngor Llyfrau Cymru

Clawr: Ian Phillips / Dewi Prysor

Rhif Llyfr Rhyngwladol: 0 86243 930 2
ISBN-13: 9780862439309

Cyhoeddwyd, argraffwyd a rhwymwyd yng Nghymru
gan Y Lolfa Cyf., Talybont, Ceredigion SY24 5AP
e-bost ylolfa@ylolfa.com
gwefan www.ylolfa.com
ffôn (01970) 832 304
ffacs 832 782

Y tro cynta iddo'u gweld nhw oedd wrth y silffoedd bwyd *reduced* yn Somerfield. Roedd o wrthi'n byseddu pacad o Irish Sausages oedd i lawr i ddau ddeg chwech ceiniog pan deimlodd rywun yn sbio arno fo o'r tu ôl. Pan drodd rownd, fan'na oeddan nhw, un deg chwech o'r ffycars mewn blowsys a ffrogia blodeuog, yn tynnu stumia fel'sa nhw mewn poen wrth ganu, yn gneud siapia ceg doedd Cledwyn ddim yn gwbod ei bod yn bosib eu gneud. Roeddan nhw'n canu cerdd dant...

Roedd o wedi symud ymlaen at y silffoedd cwrw pan ymddangoson nhw unwaith eto wrth ei ochr tra oedd o'n chwilio am *deals* ar y lager. A roeddan nhw wedi gneud iddo fo deimlo'n annifyr wrth y stondin ffags a wisgi pan dalodd am ei sosejis a'i un deg wyth o gania Fosters am ten neinti nein. A pan drodd rownd i sbio tu ôl iddo wrth groesi'r maes parcio am y fan, a'u gweld nhw'n ei ddilyn o, roedd o wedi teimlo ias sydyn o ofn... Neidiodd i mewn i'r fan a troi'r goriad. Doedd hi'm yn tanio. Edrychodd yn y drych. Roedd y parti cerdd dant yng nghefn y fan! Ac roeddan nhw'n canu "d-dy-dy-dy-dy-dy-dy-dy-dydy-dy-dyyyyyy".

Trodd y goriad eto. Roedd o'n dechra panicio. Dechreuodd y cerdd dant dreiddio i mewn i'w ben a toddi ei frêns. "Naaaaaaaaaaaaaa!" Crynodd drosto. Nid parti cerdd dant cyffredin mo hwn, er bod yn gas gan Cledwyn rai cyffredin hefyd, ond y Parti Cerdd Dant o Uffern (jesd tu allan Llwynygog).

Roedd o'n rhedag lawr y stryd. Bob tro'r oedd o'n sbio'n ôl roeddan nhw yno, ar ei ysgwydd, yn canu. Rhedodd i mewn i'r becws a trio minglo ynghanol y ciw wrth y cowntar. Ond dyma nhw'n ymddangos eto, ynghanol y pastis a'r sosej rôls, â'u ffrogia blodeuog yn fygythiol o famol a'u cegau'n cymryd drosodd eu gwyneba. Rhedodd i lawr y stryd eto. Pasiodd y siop petha trydanol. Roedd y parti cerdd dant o uffern ar bob sgrin deledu yn y ffenast. Doedd 'na'm dianc rhagddyn nhw.

Dilynodd y dorf i stadiwm pêl-droed. Ymguddiodd ar y teras ynghanol miloedd o bobol. Ond roedd y parti cerdd dant ar y cae, a'u canu'n cael ei chwarae dros yr uchelseinydd. Teimlai ei ben yn toddi eto. "*Aaaargh!*" Edrychodd o'i gwmpas am rywun oedd o'n ei nabod. Gwelodd Einstein a Brother Cadfael. Be ffwc oeddan nhw'n neud yma? Gwaeddodd arnyn nhw. Ond roeddan nhw'n rhy brysur yn prynu pastis gan ddyn oedd yn edrych yn gyfarwydd.

Gwaeddodd y dorf. Trodd i edrych ar y cae. Roedd y parti cerdd dant yn sefyll yng nghanol y cylch canol. Roedd eu canu'n mynd yn uwch ac yn uwch. "*Dyy-dyn-de-dyn-dy-de-dy-dy-dydy-dyyyyy!*" Rhoddodd ei ddwylo dros ei glustia, ond doedd hynny'n helpu dim. Roedd ei frêns yn dod allan rhwng ei fysidd. "*Aaaaaaaaaaaaaarg!*"

Dechreuodd rhwbath grynu i lawr ffrynt ei drwsus. Sbiodd i lawr ar ei falog. Roedd 'na rwbath yn symud yno, rwbath trwm, yn crynu fel peiriant golchi ar sbin ac yn hymian fel hŵfyr. Doedd hyn ddim yn naturiol... Daeth bloedd fawr arall o'r dorf. Trodd i edrych ar y cae eto. Roedd y parti cerdd dant o uffern yn dechra crynu hefyd. Ac roedd eu canu nhw'n troi yn... yn troi yn... "o-ho-ho-ho-hooo!"...

Daeth sŵn annaearol i lenwi'r stadiwm. Sŵn oedd Cledwyn yn ei nabod yn iawn. Sŵn fel taran, fel daeargryn. Llais fel Bryn Terfel efo eco fel sa'i ben o mewn bwced brass seis Ceudyllau Llechwedd. Llais iasoer ac annioddefol, fel cynulleidfa *Dechrau Canu, Dechrau Canmol* yn berwi mewn saim sgwarnog. Sŵn mwy dychrynllyd na Shân Cothi mewn blendar. Aeth ias i lawr ei gefn, yna nôl i fyny, wedyn nôl i lawr eto. Roedd y peth mwya erchyll o'r holl erchyllbethau ddaeth allan o ffatri erchyllterau Abererchyll (jesd tu allan Llwynygog) yn dynesu... *"O-ho-ho-ho-hooo, o-ho ho-ho hooooo!"*...

Daeth y panig fel storm drwy'i berfeddion. Na! Plîs Dduw! Dim... y Dyn Sdici? Crynodd y llawr a'r stadiwm i gyd. A dyna pryd cyrhaeddodd nemesis yr holl ddynoliaeth. Cododd i fyny o'r ddaear o dan gylch canol y cae a safodd yno, reit yn y canol, efo'r dorchan â'r sbotyn arni ar ei ben fel beret bach gwyn. Roedd y parti cerdd dant o uffern wedi diflannu. Ond doedd hynny'n golygu dim. Doedd 'na ddim byd oedd uffern yn gallu ei gynnig yn waeth na hyn... Doedd wybod sut gyrhaeddodd o, na sut oedd o 'di gallu dod drwy'r *underground heating* heb gael sioc drydanol, ond roedd y Dyn Sdici wedi landio... *"O-ho ho-ho hooo, o-ho ho-ho hooo!"*

Diwedd ganwaith gwaeth na marw oedd ffawd unrhyw un gâi ei ddal gan y Dyn Sdici. Math o zombie *retarded* oedd o, efo breichia hir wastad ar led â'i fodia'n sdicio fyny fel sa fo'n thymio lifft, a'i goesa fo o hyd yn stiff fel 'sa nhw mewn sblints. Roedd o'n cerddad mewn cylchoedd fel robot wedi meddwi, fel croesiad rhwng Norman Wisdom a'r Mummy, yn gweiddi *"o-ho ho-ho hooo"* fel drongo seicotig ac yn sdicio pobol. Ac roedd unrhyw un oedd yn cael ei gyffwrdd ganddo fo'n mynd yn sownd iddo fo am byth, yn troi'n rhan ohono fo ac yn sdicio'u breichia nhwtha allan, efo'u bodia fyny, ac yn sythu'u coesau a mynd *"oho ho-ho hooo"*. A roedd pwy bynnag oedd yn twtsiad nhw wedyn yn sdicio iddyn nhw ac yn troi'n sdici, a pawb arall oedd yn cyffwrdd ynddyn nhwtha wedyn, ac yn y blaen ac yn y blaen... Doedd 'na'm gobaith i neb. Doedd 'na'm sdopio arno fo. Roedd y Dyn Sdici'n mynd i ddal i fynd nes bod pawb yn y byd yn sownd iddo fo. *"O-ho ho-ho hooo! O-ho ho-ho hooo!"*

'Nath y Dyn Sdici ddim wastio amsar. Roedd y timau ffwtbol newydd redag ar y cae a roedd o'n dechra'u sdicio nhw. O fewn eiliada roedd y ddau dîm yn sownd ac yn sdicio'u breichia allan a'u bodia i fyny ac yn mynd *"o-ho ho-ho hoooo! O-ho ho-ho hoooo!"* Roeddan nhw'n rhan o'r Dyn Sdici rŵan...

Roedd Cledwyn yn cofio'r Dyn Sdici'n dechra, efo dim ond Escort Van a bag o dŵls a... na, shit, Joni Evans y Plymar oedd hwnnw... doedd gan y Dyn Sdici ddim fan na tŵls, na City and Guilds mewn *Plumbing and Heating*... Roedd y Dyn Sdici'n mynd yn ôl yn bellach na Joni Plymar.

Gêm oeddan nhw'n arfar ei chwara ar iard yr ysgol fach oedd 'y Dyn Sdici'. Roedd rhywun yn cerddad o gwmpas efo coesa a breichia stiff, a'i fodia ar i fyny ac yn mynd "*o-ho ho-ho hoooo*" a 'sdicio' bobol, nes yn y diwadd roeddan nhw i gyd yn cerddad o gwmpas yr iard yn un *mass* o gyrff, i gyd yn gweiddi "*o-ho ho-ho hoooo*" ar dopia'u lleisia. Roedd hi'n ffwc o gêm dda. Laff go iawn. Nes un diwrnod 'nath Ffati Ffransis droi'n Ddyn Sdici go iawn, a sdicio Toni Bach a Gwyn Plyms, a Parri Pyrfyrt y prifathro a Mrs Plastic Tits ei wraig o... a Miss Gwenno yr ysgrifenyddes, a Wilff y gofalwr a'i gi Tonto, a mam a tad Huw Crio... cyn diflannu dros y gorwel i'r pelltar. A welodd neb nhw wedyn... Tan i'r Dyn Sdici gael ei weld ar y *news*, wedi tyfu i seis eliffant ac yn byta bobol yn Beijing. Ffyc nôws sut aeth o i fan'no, ond roedd o'n amlwg yn licio Tseinîs...

Dechreuodd rwbath grynu lawr ei geilliau eto. Trodd y Dyn Sdici a dod yn syth amdano. Edrychodd i lawr. Roedd 'na rwbath yno eto, yn crynu a hymian fel o'r blaen lawr ffrynt ei drôns. Transmityr oedd o! Yn gyrru signals i'r Dyn Sdici i ddeud lle'r oedd o! Roedd y Dyn Sdici o fewn decllath ond fedra fo ddim denig! Roedd ei goesa'n gwrthod symud! Roedd o'n gweld llygid y bwystfil yn sbio'n syth ato. Ffacinel! Llygid Ffati Ffransis oeddan nhw! A roeddan nhw wedi ei nabod o! A roedd o'n gneud bî-lein amdano fo.

"*O-ho ho-ho hoooo!"* Degllath, naw, wyth! Help! Mam! Dad! Kenny Dalglish! Roedd breichiau'r pêl-droedwyr gafodd eu sdicio yn estyn allan amdano. Eu bodiau i fyny, fodfeddi o flaen ei lygid a... roedd o'n clwad cerdd dant... roedd y parti cerdd dant o uffern yn rhan o'r Dyn Sdici hefyd. Roedd o'n gweld eu cega nhw'n symud... roedd o'n mynd i gael ei sdicio a'i arteithio i farwolaeth! Yn nes ac yn nes, "o-ho ho-ho hoooo" ... côr o drongos... doedd ond eiliadau i fynd... Roedd o'n difaru mynd yn agos i Somerfield! Amsar deud 'ta-ta tintws bach!' Caeodd ei lygid. Roedd o'n mynd i gael ei fyta gan Ffati Ffransis... "o-ho ho-ho hooo"...

"N-A-A-A-A-A-A-A-A-A! o-ho ho-ho hooo, o-ho ho-ho hoooo... "

= 1 =

Saif pentra Graig fel brech wyllt ar wyneb mawnog ucheldir gwydn gogledd Meirionnydd. Roedd ei strydoedd llwydion yn baglu dros ysgwydd garw o dir, heibio waliau cerrig boliog a llwyni drain a roddai warchae i weirgloddiau bychain. Ac i lawr wedyn, i gilfachau cyfrin ceunentydd dwfn dwy afon ddu. Yn y gaea, waliau'r hafnau hyn, â'u rhaeadrau llaeth yn rhuo llid y mynydd, oedd yr unig noddfa rhag fflangellau'r gwynt. A hwnnw'n gyrru'r glaw fel nodwyddau drwy fysedd hirion bagiau'r big bêls ar ben weiars-pigog rhydlyd. Yn nannadd drycin doedd Graig ond yn ffit i bryfid genwair manic depresif.

Ond ganol ha, pan oedd yr haul yn taro, roedd Graig yn denu'r duwiau i dorheulo'n noeth ar erwau diog y bryniau. Eu denu efo gwin y meillion a thân yr eithin, a rhyfeddod bwtsias y gog. Hogla sgawen yng ngwrychoedd y ffyrdd cefn, yn gymysg â hogla gwair a tarmac. Sgrech y bwncath yn hollti'r gwynt, a chân ehedydd yn cosi gên yr haul. Y nentydd sy'n disychedu. Naid brithyllod yn gylchoedd tawel mewn llynnoedd gwydr gloywon yng ngheseiliau'r mynydd.

A'r oriau gogoneddus ar dalcen y dydd yn lleddfu'r llesg yn nhes y pnawn. Doedd fawr neb, heblaw amball wennol ar ôl gwybedyn, yn mynd am geunentydd Graig yn yr ha. Fel y creigwyr am y chwareli gynt, am y mynydd byddai pobol Graig yn mynd. I'r llynnoedd efo'u genweiri, a'u gobeithion yn frasgamau dros y grug. I gyrchu'r cylchoedd ar wyneb y llynnoedd a llenwi'r sach efo'u pysgod. Dan awel min nos.

Un ai hynny neu ista yn ardd gefn y Trowt, yn yfad cwrw'n swrth a hanner noeth ar y byrddau picnic. Y cwmni'n ffraeth a'r sgwrs yn ddifyr wrth droi'n gimychiaid ar y tu allan a piclo ar y tu mewn. Oedd, yn yr ha, roedd Graig yn baradwys! Heb y coctêls a'r coconyts a'r *topless waitresses*.

Heno, a hitha'n ddiwadd Awst, roedd y nos yn gorwedd yn esmwyth dros y pentra, er mor drwsgl oedd hwnnw'n gorffwys ar ei ysgwydd anghyfforddus. Roedd Graig yn bictiwr yn y golau gwan er gwaetha amball gwmwl yn mynnu sylw'r lleuad o bryd i'w gilydd. Ond roedd y sêr â'u tafod yn eu boch wrth edrych i lawr ar dawelwch amhersain ei ddiniweidrwydd anniben. Roedd hi'n oriau mân y bora ac roedd tafarn y Trowt yn gwagio'i gwehilion i'r gwyll, yn chwerthin ac yn shwshio wrth rowlio adra, yn rhechan fel plant drwg yn asembli ysgol. Cysgu llwynog oedd Graig eto heno. A roedd y sêr, a'r lleuad, wedi hen arfar 'fo hynny. Roeddan nhw wedi'i weld o i gyd o'r blaen, drosodd a throsodd. Roedd y nos yn gwbod pob dim. A chwerthin oedd hi heno.

A'r hyn oedd yn ticlo'r nos oedd un o straglars y Trowt, ar ei ffordd adra ac yn cael traffarth aros ar ei draed. Roedd o'n chwil fel berfa ac yn cerddad fel cath mewn triog. Yn ei law roedd peint tri chwartar llawn ac yn ei geg roedd ffag. Ar ôl disgyn a glanio, rywsut, ar ei din ar y wal isal wrth y bys-stop dros y ffordd i'r dafarn, penderfynodd ei fod wedi mynd yn ddigon pell mewn un ymgais, a'i bod hi'n amsar am hoe fach. Cymrodd swig o'i beint a drag o'i ffag. Gorffwysodd ei ên ar ei frest. Caeodd ei lygid.

Roedd hi'n nos yn Nhyddyn Tatws hefyd, ymerodraeth rech Walter Sidney Finch a maes carafannau mwya ardal Abereryri, Graig a Dre. Roedd y deyrnas yn cysgu, heb olau ond y lleuad ar doeau'r dau ddeg a saith carafan statig o fewn ei ffiniau. Roedd y lle fel llun. Doedd dim yn symud. Roedd hi'n ddistaw, ddistaw iawn.

Ar fuarth glandeg ar godiad tir y tu ôl i'r ddôl lle safai'r carafannau, tra-arglwyddiaethai tŷ fferm gwyngalchog 'Sgweiar' Finch. Doedd y tŷ ei hun ddim mor sylweddol â hynny, ond efo'r estyniad-hir-ar-yr-estyniad-*lean-to*-ar-yr-estyniad-deulawr edrychai fel tipyn o balas, gan ennill iddo'r enw 'Walter Towers' ymhlith meidrolion yr ardal. Roedd y buarth wedi'i amgylchynu gan rwydwaith o adeiladau eraill, llai, a fu ar un adeg yn feudai a sguboriau ond oedd bellach yn swyddfa, toilet a londrét. Gorweddent yn fud ac yn brudd, mor ddi-enaid â'r *wheelie-bins* a safai fel sowldiwrs meddw ar y rhiw tu allan – pob un wedi'u marcio â'r llythrennau bras 'TT' mewn paent gwyn. Ar wahân i'r cymylau, a'r lleuad ar ei thaith rownd y byd, roedd popeth yn llonydd, yn llonydd iawn.

Yn sydyn roedd symudiad yng ngwaelod y camp. Rhyw gysgod tywyll yn symud yn araf ar hyd y dreif o gyfeiriad y fynedfa. Deuai i'r golwg bob hyn a hyn wrth basio rhwng y coed concyrs o bobtu'r dreif. Roedd yn fwy na dyn. Yn fwy na cheffyl. Roedd yn llawer, llawer mwy na'r potiau blodau mawr o bobtu mynedfa'r cae swings. A roedd o'n nesu'n ddistaw at y ddôl lle cysgai'r carafannau.

Torrodd sgrech tylluan drwy'r tawelwch. Atebwyd hi gan Pero, ci seicotic ffarm Hafod Wisgi rhyw hannar milltir fyny'r cwm. Rhewodd y cysgod. Daeth yn rhan o'r llun.

≈ 3 ≈

Deffrodd Cledwyn mewn laddar o chwys. Gorweddodd yn
llonydd am 'chydig i adael i olion yr hunlla lifo i lawr y plwg
yng nghefn ei ben. Crynodd drwyddo wrth feddwl am y parti
cerdd dant o uffarn... a'r Dyn Sdici...

Roedd o isio piso. Roedd ganddo fin dŵr yn gneud tent o'i
falog. Cofiodd am y 'transmityr' i lawr ei fôls yn y freuddwyd.
Rhegodd, a gollwng rhech. 'Lle'r oedd o?' Roedd hi'n afiach o
gynnas efo'r gwres canolog a roedd 'na hen olau oren, annifyr
yn mygu'r synhwyrau. Sylwodd ei fod o'n gorwadd ar lawr
calad, oer. Doedd hyn ddim yn dda. Gwelodd fatras tenau, glas
o dan ei ben, un plastig afiach. Estynnodd ei fraich yn araf i
edrych ar ei wats. Roedd hi wedi diflannu. Trodd ei ben yn
ofalus i edrych i'r cyfeiriad arall. Stydiodd yr olygfa o'i flaen
wrth i'w frên grynshan yn ara bach i gêr. O'i flaen roedd llawr
concrit, a drws cell. Na, doedd hyn ddim yn dda o gwbl...

Ac yna daeth y gwae. Roedd o'n gwbod ei fod o 'di gneud
rwbath digon difrifol i gael ei arestio, ond doedd o'n cofio dim
byd felly wyddai o ddim pa mor ddifrifol oedd o. Cyn bellad
ag oedd o'n cofio 'sa fo'n gallu bod i mewn am unrhyw beth
bron – o biso ar y stryd i fwrdro barman blin. A mi oedd y
ffaith ei fod o'n methu diystyru'r pethau hynny fel posibiliadau
yn ei ddychryn yn waeth na'r ffaith ei fod o mewn cell yn y lle
cynta. Daeth pwysau'r byd i lawr ar ei sgwyddau cyn treiddio
i mewn i'w gorff a rowlio'n belan o blwm yn ei stumog. Triodd
ei orau i gofio lle buodd o'r noson gynt. Ond heblaw am y
Dyn Sdici, roedd ei ben o'n wag.

Yn araf, a'i gymala'n sdiff fel bocs sbasbord, cododd ar ei
draed. Wedi sadio'i hun synhwyrodd fod ei wefus yn teimlo'n
drwm. Rhoddodd ei fys ati. Roedd hi wedi chwyddo braidd,
ac yn boenus. Roedd ei foch yn brifo hefyd, erbyn sylwi, jesd
o dan ac wrth ochor ei lygad. Gwingodd wrth ddylyfu gên.
Roedd ei ên yn sdiff ar ôl greindio'i ddannadd yn ei gwsg

– 'blaw mai'r cyffuriau yn ei systam oedd y bai am hynny.

A sôn am sychad! Roedd ei wddw a'i geg fel polysteirin, a'i dafod fel *brillo pad* 'di bod allan yn yr haul am fis. Rhoddodd rech arall – un *high-pitched*, hir a soniarus fel trwmped jazz. Roedd 'na acwstics da yn y gell, meddyliodd.

Cerddodd at y drws. Roedd y fflap gwylio ar agor. Edrychodd drwyddo i weld oedd o'n nabod yr orsaf heddlu. Doedd 'na'm llawar o siawns o hynny am fod Cledwyn 'di bod yn chwil gachu gaib bob tro buodd o yn y rhan fwya ohonyn nhw. Gwasgodd y botwm electroneg ar y wal a clywodd y bysar yn canu yn rwla pell, rownd corneli. Ddaeth neb i'r golwg. Gwasgodd y botwm yr eildro, ond ddaeth 'na neb wedyn. Rhegodd dan ei wynt. Ffyc it, smôc amdani.

Ffeindiodd 'ddail te' o friwsion baco mewn powtsh yn ei bocad, ac un papur risla rhydd yn ei ganol, wedi plygu i bob siâp. Dad-lapiodd y risla'n ofalus a rowliodd y briwsion baco'n rôl denau, ddi-siâp. Aeth drwy'i bocedi i nôl ei leitar. Ond roedd hwnnw hefyd wedi diflannu!

"Basdad cops!" Roeddan nhw'n gneud hyn bob tro wrth ei gloi mewn cell – gadael iddo gael ei faco ond mynd â'i leitar neu ei fatsys oddi arno. Rŵls a ffwcin regiwlêshyns. Rhag ofn iddo roi'r gell ar dân, meddan nhw. Er bod ffwc o ddim byd i'w roi ar dân yn y gell, heblaw'r matras, a fysa hwnnw ddim yn llosgi beth bynnag, 'mond toddi a gneud mwg drewllyd. Roedd Cledwyn yn gwbod, am fod o 'di trio o'r blaen, am y crac, pan oedd o'n bôrd rywbryd. A heblaw am y fatras dim ond fo ei hun 'sa fo 'di gallu ei roi ar dân a, wel, hyd yn oed os bysa fo 'di bod mor despret â hynny, bysa hi'n anodd iawn heb betrol. Poenydio meddyliol oedd y rheol 'dim leitars', dim byd arall. Jesd cops yn bod yn sbeitlyd, yn ecserseisio grym am ddim rheswm arall 'blaw bod nhw'n gallu… Gwaeddodd Cledwyn drwy fflap y drws. "Yo!" Atebodd neb. Gwaeddodd eto, yn uwch. Dim atab eto. "Hei! Copars! Dwi isio piso! Helô!" Doedd 'na'm sôn am neb. Canodd y gloch, a dal ei fys

13

arni. Dechreuodd gicio'r drws a gweiddi mwy. Ond doedd neb yn gwrando.

Doedd mynadd ddim yn un o gryfderau Cledwyn. Cyn hir roedd o'n cicio'r drws a gwasgu'r bysar i rythm y gic, ac yn gweiddi'n uwch eto, "Ffycin hel! Oes 'na rywun yna, ffor ffyc's sêcs? Dwi isio ffwcin piso!"

"Cled!" medda llais o rwla. "Cau dy ffwcin hopran! Jîsys Craist!"

Peidiodd y belan o wae droi yn stumog Cledwyn am funud. Roedd ei fêt efo fo. Sbiodd drwy'r fflap a gweld llygid glas manic, trwyn fflat a gwallt byr brown oedd yn cilio o'r talcan, yn sbio arno drwy fflap y gell yr ochr draw. "Sbanish! Lle ffwc ydan ni?"

"*Cells*."

"*Cells* lle?"

"Dolgell."

"Dolgell? Pam? Be ffwc ddigwyddodd?"

"Be ddigwyddodd? Chdi ddigwyddodd, y ffycin seico!"

"Fi?"

"Ia! Chdi!"

"O mai ffycin god!"

"O mai ffycin ia!"

Dechreuodd y gwae droi yn stumog Cledwyn eto. *Roedd* 'na rwbath wedi digwydd felly! Roedd ganddo ofn gofyn be. Dechreuodd feddwl. Dolgella… Dolgella… Dolgella? Ffyc! Y peth dwytha oedd o'n gofio oedd bod yn y Trowt, ei *local* nôl yn Graig. "Sut ffwc aethon ni i Dolgella?"

"Yn y fan, dros y top o Rhiwgoch. Ti'n cofio?"

"Rhiwgoch?" Roedd Cled ar goll rŵan.

"Ia! Aethon ni i Rhiwgoch o White… "

"Fuo ni yn Traws?!" Roedd hyn yn anhygoel!

"Ti'm yn cofio, na?"

"…Nadw!"

"Ffyc mî pinc! Ti'n cofio rwbath o gwbwl 'ta?"

Caeodd Cledwyn ei lygid a dechra crafu drwy'r llanast yn ei ben. "Be oeddan ni'n neud yn Port?"

"Port?" gwaeddodd Sbanish. "Wsos dwytha oeddan ni yn Port, y cont gwirion!"

"Ffwcin hel!"

"Ti'n gwbod pa noson 'di?" Doedd Sbanish ddim yn gwbod os oedd o isio chwerthin ta ysgwyd Cledwyn yn iawn.

"Na."

"Cym ges."

"Nos Sadwrn?"

"Tria eto."

"Nos Ferchar?"

"Mam bach!"

"Nos Wenar 'ta?"

"Pam ti 'di neidio nos Iau?"

"Be, nos Iau ydi hi ia?"

"Ia, wel bora dydd Gwenar rŵan, de... "

"Bora dydd Gwenar... nos Iau... " Aeth Cled yn ôl at y rybish yn ei ben, ond doedd dim byd yno ond y Dyn Sdici. "Ges i ffwc o hunlla cynt, Sban."

"Goelia i. Glywis i chdi'n gweiddi fatha cath... "

"Oedda chdi yn'i hi 'fyd."

"Taw deud?" Doedd gan Sbanish ddim diddordab.

"Ia, ŵan dwi'n cofio, chdi oedd y boi gwerthu pastis... o'n i'n meddwl 'i fod o'n edrych yn ffamiliar... "

"Gwerthu ffwcin pastis?"

"Ia. I Brother Cadfael ac Einstein... dwi'n meddwl, eniwê."

"Oedda chdi efo Brother Cadfael ac Einstein? Ma'n siŵr bod y sgwrs yn *riveting*...!" medda Sbanish yn sarcastig.

"Mewn gêm ffwtbol oeddan ni... "

"Pwy odd yn chwara 'ta, Friar Tuck a Magnus Pyke?"

"Y Dyn Sdici a… "

"Y Dyn Sdici?"

"Ia…"

"Pwy ffwc 'di'r Dyn Sdici pan mae o adra?"

"Gêm yn ysgol fach estalwm. Dwi'n breuddwydio amdano fo weithia a bob tro dwi *yn* breuddwydio amdano fo mae 'na shit yn digwydd."

"Be ti'n feddwl, *shit*?"

"Cachu 'de! Rwbath drwg. Hasyl. Anlwc t'bo…"

"Wel ti'n ffwcin spot on heno, Cled, achos 'dan ni ar fin ca'l ein ffwcin tsiarjio efo *breach of the peace,* o leia!"

"Shit, yndan?"

"Yndan."

"Ffyc's sêcs!" Er nad oedd Cled erioed 'di bod mor falch o glwad y geiriau *'breach of the peace'* – yn hytrach na 'GBH' neu waeth – roedd o'n dal yn diawlio. Roedd o'n golygu oriau diflas mewn cell yn aros i gael eu tsiarjio a'u bêlio, wedyn wythnosa o fynd nôl a mlaen i'r cwrt a rhyw lol, wedyn ffein, wedyn warrant am *non-payment* a rhyw rigmarôl. "Be ddigwyddodd 'lly, Sban?"

"Ti rîli ddim yn cofio, nag wyt?"

"Na. A dwi isio piso. A dwi'n gaspio am ffag."

"Ti'n cofio pwy arall sy efo chdi 'ta?" medda llais ffraeth-ond-crintachlyd Bic yn dod i lawr o gyffuria yn y gell nesa at Cled. Doedd 'na'm angan bod yn yr un sdafall â Bic i 'weld' ei wallt llwyd-cyn-ei-amsar a'i lygid macrall gwyrddlas a'i ddannadd cam. Roedd ei lais o'n deud y cwbwl.

"Bic! Titha ma 'fyd?" medda Cledwyn, yn gofyn cwestiwn gwirion.

Ar *comedown* neu beidio, doedd Bic – un o'r craduriaid mwya craff a chyfeiliornus a lusgwyd allan o groth erioed – ddim yn un am fethu cyfla i gymryd y piss. "Na, taflu fy llais o Graig dwi. Clyfar dydw?"

"Ffyc mî, mae 'Da Di Dil De' yma 'fyd!" medda Cled, ddim mewn unrhyw fath o hwyliau i gael y piss wedi'i dynnu allan o'no fo. "Lle ma'r ffwcin *prozacs* a'r rasal? Faint o'r gloch 'di, rywun?"

"Twenti ffaif past thrî, y cont!" atebodd Bic.

"Sgin ti wats, felly?" gofynnodd Cled, ac unwaith eto aeth ffolineb y cwestiwn ddim ar goll ym meddwl Bic.

"Na, mae genna i *sun dial* allan yn yr ardd gefn yn fan hyn. Rhaid iti'i gweld hi. Galwa heibio rywbryd…"

"OK! King of ffycin Comedy! Y twat! Jesd deud o'n i 'de, achos ma'r cops 'di mynd â'n wats i o'dd arna i'n do! A'n ffwcin leitar i 'fyd!"

"Ym… naddo ddim, Cled, actiwali mêt," medda Sbanish. "Mae dy leitar di genna fi. O'n i 'di ddwyn o genna ti neithiwr. Aru'r cops adal i fi gadw fo."

"Typical!" Trodd Cledwyn ei rwystredigaeth i gyfeiriad y swyddfa oedd rwla'n mhen draw'r coridor. "Oooi! Ashôls!" Gwasgodd y botwm a hitio'r drws eto. "Fydda i'n piso yn y gell ma 'sna 'da chi'n gadal fi allan! 'Da chi'n clwad? Oi! Dwi'n cyfri i dri! Tri. Dau… "

"Cyfri i un 'di hynna!" medda Bic.

Stopiodd Cledwyn yn ei dracs. "… Ah? Be ti'n feddwl, cyfri i un?"

"Os ti'n cyfri i dri, ti'n mynd un, dau, tri, dim tri, dau, un… "

"Sgenna i'm amsar i hyn ŵan, Bicster..!"

"Meddwl amdana fo. Ti'n cyfri i dri, ti'n dechra o un. Os ti'n dechra o dri, cyfri lawr i un wyt ti'n de? Neu… "

"Gwranda, Carol Vorderman, be'n union 'di dy ffwcin bwynt di? Os oes gen ti un o gwbwl?"

"Sa'm isio bod yn flin nag oes, Cledwyn?" Roedd Bic yn weindio Cled i fyny'n racs. Roedd hynny'n hawdd. Roedd o'n brathu bob tro.

"Dwi'm yn ffycin flin, ffor ffyc's sêcs!"

"Caewch y'ch ffwcin cega!" gwaeddodd Sbanish. "'Da chi'n waeth na ffwcin Steve a Terwyn!"

"Pwy?" gofynnodd Bic a Cled efo'i gilydd.

"Steve a ffwcin Terwyn – dau glown ar y radio... "

"Rioed 'di clwad amdanyn nhw," medda Cled.

"Na fi chwaith," medda Bic. "Ond mae Cled angan *chillio* allan... "

"Be wyt ti? Therapist ŵan ia? Dwi yn *chilled*, diolch yn fawr! Sbia... " Gwasgodd Cled y gloch eto. "Helô..? Osiffyr..? Helô...?" Teimlai'n well ar ôl dipyn o dynnu coes i wasgu'r *buzz* olaf allan o'r cemegau anghyfreithlon ac alcohol oedd yn brysur fynd yn fflat yn ei waed. Ar hyd ei dri deg saith o flynyddoedd roedd Cledwyn wedi bod yn ddeffrwr blin, ond doedd hi'm yn cymryd llawar iddo ddechra perfformio eto tra bod sylweddau amheus yn dal i ffrwtian o gwmpas ei ymennydd. Gwasgodd y gloch eto fyth. "O mistar plî-îsman..? Helô-ôô! PC..? Sarjant..? Inspector 'ta...? Iŵ – hŵŵ...? Os gwelwch yn dda ga i fynd i neud pî-pîî?"

"Wneith ffalsio ddim gweithio chwaith," medda Sbanish. "Dim ar ôl be ti 'di galw nhw neithiwr!"

"Oedd hi'n ddrwg felly, 'ogia?" gofynnodd Cled, mewn tôn disgyn-ar-ei-fai.

"Gwaeth, mêt," medda Sbanish.

"O ffyc!"

"Yn anffodus, gyfaill, ia – o ffyc!" medda Bic.

Yn sydyn, teimlodd Cledwyn gryndod mecanyddol i lawr ffrynt ei drôns – yr un cryndod ag yn yr hunlla rai munuda'n gynt. Cafodd fflashbac afiach, ac am hannar eiliad wallgo roedd o'n meddwl bod y Dyn Sdici wedi dod yn fyw go iawn! Edrychodd ar ei falog a teimlodd. Roedd 'na rwbath i lawr 'na, ac roedd o'n symud... ! Cyn i'w ymennydd gael siawns i resymu daeth y sŵn rhyfedda allan o'i geg heb ei wadd. "*Aaa-yyy-eee-ah?*"

"Be?" gofynnodd Sbanish, heb fod yn siŵr os oedd o isio atab.

"*Yyy-aaabeffwc!*" medda Cledwyn wedyn, yn y dull hynny a gâi ei ddisgrifio fel 'ebychiad' mewn llyfra yn 'rysgol fach estalwm.

"Ti'm yn piso nag wyt?" gofynnodd Bic.

"Na... ond mae 'na rwbath i lawr 'y môls i... !"

"Rŵan ti'n 'i ffendio hi, Cled?" gofynnodd Bic wedyn, yn tynnu coes. Roedd o a Sbanish 'di arfar efo Cled yn ffwndro.

"Go iawn! A mae o'n symud!"

"O wel, *false alarm*, dim dy goc di sy 'na felly!" gwaeddodd Bic, yn dal i gael modd i fyw wrth dynnu ar y llyffant gwirion.

Ymbalfalodd Cled yn ei drowsus a gafal mewn rwbath calad, sgwâr, a'i dynnu allan. Llenwodd y gell efo'r chwerthiniad mashin-gyn gwyllt oedd yn deud wrth y byd a'r betws bod Cledwyn Bagîtha wedi deffro. "Ffacin hel, hogia bach! 'Yn ffwcin ffôn i ydi hi! Y ffôn oedd i lawr 'na, 'ogia! A ma' hi'n canu... ma'r ringar off a ma'r feibrêsiyn mlaen... Ffacin hel, fuas i'n sydyn i sdwffio hi i lawr fan'na nithiwr cyn i'r cops 'ma'i gweld hi, ma raid!"

"Dwi'n cofio chdi'n ffidlan efo hi yn yr *holding cell* ar ôl i chdi ga'l dy searchio," medda Sbanish. "Ges di decst gin rywun. Ti'n cofio hi'n mynd 'bi-bîb' lawr dy fôls? Adag hynny rois di'r ringar off dwi'n siŵr, ti'n cofio hynny?"

"Do'n i'm yn cofio ei bod hi lawr 'y môls i yn y lle cynta, Sban! Ffacin hel, ddychrynis i ŵan y cont! Dwi rioed 'di iwsio'r feibrêsiyn o'r blaen! O'dd genna i'm syniad be ffwc o'dd yn mynd mlaen lawr 'na! Ffacin hel, mae o rili *yn* feibrêtio 'fyd, 'yn dyri? Ah?"

"Wel ffwcin atab y ffwcin thing 'ta!" gwaeddodd Bic.

Tarfwyd ar heddwch y nos pan agorodd drws y Trowt i chwydu mwy o'i eneidiau coll i'r gwyll. Roedd nos Iau'n noson brysur yn nhafarn y Brithyll Brown, i roi iddi ei henw swyddogol, yn enwedig ers i'r Bryn Glas dros y ffordd gau i lawr pan aeth y landlord i jêl am fwrdro'i wraig tri deg stôn drwy roi pysgodyn aur lawr ei chorn cwac pan oedd hi'n cysgu.

Roedd nos Iau yn Graig yn noson Buffs ac yn noson côr ac, unwaith byddai'n troi'n fis Medi, yn noson pŵl hefyd. Noson anodd iawn i landlord newydd y Trowt wrthod *lock-in*. Doedd Phillip ond wrth ei waith ers wythnos – law yn llaw efo Jerry'r landlord oedd yn gadael, er mwyn cael ei gyflwyno i'r regiwlars a'u harferion unigryw – a roedd o wedi cael llysenw'n barod. A roedd pawb, bron, wedi sylwi o fewn diwrnod bod Tiwlip ddim jesd yn newydd i redeg tafarn Gymraeg mewn pentra yng nghefn gwlad Cymru, ond bod Tiwlip yn newydd i'r gêm rhedag tafarn, *full stop*. A'r peth ola roedd landlord newydd mewn tafarn o'r fath hon isio'i wneud oedd pechu'i gwsmeriaid. Felly, os mai *lock-in* oedd y locals isio, *lock-in* oeddan nhw'n mynd i'w gael, a hynny am y pumad gwaith yr wythnos honno. A beth bynnag, roedd hi'n noson ola Jerry cyn iddo hedfan i gartra ei wraig yn Trinidad i redag bar calypso.

Jerry oedd un o'r rhai ola i adal y Trowt, a hitha'n bell wedi tri o'r gloch bora. A mi oedd Jerry, fel pawb arall, yn ffwcin racs. Roedd cwrw am ddim wedi bod yn fflio drw' nos a roedd o wedi hen yfad ei siâr. Roedd 'na olwg beryg braidd arna fo efo'i ffrâm sics-ffwt-thrî yn llenwi drws y dafarn a'i lygid duon yn fflamio a sbinio am yn ail o dan y mop o wallt cyrls tywyll ddeuai i lawr at ei drwyn. Roedd o'n siglo ar ei draed ac wedi rhoi ei fraich rownd sgwydda Tiwlip, oedd ond yn linyn trôns deg stôn, ac yn ei wasgu. "*Remember now, Flower … Tiwlip…*"

"*Phillip*."

"*… Flip… Remember now yeh! Look after the Trowt yeh! Will you do that for me? Will you? Promise me, now, Flip… promise me… look after the old place for me man!*" Rhoddodd sgwd fach gyfeillgar i 'Flip' a triodd hwnnw wenu wrth nodio'i ben – yr unig beth fedra fo'i neud achos fedra fo ddim cael ei wynt i yngan gair.

"*Good man, Flip, good man! I like you, you know! You're a good man 'sdi Flip…* " Rhoddodd slap fach gyfeillgar ar ochor gwynab Tiwlip nes achosi i'w sbectol gwdihŵ orwadd yn gam ar ei drwyn. Gollyngodd ei afael yn ei ysgwydda potal sos a chafodd Tiwlip gymryd ei wynt.

"*Ta Jerrey…* " medda Tiwlip yn ei acen Birmingham. "*Oops! No, hang on, I've gorrit…* " medda fo wedyn a dal ei law i fyny fel arwydd *stop and go* o'i flaen. "*… I do apologise! That should be 'dee-olk' shouldn't it! Dee-olk, Jerrey, it's been a pleasure… Owh, and what's the… owh yes… that's it – noss dah! See, I'm getting there alreadey…* "

"Flip… " Torrodd Jerry ar ei draws, gan ddal ei fys i fyny er mwyn deud rwbath, ond torrwyd ar ei draws ynta gan sŵn canu meddw, allan o diwn, yn dod o'r portsh.

"*I ba beth mae'r byd yn dod…* " Cimosapi oedd yno, un o feddwyns hapus y pentra yn ei het gowboi ledar. Canu oedd ei betha fo ar ôl cael cratsiad. Bob tro. Fysa fo ddim yn gymint o broblam blaw fod o – unwaith oedd o 'di dal hi – yn canu'r un hen blydi gân o hyd. A dim ond un pennill o honno oedd o'n wbod, a roedd tair o'r llinella yr un un ffwcin llinall. 'Sa fo ddim yn tynnu at ei bensiwn a 'di ca'l hartan bum mlynadd ynghynt 'sa fo'n cael slap dipyn amlach nag oedd o. Hynny a'r ffaith ei fod o'n horwth chwe troedfadd oedd yn beryg o roi slap yn ôl. Lwcus mai meddwi'n hapus oedd o, deud y gwir.

Roedd Cimosapi *yn* gwrando ar geisiada pobol i 'gau ei ffwcin geg' weithia, ond ddim ond i'w hail-agor hi bum munud wedyn. Roedd o 'di cael ei fanio o lot o bybs – yn enwedig rhai o'r llefydd Susnag lawr ar y côst. Yn fwy o 'terror' na 'tenor', problam Cimosapi oedd ei fod o'n meddwl bod ganddo lais fel Placido Domingo ond fod o'n swnio fwy fel Shirley Bassey'n garglo efo *anti-freeze*. Pan oedd brechdana lleisiau canu'n cael eu rhannu allan roedd Cimosapi 'di cael *bum deal* go iawn, a 'di gorffan i fyny efo tamad o grystyn a sleisan o gorn-bîff.

"... *I ba beth mae'r byd yn bod...* "

"*Shooshshsh, please, Kimosappey!*" medda Tiwlip efo'i fys ar ei wefusa, yn edrych o gwmpas y stryd yn nerfus. "*It's bloodey well gone bloodey three in the mornin. We don't want the coppers on me case alreadey, do wey?*"

"Ia, cau dy ffwcin ceg Cimosapi'r cont!" medda llais piwis Bibo Bach o rwla wrth ddrws y bar. "Ti'n waeth na tiwn gron – ti fel tin crwn!"

Ond doedd Cimosapi'n poeni dim am insylts Bibo Bach, y crinc. Tynnodd ei het gowboi oddi ar ei ben, ei throi rownd yn ei ddwylo, a'i gosod yn ôl ar ei gorun. Wedyn safodd a'i freichiau ar led fel *gunslinger* mewn Western a deud, yn ei acen John Wayne ora, oedd yn swnio fwy fel Saunders Lewis ar asid, "Man, ddus town is getting tŵ ffwl of goddam syns of bitches... " Stopiodd yn ei dracs, a gneud stumia efo'i wynab wrth gocio ei goes i fyny i roi rhech, cyn meddwl na fysa hynny'r peth calla i wneud ar ôl llowcio deuddag peint o Mŵs Piws a tri picyld egg. Ac i ffwrdd â fo i fyny'r stryd, yn wislo 'I Ba Beth Mae'r Byd yn Dod' mewn steil Sbageti Western.

Doedd hi'm yn hir cyn i'r lleill ei ddilyn o'r cwt cwrw, yn ffeilio allan bob yn un a dau rhwng Tiwlip a Jerry, oedd yn dal yno'n hongian fel ystlum mawr chwil wrth y drws. Ac os oedd Tiwlip angan gwbod pwy'n union oedd alcis ac adar brith y pentra, wel roedd hannar y *rogues gallery* yno heno.

Y rhai cynta i ddilyn Cimosapi oedd Dafydd Bwmerang a Bibo Bach, dau rôg tua hannar cant oed oedd wedi pasio'u *sell-by date* erstalwm. Dyna lle oedd y tebygrwydd yn gorffan, fodd bynnag, achos roedd gan Dafydd Bwmerang fol cwrw mor fawr 'sa fo'n gallu smyglo Bibo Bach, oedd yn dena fel cath, drwy customs heb unrhyw drafferth o gwbwl. Hynny ydi, os fysa Bibo'n gallu aros yn ddistaw am eiliad.

"Nos da, Tiwlip, thanciw."

"Noss dah, Daffeyd, deeolk!"

"Twll dy din di'r cwdyn Sais uffarn."

"Deeolk Beebow, *you're very welcome*, noss dah!"

I ddilyn Bwmerang a Bibo i'r nos daeth Glyn Mynd-a-Dod ac Eira Mai ei wraig, dau a dalodd am forgej sawl landlord tafarn. "Ma isio glaw," medda Glyn. Ei hoff ddywediad, be bynnag y tywydd.

Y nesa o'r tŷ potas oedd John Sais a'i wraig o dri deg mlynadd, Lynn Coesa Ffyn. Tu ôl iddyn nhwtha wedyn oedd Arwel Chicken Tonight, oedd wedi gwadu erioed mai fo 'di'r boi sy'n dobio iâr ddandi yn y fideo *Dirty Den Goes Country*. I ddilyn Arwel daeth y cynghorydd – a'r crwc – lleol, Wil Bach Côr, a gafodd hyd i'r fideo enwog honno mewn siop amheus yn Soho a dod â hi adra er mwyn i bawb ei gweld hi, a Frank Siop, fu'n gwerthu copïau o'r ffieidd-ffilm o dan ei gowntar yn siop y pentra. Dilynwyd y cwbwl gan ddau neu dri o hogia ifanc fu'n chwara pŵl yn y cefn, off eu penna ar Stella a scync, a'u llygid fel llygid brithyll wrth ganlyn y lleill i'r nos.

Roedd hyn yn gadal Tomi Shytyl a Jac Bach y Gwalch – dau wariar yn eu chwedegau, dau danciwr a dau siarc, y ddau efo meddwl fel rasal a thafod fel cyllall cigydd. Yn bartneriaid drygionus ers dyddia ysgol, roedd Tomi a Jac yn dipyn o dîm. A doeddan nhw'm yn cymryd prisonars.

"Deeolk, Thomas," medda Tiwlip.

"*Its Tomi, you twat.*"

"*Awh yeah! Sorrey, Tommey! Deeolk. Noss dah. Noss dah to yow tow Jackey, deeolk…* "

"*It's Jac. But you're very welcome, Tiwlip. Shalom!*" atebodd y Gwalch.

"*A–ha–ha, yes… erm… shalom…* "

Roedd Jac wedi treulio rhai oriau'n argyhoeddi Tiwlip fod 'shalom' yn gyfarchiad Cymraeg a fenthyciodd yr Iddewon pan ddaeth Noa heibio i nôl pâr o Welsh Blacks i'r arch erstalwm. Doedd Tiwlip ddim yn coelio'r stori am eiliad, ond roedd ganddo ormod o ofn deud wrth Jac. Ond roedd Jac yn gwbod hynny, wrth gwrs …

"Dwisio-pidlan-yn-fy-nhin-i!" medda Tomi Shytyl wedyn, yn dal ei law yn yr awyr wrth ffarwelio.

"*Awh yes, I never quite got my tongue around that one did I..?*" medda Tiwlip, oedd, am ryw reswm annelwig, wedi llyncu'r stori goc fod hyn yn golygu 'cysga'n dawel heno'.

"Dwisio-pidlan-yn-fy-nhin-i!" medda Jac Bach y Gwalch yntau wedyn, a'i law fynta yn yr awyr 'run fath, cyn dechra croesi'r stryd am adra.

Cododd Tiwlip ei law i'r awyr, "*Dweeshow peedlahn… eenveeneenee boys, deeolk, noss dah!*"

"Pob lwc, Jerry boi!" gwaeddodd Tomi Shytyl wedyn, yn trio cadw gwynab syth wrth ddilyn Jac dros y ffordd.

"A cofia yrru potal o *rum* i'r hogia bob hyn a hyn!" gwaeddodd Jac Bach y Gwalch.

Fel roedd Tiwlip yn meddwl mai Tomi a Jac oedd yr ola, daeth Bryn Bach – hen gradur musgrall yn ei saithdega – i'r golwg o'r bar, fo a'i 'ffycin gŵn', Mitsi a Sam, y ddau derriar bach oedd efo fo'n bob man. Gast oedd Mitsi – Jack Russell fach biwis oedd wastad yn chwyrnu ar bawb a dangos ei dannadd. Ei hoff weithgaredd, heblaw cachu a cwffio, oedd cnoi dwylo bobol oedd ddigon gwirion i roi mwytha iddi. Un o'r hatsiad o fwngrals bach *black and tan* oedd ar hyd y pentra oedd Sam. Lladd cathod oedd petha hwnnw.

"Tyd, Bryn Bach, efo dy ffwcin cathod," medda Jerry, yn dal i hongian yn y drws efo Tiwlip.

"Cathod y diawl? Gei di blydi cathod…" medda Bryn Bach yn bigog. *On cue*, chwyrnodd Mitsi a dangos ei dannadd

– roedd ganddi fwy ohonyn nhw na'i mistar. "Hyssia fo, Mits, hyssss… " medda hwnnw wedyn. Doedd 'na'm angan gofyn ddwywaith i Mitsi. Hurtiodd, a dechra chwyrnu a chyfarth fel peth ddim yn gall ar Jerry.

"Ffac off, Mits!" gwaeddodd Jerry. "Bryn Bach, dwi 'di deud 'tha ti am y ffycin ast 'na. Ma hi ar ei ffycin *last warning*, cofia!"

"Titha ar dy *last stand* hefyd, Jeremeia!" medda Bryn Bach fel gwn, jesd i atgoffa Jerry nad y fo oedd landlord y Trowt mwyach.

"Ella bod ti'n iawn yn fan'na, Bryn Bach, am y ffwcin tro cynta yn dy ffwcin fywyd," medda Jerry. "Ond ti'n dal yn ffwcin dwat!"

Trodd y cyn-dafarnwr at ei olynydd yn y drws. "*Listen, Flower, Twill, Flip … see that fucking dog there yeh, that bitch I mean? It's a fucking bastard yeh, vicious fucker yeh. Rip a man in half before you know it yeh. It's a prick dog. And the fucking other one… And that fucker too, him. Bryn Bach his name is, he's a institute, no not an institute, an instrip… an instrut… a fucking prick too. You know what I mean… Instigrator – that's what he is yeh… You have my permission to shoot the cunt if you want… OK? It's alright you know, he's my uncle yeh… *"

"*… err,*" medda Tiwlip, yn nerfus ac wedi drysu braidd.

"*Shoot the fucking three of them for me, Flippy, will you? I can get you a gun… *"

Gwawriodd ar Tiwlip fod Jerry'n jocian. "*Err… heh–heh, I don't think that shooting me coostomers or their prick-dogs is gonna set me up for a good start in the villayge now is it, Jerrey?*"

"*That's true, Flippy, very true… You've got the hang of this already haven't you? You fucking sly fish! Listen, come here Flippy mate, look, before I go, I got to tell you, yes… *"

"*What's that then, Jerrey?*" medda Tiwlip gan symud i ffwrdd oddi wrtho. Roedd ganddo ofn cael ei sgwashio eto.

"See that sign up there, yeah?" Pwyntiodd Jerry at arwydd y Brithyll Brown oedd yn hongian tu allan. "I put that up. Me. It says Y… Brithyll… Brown. Do you know what it said before, Tiwlip?" Pwyntiodd Jerry at yr arwydd eto, a'i fraich yn symud o air i air wrth siarad, "The… Brown… Trout…"

Edrychodd Tiwlip yn wag ar Jerry. Doedd o ddim cweit yn dallt ond gwyddai fod beth bynnag roedd Jerry'n drio ddeud, yn ei feddwdod, yn rwbath oedd yn bwysig iddo fo.

"You know why, Flip?"

"Err… Eeh Brittle Brown is Welsh for brown trout ain't it… "

"No, Flippy, I mean, yes, Flippy! That's very good. But what I mean is, yeh, this pub yeh, was called The… Brown… Trout. See? But I changed it, changed the business name and everything, yeh, to Welsh yeh. Y… Brithyll… Brown… " Bu tawelwch llethol am eiliad neu ddwy wrth i Jerry sdopio ac edrych yn hiraethus ar yr arwydd. "Don't let me come back from Trinididad and see that sign changed back to English, Tiwlip!"

"Awh, don't yow bloodey worrey, Jerrey, I wouldn't do that, yow know that! Bloodey 'ell! We're in Wales after all, ain't wey?"

Edrychodd Jerry i fyw llygid Tiwlip. "Good man, Phil. You've got the picture, boy! But I mean it, Phillipe! I'm off to Trinididad tommorrow… "

"Trinidad, yes … "

"I know what it's called, you fucking sausage! You see that, Flip?" Pwyntiodd Jerry at ei enw uwchben y drws. "Jeremiah Bagîtha Williams! An end of an era it is. Ten years, Flippy! Ten years! But… it's the start of a new era, see! In Trinididad, on the beach! 'Bagîtha's Bar'! With Jeremiah… Bagîtha… Williams above the door! Sun, sea, sand, sangria, sex… reggae music, ganja… and tits!" Dechreuodd Jerry chwerthin. "Tits everywhere! Everywhere you look, tits, tits all over the ffwcin shop, Tiwlip! Tits! Tits here, tits there, tits every-ffwcin-where!

Tits! Tits on ice, tits with salad, tits on the beach, in the pub… in the sun, in the shade… in the coconut trees… in my face… "

Sylweddolodd Jerry ei fod o'n pregethu, a bod Tiwlip yn sbio arno'n gegagorad wrth i'w eiriau fynd i mewn drwy un glust ac allan drwy'r llall.

"Tiwlip!"

"Jerrey?"

"*I'm* ffwcin ffycd, mêt. *I'm going home to my caravan to piss in the fridge..!*"

≈ 5 ≈

Chwartar milltir fyny'r cwm o Tyddyn Tatws roedd Pero'r ci seicotig wedi sdopio meddwl mai Springer Spaniel y tŷ ha drws nesa, wedi dysgu iaith gyfrinachol y gwdi-hŵs ac yn gwylio Hafod Wisgi o gangau'r coed, oedd y dylluan. Ac i lawr wrth goed concyrs Tyddyn Tatws roedd y cysgod wedi dechrau symud unwaith eto. Ymgripiodd yn araf o'r tu ôl i'r gastanwydden olaf a daeth sŵn crenshian tawel ar yr awel wrth iddo droi o'r tarmac i'r ffordd tsipins rhydd a redai i'r dde o'r fforch yn y dreif. Crenshian cerrig mân o dan deiars olwynion. Fan oedd y cysgod. Fan Transit las. Roedd hi'n cael ei phwsio tuag yn ôl gan dri ffigwr tywyll, a roedd hi'n mynd wysg ei thin am lyn pysgota Sidney Finch – 'Tyddyn Tatws Trout'.

Sgrynsh, sgrynsh, sgrynsh.

"Ffwcin hel, ma hi'n drwm ar y tsipins 'ma," sibrydodd llais un o'r cysgodion du wrth bwsio.

"Ffwcin reit!" medd un arall.

"*Shshshshsh*," meddai'r trydydd.

Yn llafurus, nesâi'r tri dyn a'u fan at danc stocio pysgod Sid Finch, rownd y tro y tu ôl i'r cwt wrth ymyl y llyn sgota-talu.

Fa'ma roedd Sidney 'Sgweiar' Finch yn cadw'i bysgod mawr tew cyn eu gollwng i'r llyn i'r twrists gael chwara sgota.

Sgrynsh, sgrynsh, sgrynsh.

"Sut ffwc 'dan ni'n mynd i bwsio hon nôl allan? Fydd o i fyny ffycin rhiw chydig!"

"A bydd hi'n llawn o bysgod... "

"*Shshshshshsh!*"

Sgrynsh, sgrynsh, sgrynsh.

"Ddigon agos ŵan, 'di?"

"Ffyc, 'mreichia fi!"

"Ffyc sêcs! Byddwch ddistaw!"

"Chdi sy'n ffycin gweiddi!"

"Dwi'm yn gweiddi. Wisbro'n uchal dwi!"

"A ninna 'fyd!"

Stopiodd y 'bòs'. Sythodd. "Ylwch, jest caewch y'ch ffwcin cega! Os glywith rywun ni, fyddan ni'n ffwcd! Ŵan, shyt it!"

"Ocê, ocê, ffwcin Tonto Jones!" medda un o'r lleill dan ei wynt.

Sgrynsh, sgrynsh...

"Reit. Ocê hogia. Mae'n iawn fa'ma. Rho'r hambrec 'mlaen."

Mewn chwinciad roedd y tri uwchben y tanc pysgod efo dwy *landing-net*, pastwn yr un, a twr o *sheets* gwely. Agorwyd un blancad ar y llawr. Doedd y tanc sgwâr ond yn rhyw bump neu chwe llathan ar draws, ond roedd o'n rhyw lathan a hannar o ddyfnder, i fyny oddi ar y llawr, ac yn cyrraedd at frestia'r dynion. Roedd 'na rwyd dros ei dop o, i nadu Crëyrs Glas a'u coesa hirion. Ond doedd o'n da i ddim byd i nadu cysgodion du efo dwylo blewog.

Snip, snip... snip snip snip... snip.

I mewn â'r landing-net. Yn syth, teimlai'r rhwydwr y rhwyd yn taro cefnau'r pysgod. "'Dan ni mewn, hogia! Mae o'n llawn!"

28

"Ddudas i, do?" medda un o'r lleill.

Daeth sŵn sblasho wrth i'r rhwydwr reslo rhwydiad o bysgod o'r dŵr. "Ffycin hel!" Roedd o'n cael traffarth. Neidiodd un o'r lleill i'w helpu.

"Gafal yn ochor y net! 'Di gin ti?"

"Yndi. Iawn? Hyp!" Daeth y rhwyd a'i llwyth allan o'r dŵr ac i lawr yn sglemp ar y flancad, yn cordeddu a fflapio. Roedd 'na dri ohonyn nhw. *Rainbows* mawr tew.

"Ffwcin seis!"

"Tua chwech i saith pwys, bob un, garantîd! Iesu, mae hwnna'n wyth, hawdd!"

"Saff!"

"Lladdwch nhw, 'ogia!"

Neidiwyd ar y pysgod a'u llonyddu mewn dim efo pastwn. Gwagiwyd y rhwyd ar y flancad a'i phlannu'n ôl yn y dŵr eto.

"Tria ddal nhw un ar y tro, llai o hasyl. A llai o sŵn."

"Dria i 'de! Dwi'm yn gallu gweld nhw, 'sdi!"

Allan â'r rhwyd eto. Tro yma roedd 'na ddau sgodyn ynddi.

"Ffacin hel, 'y nghefn i!"

"Pasia nhw yma a sdopia gwyno."

"*Shshsh*! Cadwch eich lleisia lawr!"

Doedd yr hogia heb sylwi eu bod nhw'n sibrwd yn uwch wrth i'r adrenalin ruthro drwy'u gwaed.

"Poeni am y sŵn sblasho dwi. Rhaid i chdi ga'l un ar y tro i allu codi nhw o'r dŵr yn sydyn, sdi!"

"Dwi'n trio, dydw!"

"Fyddan ni yma drw'r nos wedyn," protestiodd y llall.

"Gafal yn y net arall 'na 'ta," medda'r bòs. "Rhaid i ddau o'na ni ddal, a'r llall 'u lladd nhw." Pasiodd y snips i'w fêt, "Ynda, torra dwll arall ac awê."

Mewn dim, roedd 'na dwll arall yn y rhwyd ar dop y tanc

ac o fewn chydig o funuda roedd tair blancad wely'n llawn, wedi eu clymu ac yn gorwadd yn daclus yng nghefn y fan. Roedd 'na o leia ddeg sgodyn mawr ym mhob un. Roedd hi'n lladdfa. A roeddan nhw'n llwyddo i'w dal nhw heb ormod o sŵn. Doedd 'Walter Towers' ddim cweit digon agos i'r 'sgweiar' glwad chydig o sblashio drwy'r *double glazing* drud.

"Brêc bach, hogia," medda'r bòs. Roedd breichia a cefna'r hogia'n brifo, a'r tri o'nyn nhw'n chwys slops.

"Hold on… " medda un, wrth blygu lawr wrth ymyl y pysgod marw ar y flancad wrth ei draed. "Ma rei o rhein yn frownis! Sbia!" Taniodd leitar wrth ymyl sgodyn a rhedag y fflam i fyny ei ochr.

"Ia 'fyd! Browni, myn uffarn i! Tua pump pwys yn braf!"

"Wel myn uffarn i! 'Sna'm rhyfadd fod o'n costio gymint i sgota'r llyn chwîd ma. Faint mae o'n jarjio? Tenar?"

"Ffor-tîn cwid, a *'bag limit'* o dri… "

"Tri? Sid Finch, y basdad hafing!"

"Dowch 'ta! Ffwcio Finch a'i *'bag limit'*. Sbydwn ni o."

Roedd hi'n deneuach yn y tanc rŵan, a ddim mor hawdd i ddal y pysgod, a doedd 'run o'r tri 'di dod â wêdars efo nhw. Gafaelodd un o'nyn nhw mewn dyrnaid o jipings mân o'r llawr a'u taflu i mewn i'r tanc. Byrlymodd wyneb y dŵr yn swnllyd wrth i'r pysgod eu bwyta.

"Shshshshsh!" medd y tri efo'i gilydd mewn dychryn, a rhewi a dal eu gwynt. Pasiodd eiliadau hir heibio wrth i'r hogia weddïo na ddeuai gola 'mlaen yn unlla. Roedd sŵn eu calonnau'n curo'n llenwi'r nos yn eu pennau. Ond tawelodd cyffro'r pysgod heb ddeffro'r wlad.

"Petha ffwcin stiwpid 'di'r pysgod stoc ma!"

"Ia 'de! Byta rhwbath, bob awr o'r dydd a nos!"

"Ffyc it! Wagiwn ni o. Dowch!"

Taflwyd mwy o gerrig mân i'r dŵr ac aed ati eto fel lladd nadroedd, 'blaw mai pysgod oedd y nadroedd yn yr achos yma. Mewn hannar awr roedd tua cant a hannar o bysgod mawr tew mewn blancedi yng nghefn y fan. Roedd tanc stocio Tyddyn Tatws Trout yn wag. Heblaw am y dŵr... a llwyth o gerrig mân...

≈ 6 ≈

Doedd Cledwyn heb atab y ffôn mewn pryd, a doedd o'm yn nabod y rhif oedd yn dangos fel *missed call*. Ond roedd y rhif wedi ffonio deirgwaith yn yr hannar awr dwytha, felly roedd o'n amlwg yn rhywun oedd o'n nabod.

"Neu, w'rach 'de, 'na jesd rywun chwil gachu wedi deilio'r nymbyr rong i mewn tro cynta a jesd yn pwyso'r botwm gwyrdd bob tro wedyn... "

"Wel, yr unig ffordd 'nei di ffendio allan 'di drwy ffonio'r ffycin nymbyr, 'de!" Roedd Bic 'di ca'l llond bol ar Cledwyn yn meddwl ar dop ei lais.

"Sgenna i'm signal, Bic!"

"Sud bod nhw 'di ffonio chdi 'ta?"

"Yyymm... gwd point... 'Di cops yn gallu blocio signals mewn cop-shops? Aros! Genna i signal lawr wrth fy môls!"

"Wel gofyn i dy fôls di ffonio, 'ta!" gwaeddodd Bic.

Chwerthodd y tri cyfaill dros y *cell block*, fel roeddan nhw wedi ei wneud droeon o'r blaen. Doedd Cledwyn, Sbanish a Bic ddim yn ddiarth i'r math yma o lefydd a roedd y tri wedi treulio sawl noson efo'i gilydd yng nghelloedd y glas. Doedd 'run o'r tri'n ddiarth i garchar chwaith. Roedd Cled wedi gneud stretsh o flwyddyn a Sban a Bic 'di gneud mwy nag un sbelan o fis neu dri am fân betha pan oeddan nhw'n iau, heb sôn am wythnos yma ac acw am beidio talu ffeins.

Dim bod yr hogia'n ddrwg o gwbwl. Wel, dim yn yr ystyr 'drwg' efo 'D' fawr beth bynnag. Direidus oeddan nhw mwy na

31

dim. Drygioni diniwad oedd eu 'troseddau' – pethau wnaeth rioed frifo neb nad oedd yn haeddu cael eu brifo. 'Drygioni egwyddorol', fel roedd Cledwyn yn ei alw fo. Gneud digon o bres i roi bwyd ar y bwrdd, a chydig mwy os yn bosib – heb fod yn farus – a hefyd rhyw chydig o gywiro anghyfiawnderau cymunedol.

Yn fras iawn, roedd 'na dair rheol sanctaidd i ddrygioni egwyddorol: edrych ar ôl dy bobol dy hun, dim gweithgareddau dan din, a dim ymddygiad bygythiol. Roedd 'na bedwerydd rheol hefyd, oedd mwy neu lai'n deud y gellid anghofio am unrhyw un o'r dair rheol sanctaidd mewn achosion arbennig ac ar achlysuron anghyffredin, neu os oedd yr amgylchiadau'n gofyn amdano.

Doedd yr hogia ddim yn cydnabod cyfraith gwlad. Doedd honno'n ddim byd ond set o reolau wedi eu creu gan y gangstars oedd yn rhedag y wlad – a'r byd – er mwyn gwneud petha'n haws iddyn nhw gadw trefn ar y bobol oeddan nhw'n eu rheoli. Roedd cyfiawnder yn bell iawn o resymeg cyfraith gwlad. Dim deddfau er lles pobol, cymdeithas na synnwyr cyffredin oeddan nhw, ond rheolau er lles y cartél o bobol mwya pwerus a chyfoethog yn y wlad, er mwyn iddyn nhw fyw'n fras ar gefnau'r werin. Rheolau fyddai'n eu galluogi i ddal ati i wasgu pres a llafur allan o bobol cyffredin er eu budd Nhw, ac i ddefnyddio'r pres i ladd miliynau o bobol dros y byd a gwneud mwy fyth o gyfoeth iddyn nhw'u hunain! Ffwcio cyfraith gwlad! A ffwcio pob politisian a plisman a ffwcin offeiriad oedd yn deud wrth bawb am ufuddhau a derbyn eu gormes. Y gyfraith foesol oedd cyfraith yr hogia, ac roedd eu cydwybod yn glir.

Ond roedd angan gallu cofio digwyddiadau'r noson gynt i gael cydwybod glir neu beidio yn y bora. Doedd Cled yn cofio dim. A doedd y Dyn Sdici yn fawr o help. Roedd o'n methu stopio meddwl amdano fo. Achos bob tro'r oedd y Dyn Sdici'n ymddangos yn ei freuddwydion roedd 'na dro trwstan, neu rwbath drwg neu hollol stiwpid, ar fin digwydd. Roedd o 'di ymddangos y noson cyn i Cledwyn dorri'i ên mewn ambwsh gan deulu o *heavies* lleol flynyddoedd yn ôl; cyn iddo wreitio'r car i ffwrdd yn Bala; cyn llosgi'r bedsit yn Gaerdydd 'sdalwm; cyn torri'i fraich; cyn methu'r cwch o Werddon; cyn colli'i leisans am *drink drive;* cyn cael bad trip ar myshrwms yn yr Octagon ac endio fyny yn Hergest heb ddim dillad; cyn colli canpunt pan roth un o'r plant ei walad yn y tân; cyn ca'l ei ddal yn ffwcio gwraig y ficar pan oedd o'n twenti-wan a cyn 'ddo gael ei arestio ar ddim llai na thair o weithia. Roedd hynny'n cynnwys y tro y cafodd sentans o ddwy flynadd fyny'i din am werthu contraband a ganja a hitio swyddog cystoms dros ei ben efo tin o *plum tomatos.* Na, doedd y Dyn Sdici ddim yn rhywun oedd Cledwyn yn hapus iawn o'i weld. "Hei, hogia… "

"Be, Cled?"

"Aru'r cops ffendio rhwbath ar un ohonan ni nithiwr?"

"Ffyc ôl, Cled, heblaw'r blimsan 'na genna chdi… " atebodd Sbanish.

"Ffyc! Na! Ti'n jocian!?"

"Nadw 'im, aru nhw ffendio blimsan gwerth joint arna chdi. Odda 'chdi 'di anghofio fod o gin ti."

"*Aaa* bôls!" Doedd Cled ddim yn chwerthin bellach. "Pam ffwc aru chi'm deu'tha fi, 'ogia?"

"Ffycin blimsan oedd o, Cled. Gei di'm hyd n'oed *caution* am blimsan o ganj," medda Sbanish wrth weld Cled yn mynd o flaen gofid.

"A sud ffwc 'dan ni fod i wbod be ti'n gofio a be ti ddim, eniwê?" ychwanegodd Bic.

"Ia, ia, ffêr inyff, ond ti'n gwbod fel mae'r cops – efo'n record i, a… "

"A'r petha oeddat ti'n 'u galw nhw neithiwr?" medda Sban.

"… Wel, ia, a… ta waeth, rhaid i fi ffonio Drwgi… Rhaid

'ddo fynd i symud y stash… "

"Ffwcin adag yma o'r nos?" medda Bic.

"Ffwcin hannar awr 'di tri ydi hi. Fydd Drwgi'n dal yn Trowt ŵan, bydd? O'dd o allan ar y piss efo'i frawd, doedd?"

"Cled, cŵlia lawr am funud bach," medda Bic. "Meddylia am y peth. Blim oedd o, felly *caution* gei di ar y gwaetha. 'Nân nhw ddim bystio'r fflat. A be bynnag, 'di dy stash di ddim *yn* y fflat… "

"Ma'r 'stash bach' yn y fflat, dydi? Wel, yn y wal yn y cefn. A ma'r blimsan yn rhoi *legal grounds* iddyn nhw fystio'r fflat os bysa nhw isio bod yn dwats, dydi?"

"*Aaa* twt twt, Cled, ti'n ffycin paranoid, y cont… "

"Na, mae genna fo boint 'fyd, Bic… "

"Ffacin hel, Sbanish, paid â'i neud o'n waeth… "

Ond roedd hi'n rhy hwyr, roedd meddwl Cled yn rasio. "Pa *address* rois i i'r cops?"

"Pan ddaethon ni mewn?"

"Ia, be rôsh i, cyfeiriad tŷ Sian ta'r fflat?"

"Y fflat fysa chdi'n roi 'de, Cled," medda Sban. "'Sa chdi'm yn tsiansio i'r cops fynd i ddeffro Sian a'r plant, na f'sachd?"

"Ti'n iawn, Sban. Dim efo cyn lleiad at stêc eniwê," cytunodd Cled. "Diolch byth am hynny! 'Sa Sian yn 'yn ffwcin lladd i!"

Cariad Cled, a mam ei blant o, oedd Sian Wyn, a roedd Cled yn gwbod na fydda fo'n risgio ca'l y cops yn barjio i mewn i'r tŷ a'u deffro nhw dros rwbath mor fach â gwerth jointan o fwg. Roedd Sian a Cled yn 'byw ar wahân' ers rhyw ddau fis oherwydd sefyllfa gymhleth oedd wedi codi efo'u budd-daliadau. Y *bottom line* oedd bod Cled, yn swyddogol, yn byw mewn fflat yn y pentra ond yn aros yn y tŷ efo Sian a'r plant go iawn, 'blaw ei fod o'n cysgu yn y fflat o bryd i'w gilydd – ar ôl partis gwyllt gan amla. Roedd y fflat yn handi fel cwt cwrw canolog tu allan oriau agor y Trowt, a fel 'HQ' ar gyfar gweithgareddau 'cymunedol' Cledwyn a'r hogia. Roedd o'n golygu bod o'n gallu cadw tŷ Sian yn 'lân' ac yn weddol saff rhag sylw'r CID. Doedd Cled na Sian ddim yn hen ffasiwn, ond roedd 'na rai petha roeddan nhw'n cytuno y byddai'n well i blant ifanc beidio ymgyfarwyddo gormod efo nhw. Pethau fel cyrchoedd heddlu yng nghanol nos. Ac er bod gan Cledwyn betha anghyfreithlon yn ei 'stash bach', doedd y ffaith i'r cops ffendio tamad bach o hash arna fo ddim yn debygol o yrru'r *flying squad* i'r cyfeiriad oedd o wedi ei roi iddyn nhw. Roedd Cledwyn, felly, wedi bod yn ddigon hapus i gymryd y siawns a rhoi cyfeiriad y fflat i'r cops. Ond roedd hynny cyn i'r Dyn Sdici ddod i'w weld o yn ei gwsg...

"Cled," dechreuodd Sbanish eto, "ar y mwya, *caution* gei di am blimsan o ganj. *Caution* fysach chdi'n ga'l am wythfad neu hyd yn oed chwartar dyddia ma... "

"Ia, ond... "

"Witsia i mi orffan... Dydi *caution* ddim yn *criminal offence*... "

"Ia, dwi'n gwbod be sgin ti, Sbanish. Felly fedran nhw ddim bystio dy dŷ di pan ma nhw'n rhoi *caution* i chdi... "

"Yn union."

"Ond hogia bach, da chi'm yn dallt. Dwi 'di breuddwydio am y Dyn Sdici'n do! Dwi'n ffonio Drwgi, ffwcio chi. Ma'n well bod yn saff, dydi?"

= 7 =

Roedd cyfarth Mitsi, gast Bryn Bach, wedi deffro'r cysgadur meddw ar wal y bys-stop. Roedd o'n falch ei bod hi wedi ei ddeffro fo hefyd, achos roedd ei beint bron â throi drosodd yn ei law. Cymrodd swig go dda i drio dod at ei synhwyra.

Roedd o'n clwad lleisiau o gyfeiriad y Trowt dros ffordd, ond bob tro roedd o'n sbio i gyfeiriad y drws roedd pob dim yn mynd yn *fuzz* niwlog a roedd ei ben o'n dechra sbinio. Roedd o'n gallu clywad lleisia Bibo Bach a Dafydd Bwmerang, yn ffraeo rwla lawr y ffordd. "Nos da Bibo Bach!" a "Ffyc off Lemon-morang!" Tsiarming...

Cythrodd ei hun, a defnyddio'r arwydd *Bus Stop* i'w helpu ar ei draed. Wedi cael ei falans a gneud yn siŵr bod ei goesau'n dal yno, triodd roi cam ymlaen. Mi wrandawodd ei goes o i ddechra. Mi *wnaeth* hi godi oddi ar y llawr a symud am ymlaen. Ond yn anffodus anghofiodd ei frên ddeud wrthi am ddod i lawr yn ei hôl ac roedd hi'n dal yn yr awyr pan roddodd o'r gorchymyn i'r goes arall ei dilyn. Pan sylweddolodd ei gamgymeriad roedd hi'n rhy hwyr a, rhywsut – a does neb ond bobol chwil-gachu-gaib yn gallu gneud hyn – roedd ei ddwy droed, am hanner eiliad anhygoel, oddi ar y ddaear ar yr un pryd. Mae'n debyg mai'r ffenomen wrth-ffisegol hon sy'n gyfrifol am hannar anafiadau meddw trigolion ardal fel Graig a Dre. Partner, gŵr neu wraig y sawl sydd wedi brifo sy'n gyfrifol am chwartar yr anafiadau, wrth gwrs, tra mai croesi llwybr Eric Peryg ar y ffordd adra o'r pyb oedd yn gyfrifol am y chwartar arall...

I'r sawl a gyflawnodd y gamp, yr arwydd sicra eu bod, heb yn wybod iddyn nhw'u hunain, wedi bod yn hofran oddi ar y ddaear fel gwybedyn am eiliad oruwchnaturiol, yw lwmp ar dop y pen y bore wedyn. Sydd, yn wahanol i ddeffro mewn ysbyty efo lwmp ar bob rhan o'r corff ar ôl bympio mewn i Eric Peryg, yn destun chwilfrydedd, gwawd a difyrrwch i deulu, ffrindiau a cymdogion fel ei gilydd. Y broblam ydi fod pobol, fel cathod, wedi eu gwareiddio gymaint fel nad ydyn nhw bellach yn gallu ymateb yn reddfol i brofiadau anghyfarwydd. Tasa cath wyllt yn cael ffling i'r afon mi fysa hi'n nofio'n braf, *butterfly* a bacstrôc a bob dim, gan godi dau fys a smocio sigâr. Ond tria di luchio cath ddof i'r dŵr a mi suddith ei gwinadd mewn i dy gŵd cyn 'ti gael tsians i weiddi 'pwsi wlyb'. Mae'r un peth yn wir efo pobol a fflio. Os na 'dyn nhw mewn tuniau sardîns hir yn gneud pum can milltir yr awr drwy'r *stratosphere*, mae'r profiad o ffendio'u hunain heb ddwy droed ar *terra firma,* gan amla, yn achosi ymateb o un ai banig, sioc neu gachu llond trôns. Does 'na'm rhyfadd felly bod rhywun, wrth weld bod ei droed chwith yn gadael y llawr cyn i'r dde ei gyrraedd, yn panicio'n racs ac yn trio cywiro'r camgymeriad *mid-manouvre*.

A dyna wnaeth ein straglar meddw heno. Wrth iddo wneud, anghofiodd ei frên pa droed oedd ar ei ffordd i fyny i'r awyr a pha droed oedd ar ei ffordd nôl i lawr. A thra oedd y ddwy droed yn yr awyr efo'i gilydd am hanner eiliad, triodd roi'r ddwy ar y ddaear 'run pryd. A methu. Yn hytrach, aeth rownd mewn cylch, wysg ei ochor, hyd y bys-sdop gwpwl o weithia, cyn gneud *pirouette* siâp banana, ac estyn ei law wag am bolyn anweledig, rhegi wrth ei fethu, a disgyn fel silff llawn o lyfra yn llanast ar y llawr.

Gorweddodd yno am funud, ar ei gefn, a'i goesa a'i freichia yn yr awyr. I fod yn hollol saff na chollai 'run diferyn o'i beint, roedd ei frên wedi gwneud yn siŵr fod ei ddwy fraich *a'i* ddwy goes (jest rhag ofn) wedi aros mor syth ar i fyny i'r awyr â phosib, nes 'i fod o'n edrych fel bwrdd ar ben i lawr efo'i goesa'n pwyntio i'r pedwar gwynt. Wrth roi blaenoriaeth i achub ei beint roedd o 'di esgeuluso popeth arall, a mi gafodd o uffarn o glec ar gefn ei ben, fyddai'n datblygu'n lwmp o chwilfrydedd a gwawd i'w deulu a'i ffrindia yn y bora. Ond o leia roedd ei beint o'n saff.

Rhyw ddau funud yn ddiweddarach roedd o 'di codi ac yn taclo'r rhiw ynghanol y pentra. Roedd o'n nesu, efo cryn draffarth, at y goleuada traffig ar dop y rhiw. Roeddan nhw'n ail-wneud y pafin ar hyd y stryd i gyd, wedi anghofio'i wneud o pan oeddan nhw'n ail-osod y beipan nwy, ar ôl anghofio gwneud hynny wrth roi'r cêbl letrig newydd i mewn y flwyddyn cynt. Roeddan nhw'n ail-dyllu rhai o'r *manholes* hefyd, am fod y contractiwrs dwytha 'di gwneud bolsan o job arnyn nhw.

Cafodd dipyn o job concro'r rhiw, fel bysa unrhyw berson un ar bymthag stôn oedd efo llai o gordinêsiyn na bowlan o uwd. Matar o drin disgyrchiant, a handlo'i *stresses and strains*, oedd y dasg wedi'r cwbwl. Dim y peth hawdda i rywun sy ddim hyd yn oed yn siŵr i ba gyfeiriad mae o'n cerddad.

Ar ôl plannu, ar sbîd go lew, ben-gynta drwy wrych rododendrons gardd un o dai ha'r stryd, craffodd, efo llygid croes, ar y goleuada traffig. Doedd o'm yn siŵr os mai nhw ta fo oedd yn symud, ond gallai jest abowt weld eu bod nhw ar wyrdd. Cymrodd swig o'i beint, oedd dal heb golli diferyn... Poerodd. Rhegodd. Roedd ei ffag wedi disgyn i'w beint wrth iddo blannu drwy'r rododendrons. Wedi cael gwarad o'r bits ola o'r llwch ffag o gefn ei wddw aeth ymlaen efo'i lygid yn gul. Roedd ar fin cyrraedd y golau traffig pan drodd o'n oren. Triodd frysio, ond erbyn iddo'i gyrraedd roedd o wedi hen droi'n goch. Mymblodd rhyw regfeydd, ac aros yno, yn hongian ar yr awyr, fel hen hosan ar lein ddillad anweledig.

Rhoddodd ei beint ar lawr a dechra tyrchu drwy bocedi ei jaced am ei faco i rowlio ffag. Cafodd hyd iddo'n diwadd ym mhocad tin ei jîns. Tyrchodd am ei rislas ym mhocedi eraill ei jîns, a chael hyd iddyn nhw'n diwadd ym mhocad tu mewn ei jaced. Roedd o'n edrych fel ei fod o'n dawnsio tecno i drôn undonog y compresar oedd yn gweithio'r goleuadau, efo'i freichia'n mynd i bob man fel pry copyn, gan drigro sensor y gola heb i'r 'dawnsiwr' wybod dim. Erbyn iddo rowlio ffag, a'i thanio, roedd y gola nôl yn goch am y nawfad tro.

Plygodd. Cododd ei beint oddi ar y llawr. Trodd y gola'n oren, wedyn gwyrdd. Dechreuodd gerddad, ond gollyngodd ei ffag ar lawr. Plygodd i'w chodi, yn ofalus fel 'sa fo'n sefyll wrth ymyl clogwyn. Trodd y gola'n goch. Mymblodd fwy o felltithion cyn suddo ar ei din ar lawr a gorweddian yn erbyn yr arwydd 'Pan Welwch Olau Coch, Sefwch Yma'. Chwerthodd fel ynfytyn. Roedd ei beint o'n saff, ac yn dal yn hannar llawn. Cymrodd swig, wedyn drag dwfn o'i ffag. Yna canodd ei fobeil ffôn.

≈ 8 ≈

Yn Tyddyn Tatws roedd y tri pysgotwr yn tuchan a straenio wrth drio pwshio'r fan yn ôl am y dreif. Ond doedd hi'm yn symud mwy na modfadd ar y tro.

"Ffacin 'el, dwi'n ffwcd y cont!"

"Ddudas i 'do? Ma fyny ffycin rhiw 'dyri? Ffyc sêcs, man!"

"Ti'n siŵr bo'r hambrêc off?"

"Caewch y'ch ffwcin cega, 'nowch chi! 'Sa'm point swnian am y peth! Bydd rhaid i ni jest tanio'r ffwcin thing a'i 'gluo hi."

"Ond os ddeffrith rywun yn y carafáns 'ma, neu yn Walter Towers, mi welan nhw ni, 'yn g'nan?"

"Sgenan ni'm dewis, nag oes? Fedran ni'm gadal y ffwcin fan! Rhaid i ni jansio hi!"

"Awê 'ta, dowch! Yn ddistaw... "

Aeth y tri am ffrynt y fan ar flaenau'u traed. Mwya sydyn daeth ci bach o'r twllwch, ffwl pelt, yn cyfarth a chwyrnu fel peth 'im yn gall. Ci rhech oedd o, Yorkshire Terriar bach blewog, yn ddannadd a sŵn i gyd. Aeth yn syth am ddreifar y fan a sefyll o'i flaen o'n iapian fel na iapiodd yr un ci rhech bach blewog erioed. Neidiodd y dreifar, ond llwyddodd i gadw'i waedd o dan ei wynt. "Basdad! Iesu bach o'r ffycin sowth! Ffwcin ci, y cont!"

"*Howie!*" gwaeddodd llais dyn diarth o'r gwyll yn y pellter. "*Howie! Get back here! Here boy!*"

Roedd y llais yn dod o gyfeiriad y llwybr drwy'r cae chwarae rhwng Walter Towers a'r carafáns, rhyw hannar canllath i ffwrdd. Trio gweiddi heb neud sŵn oedd o, yn amlwg ddim isio deffro gweddill y camp. Ond doedd y Iorci bach yn poeni ffyc ôl am hynny. Daliodd i iapian fel 'sa fo isio deffro'r ffwcin byd i gyd.

"Dos! Ffyc off! Shiw! Ffyc sêcs!"

"Bŵt i'r ffwcin thing!" medda un o'r lleill.

Trodd cyfarth Howie'n wich siarp, boenus, cyn iddo sgrialu lawr y ffordd tsipins i gyfeiriad ei fistar. Aeth y tri lleidar pysgod i guddio tu ôl i'r fan.

"Reit, hisht am funud hogia. Pawb aros yn llonydd. Un o gontiad y carafáns ydi o. 'W'rach eith y ffycar yn munud."

Arhosodd y tri wrth y fan yn gwrando. Roeddan nhw'n gallu clywad y boi'n rhoi mwytha i'r ci.

"Be ma'n ddeud?"

"Rwbath am *bunny rabbits.*"

"Reit dda, ma'n meddwl 'na cningod 'dan ni."

Daeth y lleuad allan o du ôl i gwmwl am eiliad neu ddwy. Yn y golau gwan gallai'r hogia weld y dyn yn mwytho'r ci wrth ochor y dreif. Un o bobol y carafannau'n methu cysgu ac yn mynd â'i gi am dro oedd o. Doedd o'n ama dim byd, mwya tebyg, ond be oedd o'n mynd i neud nesa? Mynd nôl i'w garafán neu dal i fynd am dro? Ac os oedd o am fynd am dro, pa ffordd oedd o am fynd? I fyny am y buarth ta lawr am y llyn? Roedd yr hogia ar biga'r drain.

"Ffycin dos y cont!"

"Hisht, ffor ffyc's sêcs!"

"Basdad! Ma'n dod am y llyn!"

"Bôls!"

"'Mond am y llyn eith o, siŵr! Ddaw o ddim am y tanc 'ma, siawns?"

"Well iddo ffwcin beidio!"

"Cyn bellad bod ni'n swatio'n ddistaw tra mae o wrth y llyn, fydda ni'n iawn. Welith o monan ni na'r fan."

"Welith *o* monan ni ella, ond be am y ffwcin ci rhech 'na?"

"Groesan ni'r bont yna pan gyrhaeddwn ni hi, hogia," medda'r bòs.

Roedd tôn ei lais yn iasoer o benderfynol.

≈ 9 ≈

Hen Wlad Fy Nhadau oedd y *ringtone* ar ei ffôn. Addas iawn, achos roedd o'n trio'i orau glas i godi ar ei draed – er mai gneud petha'n haws iddo fynd drwy'i bocedi i ffendio'r ffôn oedd y bwriad. Wedi clatro'r arwydd 'Sefwch Yma' yn fflat i'r llawr, llwyddodd i gael ei falans a dechra ymbalfalu drwy ei ddillad fel dyn efo chwain. Aeth y goleuadau traffig i *disco mode* eto. Yn y diwadd cafodd afael ar y ffôn mewn pocad slei tu mewn ei jaced. Gwenodd wrth weld yr enw ar y sgrin. Gwasgodd y gwyrdd a rhoi'r ffôn i'w glust. *"Drwgi Ragarug, purveyor of herbs and spices across five incontinent populations. How may I help?"*

Ond doedd neb yna. Roedd y ffôn 'di stopio canu fel roedd Drwgi'n atab. Ond o leia mi drodd y goleuadau traffig yn wyrdd. Gafaelodd Drwgi yn ei beint a stagro ymlaen.

Yna daeth y gigyls. Roedd hyn yn digwydd i Drwgi'n amal, hyd yn oed pan oedd o'n strêt – heb sôn am ar ôl smocio gymaint o scync ag oedd o 'di neud heno. Ac, fel arfar, aeth y gigyls allan o reolaeth. Dechreuodd chwerthin fel ffŵl a nadu fel morlo rhwng pyliau o sterics. Collodd ei ben yn llwyr. Anghofiodd ei fod o bellach yn mynd lawr y rhiw yr ochr arall i'r golauadau traffig. Deimlodd o mo'r disgyrchiant yn hudo'i horwth ansefydlog am y gwaelodion. Sylwodd o ddim fod ei goesau'n symud yn gyflymach a chyflymach wrth lusgo dwy droed gyndyn ar eu holau. Y tro cynta iddo sylwi ei fod o *off course* oedd pan chwalodd o drwy'r barriers diogelwch coch a gwyn wrth y pafin. A'r tro cynta iddo sylwi fod o allan o gontrôl oedd pan fownsiodd fel casgan gwrw ar y doman o bridd a hen darmac wrth ochor y twll. Pan laniodd ar ei gefn, bum troedfadd i lawr yng ngwaelod twll ar gyfar *manhole* newydd yn y pafin, a'i sgwyddau wedi wejio'n dynn yn yr ochrau, roedd o'n dal i chwerthin fel hyena gwallgo. A roedd ei beint o'n dal yn ei law…

≈ 10 ≈

Nôl yn y gell yng ngorsaf yr heddlu roedd Cledwyn ar y wôrpath. Roedd o wedi methu cael atab ar ffôn Drwgi ac wedi methu cael y cops i atab ei alwadau am gael mynd i biso. Roedd o'n cerddad i fyny ac i lawr y gell fel dyn gwyllt, yn trio meddwl am rwbath heblaw piso, ac yn trio meddwl am rywun arall i ffonio i ofyn iddyn nhw fynd i symud ei stash. Roedd o'n gwbod ei fod o'n poeni gormod, ei bod hi'n hollol annhebygol y bydda'r cops yn bystio'r fflat a ballu, ond roedd o 'di dysgu bellach i beidio cymryd unrhyw beth yn ganiataol wrth ddelio efo'r Moch. Yn enwedig pan oedd y Dyn Sdici ar y sîn hefyd. Ond roedd hyd'noed y broblem honno'n pylu yn wyneb yr ymdrech i beidio piso. Doedd o heb wireddu ei fygythiad i biso ar lawr y gell cynt, ond roedd yr opsiwn hwnnw'n dechra ymddangos fel un realistig. Aeth nôl at y fflap yn y drws a gwasgu'r botwm ar y wal. "Hoi! Ffashists! Dwi sîriysli'n mynd i biso ar lawr y ffwcin gell 'ma 'sna dach chi'n dod i agor y ffwcin drws, y ffwcin prics!"

"Cau dy ffwcin geg, Cled, neu fyddan ni yma drwy dydd cyn iddyn nhw jarjio a bêlio ni!" gwaeddodd Bic.

"Ffwc o bwys genna i, Bic! Gân nhw gadw fi am wsos a tsiarjio fi 'fo myrdyr, cyn bellad â bo fi'n ca'l piso! A wel, ffyc it, dwi'n piso ar lawr. Gân nhw jiarjio fi am hynny 'fyd, ffwcio nhw!"

"Na Cled, paid!" gwaeddodd Bic. "'Na nhw ond bod yn ôcward efo ni. Maen nhw'n ddigon *pissed off* efo ni'n barod! Cled? Cled! Paid â piso!… Cled…!"

"Dydw i ddim… trio ffendio nymbyr Tintin dwi."

"Gei di'm atab gin Tintin ŵan, siŵr dduw!"

"Tisio bet?"

"Ma 'i'n twenti tŵ ffôr, Cled!"

"Falla wir, Bic, ond mi gadwith 'yn meddwl i oddi ar y piso… Be ddigwyddodd nithiwr 'ta? 'Sna'r un o'nach chi isio deud y stori wrtha i ta be?"

"Yn restront Seamus oeddan ni, Cled, ar ôl i'r pybs gau," dechreuodd Sban. "Ti'n cofio hynna?"

"Reit, OK. Be o'dd 'na? Parti?"

"Mam bach o'r sowth! Ti'm yn cofio bod yno o gwbwl?" medda Bic, yn dechra cael llond bol ar Cledwyn. Roedd o'n siŵr ei fod o'n methu cofio ar bwrpas er mwyn osgoi cyfrifoldab am eu cael nhw i gyd i drwbwl unwaith eto.

"Nadw, 'im rîli, ond ddaw o'n ôl i fi. 'Mynadd, Bic, 'mynadd… "

"Ti'n cofio ffrîcio efo Seamus, ta?" dechreuodd Sbanish eto.

"Ffwcin hel, nag dw! Shit! Dio'n dal yn fyw?"

"Yndi, yndi. 'Nas di'm cael gafal arno fo… " medda Sbanish.

"Diolch byth am hynny!" gwaeddodd Bic eto.

"Pam ta, 'ogia?"

"Bod yn gocoen oedd o… " medda Sbanish.

"Be 'nath o 'ta, Sban?"

"Anghofia hynny am rŵan. Am gael sîn efo'r cops 'dan ni i mewn 'ma," medda Sbanish. "Dechra arna nhw oedd y mistêc."

"Pwy 'nath hynny, 'ta?" gofynnodd Cled.

"Nefoedd gwyn yr adar pinc!" gwaeddodd Bic. "Ti isio ffonio ffrind?"

"Na, dwi'n gofyn i'r ffycin *audience*, ocê? 'Di hynna'n iawn 'fo chdi'r twat?" Roedd Cledwyn wedi cael digon ar Bic yn cwyno erbyn hyn 'fyd. "Be oedd y crac 'ta, Sban?"

Ar hynny daeth y Sarjant Dyletswydd drwy ddrws ym mhen draw'r bloc â'i oriadau'n janglian. Rhoddodd Cled ei ffôn yn ôl lawr ei fôls. Brasgamodd y plisman ifanc at ddrws cell Cled ac edrych drwy'r fflap.

Er fod o'n gwbod yn iawn nad oedd pwynt weindio copars i fyny yn y *cells* methodd Cled gadw'i geg ynghau. Clapiodd yn sarcastig. "Haleliwia'r llygod a hwrê i bob un! Copar mewn cop-shop, myn uffarn i! Pwy fysa'n meddwl?"

"Be ti isio, washi?" gofynnodd y Sarjant.

"Piso, ffôn-côl, diod o ddŵr a matsian. In ddat ordyr, os gweli di'n dda. A llai o'r washi os ti'm yn mindio."

"Felna mae'i dallt hi, ia?" medda'r copar cyn cau'r fflap, troi ar ei sodla a mynd nôl am y swyddfa.

"Basdad bach!" gwaeddodd Cled a cicio'r drws. "Trôns pwy 'aru nhw grafu chdi odd' arno 'ta? Ah? Ffwcin prrric! 'Da chi gyd 'run fath. Methu cymyd ffycin jôc! Rhy bell fyny tina'ch hunan! Ffwcio chdi, dwi'n piso ar lawr!"

"Gwna di hynna a mi fyddi di'n aros yn fan'na yn ei ganol o tan fory, mêt!" gwaeddodd y Sarjant o'r drws ym mhen draw'r bloc.

"Tyd 'laen, Sarj! 'Mond pisiad dwi isio, a matsian i danio ffag... " Roedd Cled yn dechra newid ei diwn.

"Tyff!" medda'r plisman, ac allan â fo.

"TWAT! " gwaeddodd Cled. "Am dwat, man! Welsoch chi o, 'gia? Dio'm llawar hŷn na Gadaffi'r Cheese Plant a ma 'di rhoi digon o parcing ticets i fod yn Sarjant!"

"Handlast di honna'n dda, yndo, Cledwyn?" medda Bic. "Rhaid 'mi ddeud, ma gin ti ffordd efo geiria... "

"Ffyc off, Bic!" atebodd Cled cyn troi ei gynddaredd yn ôl i'r cyfeiriad y diflannodd y Sarjant bach. "Hoi! Be 'nas di i gael dy streips, coc boi, rhoi blow job i'r inspectyr? Ffwcin prrric!" Dechreuodd ganu'r gloch a chicio'r drws eto. "Hei! Spawn of Adolf! Gad fi fynd i biso, ffor ffyc's secs! Mae pob cell i fod i gael bog yn'i hi dyddia yma, sdi! *European law*! Dim cyfraith y slwt 'na sy ar dy faj di! Hei! Ti'n clwad? Dwi'n gwbod fy hawlia! A ma genna i hawl i biso!"

Roedd Cled yn gwbod nad eith neb i nunlla drwy weiddi ac abiwsio plismyn, ond roedd ffiws ei dempar yn un llawar rhy fyr i adael i hynny ei stopio fo. A roedd o ar gefn ei geffyl rŵan. "Hei, Sarjant Cocboi! Dwi'n piso ar lawr. Wyt ti'n glwad o? Dwi'n êmio fo dan y drws. Chi i gyd fydd yn goro diodda'r hogla, dim fi. Ti'n barod? Dwi'n cyfri i dri... ffyc it, dwi'n cyfri i un... Un! Reit – be sy'n felyn ac yn drewi o biso? Ia, correcto-ffycin-mwndo – piso!"

Tro yma doedd Cled ddim yn blyffio. Agorodd ei falog a tynnu'i goc allan. Ond fel roedd o ar fin piso trodd y goriad ac agorodd y drws. Roedd y Sarjant yn sefyll yno fel ceiliog dandi. "Ti'n meddwl bo chdi'n glyfar wyt, *dickhead*?" medda fo.

"'Sa'm isio bod fel 'na, nag oes, Sarj?" medda Cledwyn, a'i goc yn ei law. "Ga i fynd i biso, ta be?"

Camodd y Sarjant i'r ochor. Rhoddodd Cledwyn ei goc nôl i mewn at ei fobeil ffôn. Roedd honna'n agos, meddyliodd. Camodd allan o'r gell. "Lle mae'r toilet?"

"Dwi'n rhoi chdi fewn efo dy fêt. Mae 'na doilets yn y *cells* erill 'ma."

"O na, Sarjant!" gwaeddodd Bic. "Paid â rhoi o i mewn efo fi! Plîs, Sarj!"

Ond doedd dim rhaid i Bic boeni. Agorodd y Sarjant ddrws cell Sbanish.

"Diolch, Sarjant," medda Cled, efo ffag yng nghornal ei geg. "Oes 'na jans am dân 'fyd?"

Ond caeodd y copar y drws yn glec ar ei ôl. "Taga, ashôl!"

medda fo wrth droi'r goriad a gadael.

Wedi sticio'r bysidd i fyny tu ôl i'r Sarjant cafodd Cled dân ar ei ffag gan Sbanish cyn mynd yn syth am y bog a piso'n braf efo ochneidia mawr o ryddhad nefolaidd. O fewn dim roedd nicotîn y ffag wedi symud ei berfadd a roedd o 'di drewi'r gell allan efo'r gachiad mwya dieflig yn y byd. Roedd Sbanish yn tagu a rhegi. "Ffycin hel, dwi'n marw!"

Ond chwerthin yn braf oedd Cledwyn. "Paid â beio fi! Beia'r *air conditioning*!"

"*Air conditioning*? Pa aer? 'Mond gas sy ma! *Blaaarch*!"

"Dwi'n ffycin ogleuo fo fan hyn!" gwaeddodd Bic o'r gell dros ffordd.

"Grêt! Bydd rhaid 'chdi gau dy ffwcin geg i sbario ogleuo fo, 'lly!" atebodd Cledwyn. "Hei Sban, ti'n meddwl bod y cops yn gallu gwrando ar *calls* mobeil ffôns mewn lle fel hyn?"

"Na. Dydyn nhw'm yn disgwyl i neb fod efo ffôn, nac 'dyn?" medda Sban.

"Wel na. Maen nhw fod i syrtsio bobol yn well na maen nhw 'di syrtsio ni'n dydyn?" chwerthodd Cled. "Pam gafon ni ddim ffôn-côl ganddyn nhw ta? 'Dan ni fod i gael un!"

"Am ein bod ni'n rhoi abiws iddyn nhw, Cled," medda Sban. "Oeddan ni chydig bach yn wyllt, sdi… "

"Reit, dwi'n ffonio Tintin. Deu'tha i be ddigwyddodd nithiwr, Sban… "

⹀ 11 ⹀

Wedi swatio a gwylio rownd ochor y fan am gwpwl o funudau roedd potsiars Tyddyn Tatws wedi colli golwg ar y dyn a'i gi.

"Lle a'th o?"

"Dwi 'mbo. Wela i'm byd."

"Mae o un ai wrth y llyn neu 'di mynd nôl i'w garafán."

"Ma'n gwitsiad i'r ci gachu ne 'wbath ma'n siŵr. Rown ni ddau funud arall iddo fo."

"Betia i di fod y cont ar 'i ffordd fyny ffor 'ma... ffwcin Sais 'di o 'de, isio busnesu, garantîd."

"Naaa! I be ffwc? 'Sna'm gola ma na dim byd! Peidiwch poeni 'ogia. Fyddwn ni'n iawn, gewch chi weld... "

"*Shsh!* Be o'dd hwnna?"

"Be o'dd be?"

"*Shsh...!* Ma'r cont yn dod am ffor 'ma!"

Rhyw bymthag llath o flaen y fan roedd siâp tywyll dyn i'w weld yn sefyll.

"Ti'n weld o?"

"Yndw. Ma 'di stopio."

"Lle ma'r ci?"

"Efo fo, dwi'n meddwl..."

Ar hynny rhoddodd y ci gyfarthiad bach sydyn dan ei wynt, y math o gyfarthiad mae cŵn rhech yn ei roi er mwyn rhoi'r argraff eu bod nhw *on the ball* a bod 'na ffyc ôl yn mynd heibio'u trwyna na'u clustia heb iddyn nhw sylwi.

"*Is the wickle bunny wabbit still there, Howie-powie?*" meddai'i fistar mewn llais iaith babis. Atebodd y ci drwy chwyrnu'n isel a rhoi cyfarthiad bach arall, ychydig yn uwch na'r cynta. Dechreuodd y dyn gerdded tuag at y fan, efo'r ci'n trotian o'i flaen yn hyffian a pyffian – gan ofalu peidio â mynd yn rhy agos at y fan rhag ofn i'r *bunny rabbit* mawr cas roi seis ten arall yn ei asennau...

Stopiodd y dyn pan welodd o'r Transit. Roedd dreifar y fan, y pen-botsiwr, yn ei weld o'n weddol glir wrth sbecian yn slei rownd ei hochor. O be allai o weld, roedd o'n ddyn canol oed ac yn weddol ganolig o ran maint. A roedd o'n gwisgo sbectols. Roedd eu gwydra'n sgleinio yn y mymryn gola lleuad. Bron na allai weld ymennydd y dyn yn ystyried be oedd y fan yn wneud yno. Roedd y boi'n siŵr o feddwl mai fan yn perthyn i Tyddyn Tatws Trout oedd hi, meddyliodd. Ond tynnodd y pastwn lladd pysgod allan o bocad tu mewn ei gôt, rhag ofn.

Pasiodd eiliadau fel munudau wrth i Howie'r ci rhech biso'n erbyn teiars ffrynt y fan a sniffian o gwmpas lle cafodd o gic rai munudau ynghynt. Yna canodd y dylluan yn y goedan gerllaw eto. Neidiodd y Sais yn ei groen, a daeth cyfarth pell Pero'r ci seicotig o ben ucha'r cwm i siarsio'r dylluan unwaith eto ei fod o'n gwbod be oedd ei gêm hi. Rhoddodd Howie gyfarthiad rhech arall, a chwyrniad, cyn hyff-pyffio'n ôl i ddiogelwch cysgod traed ei feistr. "*Let's go home Howie-powie, there's no bunny-wunnies here. C'mon, boy.*"

Anadlodd y gwyliwr a'i ddau fêt eu rhyddhad. Roedd honna 'di bod yn agos, yn agos uffernol. 'Mond matar o aros i'r dyn a'r ci fynd nôl i'w carafán oedd hi rŵan, wedyn jymp i'r fan ac awê.

A dyna pryd y canodd mobeil ffôn Tintin. A hynny'n uchal dros bob man. Roedd ganddo ffôn top-of-ddy-rênj, wedi'i chael yn rhad gan un o ladron Dre. Ffôn *Realtone* oedd yn chwara miwsig go iawn, a hynny'n ffwcedig o uchal. Doedd o heb gael unstrycsiyns efo hi, felly doedd o heb allu newid y ringtôn o gwbwl ers iddo'i chael hi. Sgrechiodd cân y *Muppet Show* dros heddwch Tyddyn Tatws,

'It's time to play the music, it's time to hit the lights, it's time to meet the Muppets on the Muppet Show Tonight... pom-pom-pom...'

"Ffyc, ffyc, ffyc, shit, ffyc, ffyc, shit... !" Rhegodd Tintin mor uchel ag oedd hi'n bosib heb weiddi wrth balfalu drwy'i bocedi'n chwilio am ei ffôn.

'... It's time to put on make-up, It's time to dress up right, It's time to raise the curtain on the Muppet Show tonight.. pom pom-pom...'

"Shit, ma'i 'di mynd lawr leining y jacet... "

"Ffacin clown!" rhegodd y bòs dan ei wynt, fwy mewn

anobaith na mewn tempar.

"Sori sori sori! Shit, ffyc, shit! "

Sbiodd y bòs heibio cefn y fan eto. Roedd y Sais wedi stopio hannar ffordd nôl am y llyn ac yn troi nôl, yn araf, am y fan. Ac wrth gwrs roedd Howie'n taranu am y fan fel mop efo dannadd, yn rat-tatio fel mashîn gyn...

"Reit, i mewn i'r fan hogia, cwic! 'Dan ni'n mynd... "

'*Why do we always come here, I guess we'll never know, It's like a kind of torture, to have to watch the show... bwm ti-ti bwm...* '

Brysiodd y tri am y fan am yr eilwaith y noson honno. Ac am yr eilwaith hefyd daeth Howie, y bionic bog-brush, fel *guided missile* o'r twllwch i gwfwr y dreifar. Anelodd hwnnw homar o gic tuag at y blewgi. Ond tro yma fe fethodd, a cydiodd y ci yng ngwaelod ei drwsus a gneud y sŵn garglo rhyfedda wrth ysgwyd ei ben yn lloerig. Does 'na'm gwadu bod y blewgwn bach hyll a hirwalltog hyn yn betha mor ridiciwlys eu golwg fysan nhw'm yn codi ofn ar wiwar goch, ond dydi hynny ddim yn esgus iddyn nhw fod y ffycyrs mwya blin ac anghyfeillgar ar wynab y blaned ers y deinosors. Mae nhw'n afresymol o flin, yn cyfarth a chwyrnu ar bopeth sy'n symud – ar goesau neu olwynion. A mae nhw un ai'n anhygoel o ddewr neu'n hollol ffwcin sdiwpid. Roedd Howie'n enghraifft berffaith. Pom-pom efo dannadd oedd o – fawr mwy na chwe modfadd o'i draed i'w glustia – ond roedd o'n amlwg yn meddwl ei fod o'n Tyrranosaurus Rex wrth drio garglo trowsus dreifar y fan i farwolaeth ... oedd yn ddigon blydi bizzâr ynddo'i hun heb y ffaith fod cân y Muppets yn cyrraedd ei chleimacs,

'... *on the most sensational, inspirational, celebrational, Muppetational, this is what we call the Muppet...* '

Stopiodd y gân yn fyr. "Wsti be," medda Tintin. "Mae'r ringtôn 'na o hyd yn stopio'n fan'na. Rwbath i neud efo settings y ffôn ydi o. Mae'r ring yn fyrrach na'r gân. Ffacin hel, mae o'n *annoying*!"

49

"Hallo there?" medda llais y Sais o'r gwyll. *"Howie! Shoosh boy!"*

Gollyngodd y ci ei afael yn nhrowsus y dreifar a rhedag at draed ei fistar i chwyrnu o le saff.

"Hallo!" medda fo wedyn wrth ddod yn ddigon agos i allu gweld pawb. Tynnodd y tri potsiar eu capiau gwlân i lawr yn isel a chodi coleri eu cotiau. Safodd y dyn ar ganol cam.

"All right?" medda dreifar y fan yn ôl.

"Working late?" gofynnodd y dyn, braidd yn nerfus.

"Drainage."

"Oh? Problems?" Edrychodd y dyn ar y tanc pysgod. Gwelodd fod ei ochrau'n sblashys dŵr i gyd, yn sgleinio yn y lleuad. Wedyn sylwodd fod y rhwyd ar dop y tanc wedi ei thorri. Cymrodd hannar cam yn ôl.

"Mewn i'r fan, hogia!" gwaeddodd y dreifar, cyn neidio'n ei flaen a gafael yn sbectol y Sais a'i thaflu i'r gwyll. Wedyn cydiodd yn y dyn a dechrau'i lusgo am y tanc pysgod. Dechreuodd hwnnw sgrechian, a dechreuodd y blewiach gyfarth rownd sodla'r dreifar eto. Rhoddodd y potsiar ei law'n dynn dros geg y boi ac anelu cic am y ci. Methodd. Triodd sathru arno. Methodd. Cyrhaeddodd y tanc pysgod a chodi'r dyn oddi ar y llawr i drio'i luchio fo mewn. Roedd o wedi'i gael o hannar ffordd dros ochor y tanc pan neidiodd Howie am ei goes a hongian gerfydd ei ddannadd o'i glun o fel *fruitbat* cynddeiriog. Llithrodd ei law i ffwrdd o geg y Sais. Dechreuodd hwnnw weiddi,

"Help, no, please, no, helyfflybylybylybylyby…" Trodd geiriau'r cradur yn sŵn bybls wrth i freichiau nerthol y potsiar bwsio'i ben o dan y dŵr er mwyn ei stopio fo rhag neud sŵn tra oedd o'n tynnu'r ci oddi ar ei goes.

Tra bod yr holl gomosiwn ma'n mynd mlaen tu allan, roedd Tintin a'r llall yn ista yn ffrynt y fan. "Lle gas di'r ffôn 'na 'ta, Tint?"

"Gin Beetlejuice am twenti cwid."

"No wê?!"

"Ia, bargian."

"Ffycin reit! Be 'di, contract?"

"Na, *Pay As You Go*. Wel, contract oedd hi, ond 'nath Dewi Clwydda 'i unlockio hi i fi. Mae'n *any network* ŵan, so rois i SIM card *pay as you go* Voda yn'i hi."

"Neis won, Tint. 'Sa gamera 'ni 'fyd?"

"Oes, un da aparentli. Ma'r ringtôn yn bygio fi, ddo... "

Tu allan roedd petha'n poethi. Efo un fraich yn dal pen y boi dan dŵr, trodd y potsiar rownd, gafael yng ngwar y terriar a trio'i luchio fo i'r tanc. Ond rhywsut llwyddodd y ci i wingo'n rhydd a disgyn i'r llawr yn barod i ymosod eto. Ond chafodd o'm siawns. Cafodd gic nes fod o'n hedfan din dros ben i ganol y ffordd tsipins o flaen y fan, yn gwichian fel llgodan.

"Gargla ar honna'r ffocin bymfflyff!"

Ffliodd Howie'r ci heibio ffenast dreifar y fan, yn mewian fel cath mewn manglan, a rowlio'n bendramwnwgl i'r twllwch o flaen y fan. Neidiodd y ddau botsiar yn y sêt flaen.

"Ffwcin hel! O'n i'm yn gwbod bod cŵn yn gallu fflio!" medda Tintin.

"Yndyn siŵr. Dyna be oedd y *dog-fights* uwchben Dover adag y *Battle of Britain* ynde?!" medda'r llall.

Chwerthodd y ddau, heb sylwi bod y sŵn sblashio a gweiddi o'r tanc pysgod tu ôl iddyn nhw'n mynd yn fwy ffrantig.

"Wyt ti'n dallt y peth WAP ar y ffôns 'ma, 'ta?" gofynnodd Tintin.

"Yndw. Ti'n ffindio be ti isio, pwyso botwm, a mae o yna, wap! Ond rhaid i ti fod yn Sowth Wêls i gael signal..."

"Hei, 'di hwn yn iawn efo'r boi 'na, dwad?" medda Tintin wrth sbio yn y *wing mirror*.

"Be ma'n neud?"

"Trio boddi'r Sais 'na dwi'n meddwl... "

Edrychodd y ddau ar ei gilydd am eiliad, cyn neidio allan o'r fan. Roedd eu mêt yn sefyll a'i gefn atyn nhw wrth y tanc pysgod, efo coesa'r Sais yn sdicio i fyny dros ei ysgwydd. Roedd hwnnw'n dal yn fyw, beth bynnag, achos roedd o'n cicio fel diawl. A roedd 'na sblashys, a'r synau rhyfedda, yn dod o'r tanc.

"Paid â'i ffwcin foddi fo!" gwaeddodd Tintin a'r llall efo'i gilydd ar eu bòs.

Trodd hwnnw'i ben rownd fymryn a gweiddi'n ôl, "Dwi'm yn trio'i ffwcin foddi fo! Trio'i luchio fo fewn dwi... *aaaaaaaarg*... a ma'r cont yn cau gollwng 'y nghlust i! *Aaaaaarg*... oes 'na jans am ffwcin help, ta ffwcin be?"

Sylwodd y ddau arall be oedd yn digwydd, a rhuthro i helpu. Ond erbyn iddyn nhw gyrraedd roedd y Sais wedi llwyddo i godi'i ben uwchben y dŵr ac yn gweiddi rhwng bagliadau o wynt, "*Please, my heart, my heart... I have a condition...* !"

Stopiodd y tri'n sdond mewn dychryn. Doeddan nhw ddim isio risgio rhoi hartan i neb. Doed hyd yn oed y plesar o wagio tanc pysgod Sidney Sgweiar Finch ddim yn werth gneud *life* am blydi mwrdwr! Gollyngwyd y Sais yn swp ar lawr, yn pesychu lle bu'r pysgod yn tagu cynt. Bachodd y tri potsiar hi am y fan a neidio i mewn a'i thanio. Sbiniodd ei holwynion a saethu cerrig mân i bob cyfeiriad, nes i'r teiars o'r diwadd gydio yn y ffordd. Sgrialodd y fan yn ei blaen heb ei goleuadau, yn syth dros Howie'r ci, oedd yn gorwadd yn llwybr yr olwyn flaen dde, yn trio dod dros ei ail brofiad annisgwyl o hedfan. Fe'i lladdwyd cyn iddo gael siawns i roi gwich.

"Howiiiiiiiiieeee... !" sgrechiodd ei fistar wrth sylweddoli be oedd y sŵn 'sglwtsh' cyfoglyd roedd o newydd ei glywad. "Nooooooooo... !" Cododd ar ei draed a rhedag yn ddagreuol at y swpyn o waed a blew oedd yn grempog stemllyd ar y ffordd. Disgynnodd ar ei benaglinia uwch ei ben o. Ond doedd

Howie ddim yn Howie ddim mwy. Roedd o'n bizza blewog efo dwy lygad sgi-wiff a dannadd cam yn y canol. Dechreuodd ei fistar grio. Edrychodd draw drwy'i ddagrau a gweld y fan yn troi i'r ffordd fawr ymhen draw'r dreif. *"You bastards!"* gwaeddodd. *"You bloodey, bloodey, fucking, evil, murdering, fucking, bloodey bastards!"*

Aeth i bocad ei gôt ac estyn ei ffôn. Craffodd ar y botymau heb ei sbectol a pwysodd rif naw, dair gwaith. *"Yes, police, please..."* Roedd ei lais yn crynu. *"Erm... Tittin Tatoos Caravan Park... and fishing thingey... at Aberereerey..."* Edrychodd eto ar Howie druan. Doedd o erioed wedi bod mor dawel. Llifodd y dagrau eto.

"My name, yes, of course..." Sadiodd ei hun a sythu'i gefn yn benderfynol. Anadlodd yn ddwfn. *"My name's Croft, Lawrence Croft."* Cymrodd saib bach arall, a sadio'i hun eto. *"Chief Inspector Lawrence Croft."*

≈ 12 ≈

Roedd Cledwyn 'di methu cael atab ar ffôn Tintin, ond roedd o wedi cael chydig o hanas noson gynt gan Sbanish – efo help chydig o sylwadau lliwgar yma ac acw gan Bic. Doedd o'n dal ddim yn cofio llawar, ond roedd o'n dallt ac yn derbyn erbyn hyn – diolch i amball fflashbac oedd yn cyd-fynd efo'r cleisia ar ei ochor ac o gwmpas ei lygad dde – ei fod wedi bod mewn tipyn o sgarmas efo'r cops.

Doedd 'na'm byd rhy ddifrifol wedi digwydd, diolch byth. Doedd 'na neb 'di brifo a rhyw lol, jesd matar o resistio arrest oedd o, dim actiwal ffeit. Jesd bod o 'di esgalêtio'n sgrym o rwbath fel deg o gopars erbyn y diwadd. Roedd gan Cledwyn ryw hannar cof bellach o drio denig o afael *rolling maul* o bump neu chwech ohonyn nhw yng nghegin restront Seamus. Ac roedd o'n rhyw fath o gofio cael ei ddyrnu ar y ffordd i mewn i'r panda car wrth reslo efo coedwig o freichia mawr tewion. Roedd o hefyd yn cofio lluchio gwin coch dros lawas côt fflworesant un o'r copars. Er mai damwain oedd hynny. Seamus oedd o'n trio'i gael, am ei fod o newydd ddeud celwydd wrth y cops. Ond heblaw am y fflashis hyn roedd popeth yn dal yn weddol blanc.

Sbanish oedd 'di rhoi'r clais ar ochor ei lygad iddo fo yn yr *holding cell* ar ôl cyrraedd y cop shop. Roedd y tri ohonyn nhw, tra'n llawn adrenalin a rhesymeg alcoholaidd, wedi ei liwio gan ymdeimlad angerddol o anghyfiawnder ac owtrêj, wedi penderfynu siwio'r cops am 'rongffyl arrest', ac y byddai hitio'i gilydd i gael mwy o farcia ar eu gwyneba yn syniad da i drio cael fwy o gompo. Roedd Sbanish wedi hitio Cled i ddechra, ond wedi cachu allan o gael clec yn ôl ei hun. Roedd hynny'n esgus i Bic newid ei feddwl 'fyd. Doedd hynny ddim yn syndod o gwbwl, achos roedd o newydd dwbl-dropio ecstasi ac yn dod i fyny ffwl pelt pan ddechreuodd yr holl sîn. Doedd o ond wedi neidio i mewn i ganol y cops am ei fod o'n meddwl eu bod nhw'n trio stopio'r miwsig. Roedd o'n dal i ryshio fel ffwc yn yr *holding cell*, a'i lygid yn sbinio fel ffrŵt mashîn, ddim callach lle oedd o na be oedd yn digwydd. Chwdodd o ddwy waith cyn i'r cops ei adael o fynd i'r bog i gael cachiad. Pan ddoth o'n ôl o fan'no oedd o'n fflio mynd ac yn barod i gytuno i rwbath. 'Sna'm rhyfadd 'i fod o'n flin bora 'ma.

Tua un ar ddeg o'r gloch roeddan nhw 'di cael eu harestio. Seamus 'di dechra mynd drwy'i betha yn ei gwrw – galw'r Cymry'n Brits a wancars a cachgwn am beidio saethu Saeson a ballu. Meddwyn a cranc oedd Seamus. Sut ffwc oedd o'n cadw restront, duw'n unig ŵyr. Os oedd y gwesteion wedi bod yn ei restront o'r blaen, byddai Seamus, yn ei stiwpyr parhaol, yn eu cyfri fel 'ffrindiau mynwesol'. Os oeddan nhw'n dal yno ddiwadd y nos byddai'n mynd draw at eu bwrdd efo potal o win a'u diflasu nhw'n llwyr, cyn eu pissio nhw off drwy fod yn hyll ac offensif, wedyn bod yn gas efo nhw pan oeddan nhw'n codi a gadael. Dyna pam doedd 'na neb lawar yn mynd nôl i le Seamus fwy na dwywaith ar y mwya. Heblaw am y bobol oedd yn cymryd mantais drwy iwsio'i le fo i gael parti ar ôl i'r pybs gau. Pobol fel Cledwyn a Sbanish a Bic. Ond roedd busnas yn sâl, felly doedd Seamus ddim yn meindio. Roedd o'n cael bod yn 'mên man', yr *host with the boast*, ac yn gallu gwerthu poteli gwin cachu am ffeifar i bobol chwil. Pawb yn hapus, felly. Seamus yn cymryd mantais o'r bobol oedd yn cymryd mantais ohono fo. 'Blaw bod o'n rhy chwil i sylwi bod bobol yn yfad dipyn mwy o boteli plonc nag oeddan nhw'n talu am.

Doedd Seamus ddim fel y rhan fwya o Wyddelod. Pric oedd Seamus a deud y gwir. Boi yn ei bedwardegau hwyr, boi chwerw efo llygid trist a gwên llwynog. Roedd o wedi bod yn briod deirgwaith ac wedi curo'r dair, yn ôl y sôn. Cocoen. A Guinness Republican os gwelodd rhywun un erioed. Roedd y Gwyddel ynddo'n dibynnu ar y cwmni oedd efo fo ar y pryd, neu faint o beintia, neu shots o wisgi, oedd o 'di gael. Os oedd ei restront yn llawn Saeson roedd o'n hapus i chwara'r Gwyddal gwareiddiedig, agorad ei feddwl. *'We're all Europeans now, not like them nutters in Belfast, let's talk Yeats and the Corrs and Terry Wogan.'* Os oedd 'na Gymry i mewn mi fydda fo'n dod allan efo'r bolycs *ffidl-di-di* gwirion 'ny a brawdgarwch Celtaidd ffals yr hen *shanachie* a'i gwrw llon. Os fydda'r Cymry'n ymateb efo dipyn o *ffaldi-ral-di-ro* Cymreig bydda'n rhaid iddo fynd un yn well a dod allan efo caneuon rebal – rhyw betha saff o gan mlynadd yn ôl, wrth gwrs, rhag ofn bod gan rywun yn y sdafall fab yn y fyddin Brydeinig. Ond os oedd ganddo griw o genedlaetholwyr Cymreig i mewn – pobol fel Cled a Sbanish – a rheiny'n morio canu caneuon rebal go iawn, bydda fo'n gneud ei hun allan i fod yn rhyw fath o *gun runner* i'r Provos a ballu.

Doedd neb yn cofio be ddigwyddodd y noson cynt i'w ddechra fo off, achos doedd neb mewn unrhyw stad na hwyliau i siarad politics na canu *ffidl-di-di, ffaldi-rol* na caneuon blydi rebal. Jesd chwil oedd y cont, ma'n siŵr. Wedi bod yn yfad wisgi chwerw ar ei ben ei hun mewn restront gwag, mwya tebyg, tan landiodd yr hogia efo criw o Dolgell a Traws. Ond dechra 'nath o, beth bynnag, a mynd iddi go iawn. *'You're all shitbags, cowards, subservient bastards'* a hyn a llall am y Cymry. Honiadau, o'u cyflwyno yn y cyswllt iawn ac efo'r agwedd gywir, a mewn sefyllfa ddi-alcohol, y gellid gweld rhywfaint o wirionedd yn y cysyniad tu ôl iddyn nhw. Ond doedd Seamus ddim yn eu cyflwyno fel gosodiadau heriol i ysgogi trafodaeth ddeallusol am gyflwr ysbrydol a gwleidyddol y genedl Gymreig. Jesd bod yn wancar oedd o.

Doedd neb rîli'n ei gymryd o ddifri i ddechra. Pawb 'di arfar efo'r cont gwirion a jesd isio yfad gymint â fedran nhw o'i win o rhwng yr amsar oedd o'n rhy chwil i gyfri poteli a'r amsar oedd o'n mynd dros ben llestri ac yn amhosib i'w anwybyddu. Mwy neu lai, roedd o'n ffraeo efo fo'i hun hannar yr amsar, tan aru rywun – Cledwyn medda Bic, ond sut ffwc oedd o'n cofio, y stad oedd arna fo – gael llond bol a deud wrtho am gau'i geg. Wel, *"fuck you, you fucking prick,"* oedd yr union derminoleg a ddefnyddiwyd, i fod yn fanwl gywir. Ond be ffwc oedd o'n ddisgwyl am alw Cled yn *'fucking Brit'*?

Dyna hi wedyn! Dechra hel pobol allan a chyhuddo pawb o ddwyn ei boteli gwin a rhyw lol. Roedd hynny'n hannar gwir, wrth gwrs, ond dim dyna oedd y pwynt. Fo oedd yn bod yn ffycin hyll efo pawb. A hynny 'mond am fod Cymru ddim mewn gwrthryfel arfog yn erbyn Lloegar. Diwadd y sioe oedd bod Seamus wedi ffonio'r cops, heb rîli meddwl pam, na be oedd o'n mynd i ddeud wrthyn nhw ar ôl iddyn nhw gyrraedd. Fo, a fo yn unig, fydd yn gwbod pam 'nath o'r fath beth, os fydd o'n cofio o gwbl.

Pan ddoth y cops roedd 'na *stand off*. Roedd Seamus yn rhaffu clwydda i gyfiawnhau pam oedd o wedi eu llusgo nhw ar eu penna i'w restront a nhwtha'n cael noson dawal yn y stesion, a roedd Cledwyn a Sbanish yn trio cael y cops i weld sens. Y broblam oedd nad oedd 'run o'r copars yn locals, felly doeddan nhw ddim yn nabod Seamus. Cyn bellad â'u bod nhw'n y cwestiwn roedd Seamus, chwil ac annealladwy neu beidio, yn ddyn busnas parchus efo leisans i werthu cwrw, oedd isio cael criw o hedars afreolus i adael ei eiddo. Doeddan nhw ddim yn debygol o goelio protestiadau Cled a Sbanish bod Seamus jesd yn alcoholic piso'n drwsus, chwil a bygythiol, oedd ddim yn ffit i redag ras wy-ar-lwy, heb sôn am restront, a mai ffwndro'n racs yn ei feddwdod oedd o. A doedd y ffaith fod Bic yn bownsio o gwmpas y lle'n gneud sŵn fel *The Mummy* ddim llawar o help.

Pan ddudodd Seamus un celwydd yn ormod roedd Cledwyn 'di lluchio gwydriad o win ato fo. Roedd sblashys o'r gwin wedi mynd ar lawas côt y copar a roedd hwnnw wedi deud ei fod o'n arestio Cled am "*criminal damage*" i eiddo Heddlu Gogledd Cymru! Dyna hi wedyn – *Mr Magee, don't make me angry* job. Fflipiodd Cled. A sdim byd fel y 'Cledwyn fflip' (*woaaaaaargh* – lawr yn y fro Gymraeg...)!

"A dyna, bêsicali, pam 'dan ni 'ma, Cled."

"Wel 'na ni 'ta! Beryg 'na fi 'di'r bai go iawn 'lly... sori, bois."

"Duw, duw, dim chdi oedd y bai, siŵr! Y ffwcsyn Seamus 'na oedd yn bric, big steil!"

"Ella'i fod o'n bric," gwaeddodd Bic o'r gell dros ffordd, "ond y broblam oedd, ynde, 'na fo oedd y pric oedd bia'r cwt oeddan ni'n yfad ynddo fo. 'Sa'n ca'l bod yr arch-bric mwya yn y byd 'sa fo isio! *Prick of the year, prick of the century, prick of all pricks!* Diwadd y stori ydi 'na ni sy'n y cells, ynde? A lle ma'r pric? Ma'r pric yn cysgu'n braf yn ei wely, thanciw feri mytsh a ffwcio chi... *sort of thing...* "

"A be 'di dy bwynt di, Bic?" gofynnodd Cled. "Fod o'n bric bach slei ta'n bric bach clyfar? Ta'n bric bach sy'n cysgu mewn gwely? Cos pric ydi pric ydi pric. Be bynnag ma pric yn neud, pric 'di o, a lle bynnag mae pric yn byw, pric 'di o, a lle bynnag mae pric yn mynd mae o'n dal yn bric sy'n sownd ar y trên prics efo *one way ticket* i Pricville. Capîsh?"

Bu eiliad o dawelwch cyn i'r tri fyrstio allan i chwerthin dros y lle eto.

"Cledwyn!"

"Bic?"

"Be wyt ti?"

"Pric!"

"Cywir!"

"Diolch, Carol!"

"Cled!"

"Sban?"

"Be dwi?"

"Sbanish twat!"

"Bic!"

"Cled?"

"Ffacoff!"

"Sban!"

"Cled?"

"Be ffwc oeddan ni'n neud yn Dolgella?"

≈ *13* ≈

Roedd Drwgi'n gorwadd ar ei gefn yn y twll yn y gwaith pafin ar y stryd yn Graig. Roedd o 'di wejio'i sgwydda yn yr ochra, tua pum troedfadd i lawr, ac yn gorwadd yn sbio ar y sêr oedd wedi dianc o du ôl i'r cymylau i chwerthin ar ei ben. Rhywsut medrodd gymryd swig o'i beint heb symud ei benelin. A drwy roi ei wydr i sefyll ar ei fol fe lwyddodd hefyd, yn wyrthiol o athrylithgar, i gael hyd i'w faco a'i sgins a bydsan o scync i rowlio singyl-sginar. Cafodd fwy o draffarth i ffendio'i leitar, ond ar ôl chydig o ymarferiadau fyddai'n boenus i bry genwair, sylwodd ei fod o yn y powtsh baco yn ei law drwy'r adag. Taniodd ei jointan un-sgin a meddyliodd peth mor erchyll fyddai cael ei gladdu'n fyw. Sbiodd ar y sêr eto. Roedd 'na dipyn ohonyn nhw allan erbyn hyn, meddyliodd.

Cymrodd swig arall o'i beint. Doedd ond cegiad ar ôl ac aeth hannar hwnnw lawr ochr ei wefla. Taflodd y gwydr gwag allan o'r twll, tuag yn ôl dros ei ben ac i'r dde, gan mai dyna'r unig gyfeiriad roedd ei fraich chwith yn gallu symud. Clywodd y gwydr yn glanio ar doman o rwbal uwchben y twll ac yn rowlio i lawr... yn ôl am y twll. Doedd dim allai Drwgi ei wneud i stopio'r gwydryn rhag bownsio, *boinc*, ar dop ei drwyn. Drwy lwc wnaeth o'm malu, 'mond rowlio'n un darn i lawr at ei fraich dde. Llwyddodd Drwgi i afael ynddo a'i luchio allan o'r twll i'r cyfeiriad arall. Clywodd o'n malu'n racs ar y pafin. Gwenodd Drwgi'n ddrwg.

Pan ddaeth Drwgi'n ymwybodol fod ei drwyn yn brifo, penderfynodd ei bod yn amsar gwneud ymdrach i adael y twll. Gwingodd ryw chydig. Roedd o'n sownd, ond fyddai dim gormod o broblam dod yn rhydd petai o'n rhoi ei gefn iddi. Ond y gwir oedd fod Drwgi'n gyfforddus yn lle roedd o am y tro. Roedd o'n rhy gyfforddus i wastio gormod o egni wrth drio codi, beth bynnag. Gorweddodd yno am chydig, yn tynnu ar y sbliffsan fach yn ei law a meddwl. Chwerthodd wrth ddychmygu rhywun yn cerdded adra a gweld mwg yn dod allan o'r twll yn y ffordd. Cymrodd ddrag iawn o'r sbliffsan fach a dechra canu miwsig yr hen adfyrt Hamlet hwnnw ers talwm iddo fo'i hun – 'den-den den-den den-den den-den den' – cyn byrstio allan mewn ffit o gigyls afreolus eto. Chwerthodd yn uwch ac yn uwch, ac yn uwch wedyn, cyn pesychu a chodi fflemsan a'i phoeri allan o'r twll. Doedd o'm yn gallu stopio chwerthin bellach, a'r mwya oedd o *yn* chwerthin, y mwya oedd o'n dychmygu rhywun yn cerddad adra a'i glywad, oedd yn gneud iddo fo chwerthin fwy fyth. Roedd y scync yn scync neis, yn rhoi hit llygid coch, gwên-lydan, hwyliog o hapus. A roedd Drwgi 'di smocio lot o'no fo heno. A mi oedd y ffaith ei fod o wedi cael ei frawd – boi mor strêt â hoelan – i'w smocio fo hefyd, wedi'i diclo fo'n racs. Chwerthodd fel peth 'im yn gall, a chwerthodd y sêr efo fo.

≈ *14* ≈

Nôl yng nghelloedd Dolgella roedd Sbanish yn dal i lenwi tyllau yng ngho Cledwyn am ddigwyddiadau'r diwrnod cynt. Roedd y tri ohonyn nhw – Cled, Bic a Sban – wedi mynd i'r Trowt am un ar ddeg y bora ar ôl cashio'u giros.

"Ac aethon ni i Traws… "

"Ar y piss, 'lly?"

"Wel ia, fel drodd hi allan, ond Pimpyl 'aru ffonio chdi i ddeud bod genna fo fatri i'r fan i chdi."

"O ia – batri i'r fan. Ges i un, do?"

"Mam bach!" gwaeddodd Bic o'r gell arall eto. "Ti 'di gweld y ffilm 'na, *Awakenings*?"

"Naddo, ges di mo'r batri," medda Sban, gan anwybyddu Bic. "Achos dim batri i injan diesel oedd o."

Eglurodd Sbanish fel bu iddyn nhw gyrraedd Traws a tharo ar Wîbyl, Smôci a Tomo, a Shwgwr a Sbeis, a'u bod wedi mynd i'r White am beint. Trodd pob dim yn fendar, a phan gaeodd y White am y pnawn neidiodd pawb mewn i'r fan a mynd fyny i Rhiwgoch ar hyd ffordd gefn. Rôl ffiw peints a cwpwl o dabs o *whizz*, cafwyd y syniad gwirion o fynd i Dolgella dros ffordd gefn y Ranges. A dyna fu. Wyth o nytars off eu penna mewn Maestro Van felyn lachar. Banana ar bedair olwyn efo bobol bananas tu mewn iddi, fel ddudodd Bic pan stopion nhw i biso yn yr afon ar y ffordd.

"Shit, lle mae'r fan eniwê? 'Nes i barcio hi ar riw ta be?"

"Naddo, Cled. Ma hi ar y stryd wrth Bont yr Arran."

"Bydd raid i ni'i phwshio hi pan awn ni allan 'lly, hogia," medda Cled wrth fyseddu'i ffôn eto.

"Cled!"

"Sban?"

"Be ti'n neud?"

"Trio Drwgi eto."

"Ti'n dal i boeni am hynna? Os 'sa nhw 'di bystio dy stash di, fysa ti'n gwbod bellach, Cled… "

"Na f'swn ddim. 'Sa nhw'n gadw fo i sbringio fo arna i yn yr *interview* yn bora… Dwi'm yn disgwl ichi ddallt, hogia, ond dwi'm yn jocian – bob tro dwi'n breuddwydio am y Dyn Sdici ma 'na rwbath anlwcus yn digwydd! Go iawn ŵan!"

"Ond Cled bach, mae o *wedi* digwydd, dydi? 'Dan ni yn y *cells* yn Dolgell a mwya tebyg am gael 'n tsiarjio 'fo *affray*…"

"Ac yn swyddogol, Sban, dwi'n *convicted drug dealer* sydd newydd gael ei ddal efo blimsan o ddôp. Dwi jesd isio chwara'n saff. Os 'dyn nhw isio gneud petha'n ôcward i fi, neu bod 'na gopar bach allan fan'na isio ffwcin streips, ma'r ffwcin blimsan 'na'n rhoi'r esgus perffaith iddyn nhw jansio'u lwc. Ac os ân nhw i'r fflat, ma 'na jans da 'nan nhw ffendio'r stash bach. Ci a chydig bach o ddychymyg ma nhw isio, a 'bingo'. Ma'n gneud sens i fod yn barod am y wyrst cês senario. A ma'r Dyn Sdici 'di popio mewn i mreuddwyd i, so os 'di o'n *gallu* digwydd, mae 'na jans da *neith* o ffwcin ddigwydd."

"OK, Cled, dwi'n gweld be sgin ti," dechreuodd Sban. "Ond do's 'na'm llawar o jans ca'l gafal ar neb am bedwar o'r gloch ar fora dydd Gwenar – heb sôn am ga'l rhywun i *neud* 'wbath."

"Ond does 'na'm drwg mewn trio, nag oes? Pa ddrwg neith o? Deffro bobol ganol nos am ddim rheswm? Dio'm yn ddiwadd byd, nacdi? Ac os 'di o'n stopio rwbath anlwcus ddigwydd byddan nhw'n diolch i fi. Mae 'na anlwc yn yr awyr, Sban, ac ellith unrhyw un o'r galwada ffôn dwi'n neud ei stopio fo daro. Mae hynna'n gneud o'n werth o. Dim ond atab ffôn ma nhw'n goro neud."

"Dwi'n dal i ddeud bo' chdi'n poeni gormod. Chdi a dy freuddwydion! Mae gwaed Neli'n dew yndda chdi, Cledwyn Bagîtha!"

"Wel yndi siŵr, oedd hi'n nain i fi'n doedd? Eniwe, chdi sy'n poeni gormod sdi, Sban, achos 'mond ffonio pobol dwi'n neud. Be 'di'r peth gwaetha fedrith ddigwydd?"

≈ *15* ≈

Yn araf, meistrolodd Drwgi'r gigyls ac aeth yn ôl i hel meddylia. Roedd o 'di cael noson ddifyr iawn. Roedd ei frawd bach adra o Swindon, efo'i wraig a'i blant, ac isio mynd am beint rownd Dre. Cwrw oedd unig gyffur Barry John, ei frawd. Doedd o'm hyd'noed yn smocio baco. Gwenodd Drwgi wrth gofio iddo ei berswadio i gymryd tôc neu ddau o sbliff tu allan yr Holland tua chwech o gloch y nos. Oedd o 'di troi'n wyn fel y galchan ac wedi mynd adra'n sbinio fel top. Mae'n siŵr 'i fod o 'di cael uffarn o geg gan ei wraig. Hen gont oedd Lena Jên. O Dre oedd hitha'n dod hefyd, blaw fysa neb yn meddwl hynny wrth sbio arni heddiw. Lena Cocia oedd pawb yn ei galw hi yn 'rysgol, enw oedd yn gadal dim i'r dychymyg. Ond erbyn hyn roedd hi'n rêl snob, yn meddwl ei hun yn well na bobol Dre, rŵan ei bod hi'n byw yn Lloegar fawr.

Roedd ganddyn nhw ddau o blant bach, hogyn a hogan (blydi perffaith) pump a pedair oed, ac roeddan nhw'n siarad Susnag efo nhw. Roedd Drwgi wedi ffraeo lawar gwaith efo'i frawd am hynny. Ond Lena oedd y bòs, medda Barry John. Hi oedd yn mynnu siarad Susnag efo nhw a roedd o'n gorfod ufuddhau. Roedd Cledwyn a Sbanish 'di bygwth ei waldio fo unwaith pan glywson nhw fo'n siarad Susnag efo'r plant rhyw Ddolig. Ond y gwir oedd nad oedd Barry John isio gneud safiad yn erbyn Lena ynghylch y peth. Roedd o 'di bwrw gwreiddia'n Swindon a fan'no oedd ei fywyd o ŵan. Doedd Dre a Cymru'n golygu dim iddo heblaw adag gêmau rygbi a pan oedd o adra gwylia Dolig. Roedd Drwgi'n tristáu weithia wrth feddwl am ei nain, yn gant ac un, a phrin yn dallt Susnag, yn methu siarad efo'i gorwyrion bach. Roedd ei daid o, Robin Ragarug, yn troi yn ei fedd, doedd 'na'm dwywaith am hynny.

Twll ei din o, meddyliodd Drwgi am ei frawd. Pen coc! A twll ei thin hitha, Lena Cocia, hefyd. Jadan! Roedd Drwgi'n falch bod ei frawd o 'di mynd adra'n racs. Roedd o wedi gweld Cled, Sbanish a Bic yn y Trowt amsar cinio. Roeddan nhw ar bendar diwrnod giro a roedd o'n methu ymuno efo nhw am 'i fod o ar ei ffordd i nôl Barry John. Ar ôl i hwnnw gael *whitey* a mynd adra i'w wely a blas tafod, roedd Drwgi 'di dod nôl lawr i'r Trowt i chwilio amdanyn nhw. Ond doedd yr hogia ddim yno. Roeddan nhw 'di piciad i Traws yn gynharach, medda Jerry a'r boi newydd 'na, Tiwlip. Ond mi gafodd o swig a smôc reit dda efo Dilwyn Lldi beth bynnag.

Gorffennodd Drwgi y singyl-sginar a fflicio'r *roach* fflamgoch allan o'r twll. Ond roedd 'na awel bach wedi codi a chwythodd yn ôl i mewn. Glaniodd ar ei grys-t a rowlio i lawr rhwng y crys a'i jaced, at groen noeth ei fraich, a'i losgi.

"*Awtsh! Aaaaawtsh!* Ffyc sêcs! *Aaaw!*" Aeth hi'n chydig o banig arno. Roedd ei freichiau – at y penelin – wedi wejio yn ochrau'r twll ac roedd o'n methu eu symud. Ymbalfalodd, ystumiodd ac ymdrechodd ei orau glas i drio ysgwyd ei fraich i gael y sdwmpan i ddod allan yng ngwaelod y llawas. Ond dal yno oedd hi, yn symud rhyw fymryn ar y tro ac yn llosgi lle bynnag oedd hi'n stopio.

"*Aaaaaw!* Basdad! *Aaaa!* Ffyc! Ffyc! Ffycin hel! *Awww!* Basdad! "

Triodd godi eto, ond roedd o'n rhy chwil a stônd i feddwl yn strêt. Methodd ddod yn rhydd. Triodd dynnu ei fraich o'r jaced, er bod hynny'n amhosib dan yr amgylchiada, ond gwasgodd y jaced y tân yn dynn i mewn i'r croen meddal tu mewn i'w benelin. "*Aaaa!* Ffycin hel! Basdad! *Awww! Aw, aw, aw, aw–aw, aw, aw, aw-aw-aw... aw....!* "

O'r diwadd llwyddodd i'w chael i aros mewn pant yn nefnydd ei jaced ac arhosodd Drwgi'n llonydd nes iddi gael cyfla i losgi'i hun allan. Sôn am strach, meddyliodd, a dechra chwerthin eto. Ac ar hynny, unwaith eto, canodd ei fobeil ffôn.

I fyny ar y stryd roedd Bryn Bach yn cerddad adra o'r Trowt efo'i 'ffycin gŵn' yn ôl a mlaen rownd ei draed. Roedd wedi cyrraedd top y rhiw pan aeth Sam y mwngral i sniffian yr arwydd 'Pan Sefwch Yma' oedd yn gorwadd ar wastad ei gefn ar y ffordd. Cododd ei goes a piso arno. Yna safodd Mitsi'r ast yn llonydd a dechra chwyrnu.

"Be sy 'na, Mits?" medda Bryn fel rhyw gorrach dieflig. Atebodd Mitsi dan gyfarth. "Be sy 'na, Mits? Eh... ?" medda Bryn Bach eto. Rhoddodd ei ddwylo wrth ei glust i drio boddi sŵn y compresar. Roedd o'n siŵr ei fod o'n clywad miwsig. Gwrandawodd yn astud wrth basio'r goleuada. Oedd, roedd miwsig yn dod o rwla. Roedd o'n fiwsig cyfarwydd, 'fyd; roedd o'n siŵr ei fod yn nabod y dôn.

Wrth bellhau oddi wrth sŵn y compresar a cerddad i lawr ochr arall y rhiw daeth y miwsig yn gliriach, a cyn hir mi nabodd Bryn Bach dôn Hen Wlad Fy Nhadau. Ond roedd o'n methu dallt o le uffarn oedd hi'n dod. Doedd 'na'm gola yn 'run o'r tai a wel, tai ha oedd hannar y stryd a fysa 'na'm llawar o Hen Wlad Fy Nhadau'n dod allan o rheiny beth bynnag. Doedd o'n gweld neb o gwmpas yn nunlla chwaith. Lle ddiawl... ?

Cafodd yr atab pan saethodd Mitsi i ffwrdd fel dartan i lawr y rhiw, yn syth am y doman rwbal a hen darmac wrth y barriers oedd wedi disgyn ar hyd y stryd yn is i lawr y ffordd, yn chwyrnu a chyfarth fel diafolas wrth fynd. Cyn i Bryn Bach allu gweiddi 'Mits y bitsh' roedd hi 'di plannu ar ei phen o'r golwg i mewn i'r twll.

I lawr yn y twll roedd Drwgi'n trio ca'l gafal ar ei ffôn, oedd erbyn hyn ym mhocad ffrynt ei jîns, pan ddaeth Jack Russell cynddeiriog i'r golwg yng ngheg y twll yn cyfarth a chwyrnu fel rhyw fonstyr bach danheddog. Cyn iddo gael tsians i ddeud 'ffyc off ci' roedd Mitsi wedi neidio i mewn ar ei ben a mynd yn syth am ei wynab efo'i nashars. Bron na allai Drwgi weld oddi ar yr olwg oedd yn ei llygid yr eiliad honno bod y ffycar bach îfyl wedi bod yn gwitsiad am gyfla fel hyn ers talwm iawn, iawn...

Dim ond ei freichiau o'r penelin i lawr allai Drwgi eu symud, mwy neu lai, ond drwy lwc fe lwyddodd i gael un fraich i fyny rhwng y ci a'i wynab. Ond suddodd y ffycar bach ei dannadd i mewn i'w law. Gwaeddodd Drwgi mewn poen a mi wylltiodd hynny'r ast fach yn fwy. Gollyngodd ei gafael a thrio mynd am ei wynab eto. Llwyddodd Drwgi i symud digon i osgoi cael brathiad yn ei foch, ond suddodd Mitsi ei dannadd i mewn i'w drwyn. Wel sôn am boen! Gwaeddodd dros y stryd i gyd. *"Aaaaaaaaaaaaaaaaaaaaaaaaaaa!"*

Gafaelodd yng nghynffon bwt yr ast a dechra tynnu. Ond doedd hi ddim am ollwng. Os 'wbath, roedd hi'n gwasgu'n dynnach, a teimlai Drwgi'r gwaed yn llifo'n gynnas i lawr dros ei wefla, yr un ffordd ag aeth y lagyr chydig funuda 'nghynt. *"Aaaaaaaaaaaaaaaaaaaaaaaaaaa!"*

Llwyddodd i ryddhau ei fraich arall er mwyn estyn i drio crogi'r ast. Ond doedd o'm cweit yn gallu cyrraedd am fod ei sgwyddau'n dal 'di wejo'n sownd yn ochra'r twll. Dechreuodd waldio'r bwystfil cyn galetad ag y medrai dan yr amgylchiadau cyfyng, ond roedd o'n methu hitio'n ddigon calad. Gafaelodd yn un o'i choesau ôl a'i thwistio. Ond doedd hyn ond yn cynddeiriogi'r ast fwy fyth a suddodd y bytheig ei dannadd yn ddyfnach i mewn i'w drwyn, gan chwyrnu'n uwch, a rhoi twist milain efo'i cheg. "*Aaaaaaaaa*'r ffycin basdad!"

O'r diwadd llwyddodd Drwgi i gael un ysgwydd yn rhydd fel y gallai hitio'r ast yn iawn. Dechreuodd honno udo wrth iddo'i waldio yn ei hasenna, ond no ffycin wê oedd hi am ollwng gafal ar ei drwyn o. Roedd petha'n swnio fel cyflafan mewn twll wrth i'r ddau ohonyn nhw sgrechian am y gora mewn poen.

Doedd 'na'm byd i'w weld o'r stryd. Roedd popeth yn digwydd i lawr twll *manhole* newydd Dŵr Cymru. Hannar ffordd i lawr y rhiw roedd Bryn Bach yn panicio. Roedd 'na ffwc o sŵn yn dod o'r twll, sgrechian rhyw anifal gwyllt, chwyrnu a howlian Mitsi, a Hen Wlad Fy Nhadau... Pa fath o anifail oedd yn gallu brifo Jack Russell ddigon iddi wichian mewn cymint o boen? Oedd 'na fochyn daear yn y twll? Go brin... Brysiodd Bryn Bach hynny fedra'i goesa cricymala ei gario i lawr y rhiw.

I mewn yn y twll roedd Drwgi'n cael y gora ar y 'bitsh ffrom hel'. Roedd hi 'di gollwng ei drwyn ond roedd o'n gorfod ymbalfalu efo hi i'w hatal rhag ailafael. Roedd yr anghenfil bach yn lloerig erbyn hyn, yn gneud y sŵn chwyrnu mwya sbŵci a *demented* a glywyd erioed gan gi. Roedd hi'n brathu unrhyw beth oedd hi'n weld o flaen ei llygid. Bob tro câi Drwgi afael yn ei gwynab roedd hi'n llwyddo i frathu'i fysidd. Os câi afael yn un o'i choesa blaen efo'r llaw arall roedd hi'n brathu honno. Doedd 'na'm posib osgoi'i blydi dannadd hi. Roedd y ffwcin thing fatha crocodeil.

Roedd dwylo Drwgi'n waed i gyd erbyn hyn, a'i drwyn yn waeth fyth. Roedd o'n methu coelio'r sefyllfa. Roedd o mewn twll mewn ffordd, yn oriau mân y bora, yn waed i gyd, off ei ben, yn trio stopio'r *Hound of the Bastardvilles* rhag gwneud corn bîff o'i ffwcin drwyn o. A roedd rhyw gont yn trio'i ffonio fo! O'r diwadd llwyddodd i gael gafael ar yr ast, ac efo un ôlmeiti o ymdrech lluchiodd y ddiafolas fach allan o'r twll.

Pan welodd Bryn Bach ei ast yn fflio allan o'r twll, bu bron 'ddo gael hartan. Bu bron 'ddo gael un arall pan ddaeth Sam y mwngral fel bwlat o rwla a plannu ar ei ben i mewn i'r un twll yn ei lle.

"Ffycin hel!" gwaeddodd llais o'r twll hwnnw. Dychrynnodd Bryn Bach. Roedd be bynnag oedd i lawr 'na'n siarad! "*Aaaaaaaaaaaa*'r ffycin basdad!" A roedd o'n siarad Cymraeg!

Roedd Sam y mwngral wedi neidio i mewn a brathu Drwgi yn ei law, ac roedd Mitsi, yn gocan i gyd efo'r reinfforsments, wedi neidio nôl i mewn a gafal yn ei fôls. Sbardunodd hyn Drwgi i ymateb yn reddfol i amddiffyn ei dacla hanfodol. Cafodd nerth arallfydol o rwla a llwyddodd i afael yng ngheilliau Sam a gwasgu mor galad ag y medrai. Udodd hwnnw dros y stryd mewn poen a gollwng ei afael yn llaw Drwgi, cyn cael ffling allan o'r twll gerfydd ei gŵd. Ddoth o ddim yn ôl i mewn. Cydiodd Drwgi yng nghorn cwac Mitsi wedyn, gan wasgu efo un llaw a'i waldio mor galad ag y medra fo efo'r llall.

Daeth gwynab poenus Bryn Bach i'r golwg yng ngheg y twll. "Mits y bitsh fach!" gwaeddodd.

"Ffwcin gafal ynddi!" gwaeddodd Drwgi. Ond roedd Bryn Bach yn methu plygu, heb sôn am estyn i lawr i'r twll.

"Cer â hi o 'ma cyn imi 'i lladd hi, Bryn Bach!" gwaeddodd Drwgi gan ddal i drio crogi a dyrnu'r ast i ffwrdd o'i geillia.

"Mitsi'r gont fach! Tyd yma!" gwaeddodd Bryn Bach. Ond doedd hi'm yn gwrando. Teimlai Drwgi ei dannadd yn dechrau tyllu i mewn i'w gŵd. Sbardunodd hynny fwy o nerth arallfydol gan Drwgi. Cafodd ei sgwydda'n gwbwl rhydd o'r diwadd. Cododd ar ei eistedd a thynnu'r ast oddi ar ei fôls, gan rwygo balog ei jîns wrth wneud. Rhoddodd uffarn o beltan iddi a'i lluchio nerth ei freichiau, gerfydd ei choesa ôl allan o'r twll. Ffliodd drwy'r awyr, yn dal i chwyrnu wrth droi fel helicoptyr a glanio ar ei hochr ar y stryd ochor arall i'r doman bridd.

Stopiodd y ffôn ganu a diflannodd Bryn Bach o geg y twll, gan adael Drwgi'n gwaedu ar ei waelod. Eisteddodd Drwgi am funud i gael ei wynt a'i sensys ato. Teimlodd ei drwyn. Roedd 'na dyllau dannadd go ddrwg ar y ddwy ochor. Byddai angan pwythi, mwy na thebyg, meddyliodd. Sbiodd ar ei ddwylo. Bysidd racs a phoenus am wythnos neu ddwy, ond fyddan nhw'n iawn. Aeth lawr am ei gŵd. Agorodd y twll yn ei falog. Roedd hoel dannadd yn ei drôns, a sbotyn o waed. Symudodd ei drôns o'r ffordd i weld y difrod. Roedd gwaed ar hyd ei gŵd. Byseddodd ei daclau. Roeddan nhw i gyd yno, beth bynnag. Triodd gael golwg gwell yn y golau gwan, ond welai o fawr ddim. Ffeindiodd ei leitar ar lawr rhwng ei goesau. Daliodd y fflam wrth ei gŵd i weld be oedd y sgôr. Roedd twll dant, heb fod yn rhy ddwfn, yno. Byseddodd o. Roedd o'n sdingio, ond gallai weld mai wedi mynd drwy damaid o groen llac oedd o, heb dwtsiad mewn unrhyw beth feital. Tsieciodd 'Drwgi Bach'. Doedd 'na'm sgrats ar hwnnw, diolch byth. Lwcus 'fyd...

"Ti'n iawn, Martin Wyn?" medda llais Bryn Bach o dop y twll. Roedd wedi dod nôl i jecio oedd o'n iawn.

"Wna i fyw, Bryn Bach."

"Be ti'n neud lawr fan'na, Martin, chwilio am oil?"

"Dwim'bo Bryn. Dwi'm yn cofio dod yma 'sdi. Lle mae'r ffwcin hownds 'na gin ti?"

"Dwi 'di rhoi cortyn arnyn nhw wrth y polyn 'cw."

"Rhaid i chdi ddechra cadw nhw ar *lead* 'sdi, Bryn Bach. Ffyc's sêcs ddyn! Lwcus bo chdi 'di cyrradd. O'n i ar fin 'u lladd nhw... "

Ar ôl rhyw funud bach arall cododd Drwgi ar ei draed yn y twll. Edrychodd o'i gwmpas. Roedd Bryn Bach yn diflannu rownd gornal Newborough Road a'i 'ffycin gŵn' gwallgo efo fo. Brwsiodd Drwgi ei hun i lawr, yna cofiodd fod ei ffôn wedi canu. Aeth i'w bocad. Roedd dau *missed call* gan Cledwyn. Mae'n rhaid bod yr hogia mewn parti yn rwla ddim yn bell, neu rwbath, meddyliodd. Ffoniodd Cled i weld lle'r oeddan nhw.

≈ 16 ≈

Doedd Cledwyn ddim yn defnyddio'r peiriant atab ar ei ffôn symudol ei hun. Gan fod signals mobeil ffôns gogledd-orllewin Cymru mor hit a miss mae 'na wastad negeseuon yn cael eu gadal ar y blydi peth, sy'n golygu wastio credit wrth ffonio i wrando arnyn nhw. Fel arfar, negeseuon hollol blydi dibwys oeddan nhw eniwê, fel "haia, ffonia fi nôl, dim byd pwysig" neu "he-he-he jesd ffonio i ddeud 'ffyc off'!" Roedd hi'n llai o hasyl, ac yn rhatach, i droi setting y peiriant atab i ffwrdd.

Ond doedd hynny ddim yn stopio Cledwyn rhag diawlio pobol erill am neud hynny pan oedd o'n trio ca'l gafal arnyn nhw. Roedd o newydd ffonio Drwgi am yr eilwaith a roedd ei ffôn wedi canu a canu a canu. Roedd Cled yn siŵr bod Drwgi'n effro, neu bysa'i ffôn o i ffwrdd, a tasa fo'n iwsio'i blydi peiriant atab 'sa fo'n gallu gadal negas brys arno fo. Poen tin oedd pobol oedd ddim yn iwsio'u ffwcin ansyring mashîns!

Ond poen tin gwaeth oedd pobol oedd ddim yn ffonio nôl pan fyddan nhw'n ca'l *missed calls*. Bobol fel Tintin. Roedd Cled newydd drio ffonio hwnnw am yr eilwaith hefyd, a roedd ei ffôn o 'di cael ei switsio i ffwrdd ers iddo drio'i ffonio'r tro cynta, felly roedd Tintin wedi bod ar ei ffôn ac wedi gweld bod 'na *missed call* ar y ffwcin peth!

"'Di rhei pobol ddim i fod i ga'l mobail ffôns, 'sdi, Sban! Be ffwc 'di'r point o ga'l ffôn os ti'm yn atab y ffwcin thing, dwad? Ah?"

"Ynda!" Pasiodd Sbanish ei faco i Cled, oedd yn un o'r gwaetha am beidio ffonio pobol nôl ei hun. "Cym smôc."

Rowliodd Cledwyn ffag fawr dew, neis. Roedd y *comedown* yn dechra brathu. Disgynnodd tawelwch dros bobman. Yr unig beth i'w glwad oedd sŵn ryslo papura risla a Bic yn greindio'i ddannadd yn y gell dros ffordd.

"Sa'r blimsan 'na ffendion nhw arna i yn neis mewn jointan ŵan, hogia," medda Cled cyn hir.

"Ffacin diod o ddŵr dwi isio!" medda Bic o'r ochor draw. "Ma 'ngheg i fel twll tin camal... "

"Finna 'fyd. Jesd â tagu."

"Sa peint yn neisiach fyth, hogia bach," medda Sbanish, yn tanio'i ffag a chymryd drag hir a dwfn i mewn i'w sgyfaint cyn ei ollwng allan yn ara deg, yn un cwmwl mawr glas.

"Ti'n iawn, Sban," medda Cled. "Sa lagyr oer yn mynd lawr yn lyfli."

"*Mmmm*, dwi'n weld o ŵan, ar y bar, yn sgleinio yn y gola. Yn oer neis, efo pen mawr ffrothi, *mmmmm*, a miliyns o fybyls bach yn nofio i fyny o'i waelod o."

"*Mmmmm*, ia, Sban. A cymryd jochiad iawn, yn mynd lawr fel mêl... "

"Heb dwtsiad 'r ochra. *Mmmmm*!"

"Da chi'n meindio, y basdads?" gwaeddodd Bic. "Genna i ddigon o sychad fel ma hi!"

"Dŵr!" medda Sbanish. "Rhaid 'fi ga'l dŵr! Dwi'n mynd i ofyn..." Cododd a gwasgodd y bysar.

Ar hynny, dechreuodd ffôn Cledwyn grynu. "Ffwcin hel! Sbia pwy 'di o!" medda Cled pan welodd yr enw'n fflachio ar y sgrin fach. Pwysodd y botwm gwyrdd, ac atebodd. "Drwgi Ragarug! O'r ffwcin diwadd! Lle ffwc ti 'di bod, dwad?... Be?... Mewn tipyn o dwll, ddudasd di?"

Roedd hi'n job cael gair i mewn efo Drwgi ar unrhyw adag o'r dydd neu'r flwyddyn, a doedd y ffaith ei bod hi'n bedwar o'r gloch y bora'n gneud dim gwahaniath. "... ia... ia... ia... na, no wê? Ia... cer o'na!... slofa lawr funud... ia... mewn twll yn y ffordd?... be?... (ffwcin hel, 'di hwn ddim yn gall, hogia)... ar dy gefn?... ia... wela i... ia... ia... na!... Na?!... Na?!!... Nefar!! ... ti 'di ca'l jab Tetanus yn ddiweddar, 'ta?"

Roedd Cled isio piso chwerthin, ond roedd ganddo betha pwysig i'w ddeud. "... Drwgi, sori mêt, rhaid fi stopio chdi'n fan'na. Gwranda. Imyrjynsi. 'Dan ni'n *cells* Dolgell ocê? Yndan... byddan... yndyn... na... jesd blimsan... gwranda... Ti'n gwbod lle mae goriad y fflat, dwyt? 'Na fo, ia, a ti'n gwbod lle dwi'n cadw'r 'comics' dwyt?... Y 'comics'... Naci, dim rheiny'r cont gwirion! Y ffycin 'lolipops'... y 'sgarabŵs'... naci, y 'da-das'... (ffwcin hel, mae isio gras, hogia bach!)... y ffycin 'dŵbis'... y 'bada-bings'... Ia – y petha sy'n odli efo 'hygs', ia! (hale-ffwcin-liwia!). Symud nhw asap... Ia. A golcha dy hun tra ti yna. Ond symud rheina gynta, cofia! OK... Na, na, jyst sgyrmish bach efo'r cops... Na... na... na... byddan... bora fory, bora heddiw dwi'n feddwl, rhyw ben, os ga i gychwyn y fan... Naddo ges i'm batri, na... . Wyt? Go iawn?... Be, rŵan? Drwgi, ti'n ffwcin star!"

Amneidiodd Sbanish fod y Sarjant yn dod. Aeth Cled i sibrwd. "Rhaid i fi fynd, Drwgi. Diolch, mêt."

Rhoddodd y Sarjant bach ifanc ei ben wrth fflap drws y gell ac edrych i mewn. Pesychodd. "Ffycin hel! Pwy gachodd? *Jesus Christ!*"

"Hwn," medda Cled, gan bwyntio at Sbanish.

"Ffyc off, y twat!" medda hwnnw.

"Oes 'na jans am ddiod o ddŵr, Sarj?" gofynnodd Cled.

"Ti 'di cŵlio i lawr ŵan, do?" oedd ei atab.

"Lot gwell ŵan, diolch am ofyn."

"Mae 'na ddŵr yn y tap 'ne," medda'r copar mewn acen ochra Bala neu Gorwen, yn nodio at y sinc metal efo un tap-pwsio-lawr uwch ei ben, yn ymyl y toilet.

"Mae o'n afiach, Sarj," medda Sbanish. "Ma'n gynnas a 'mond yn driblo allan... "

"A ti'n methu cael dy ben odano fo i yfad," medda Cled.

"A sgenna i ddim hyd yn oed tap dŵr yn fan hyn," ychwanegodd Bic o'i gell o.

"Sori. Sgenna i ddim dŵr yma."

"O, cym on!" protestiodd Cled. "Oes 'na jans am gwpan blastig 'ta?"

"Os ti'n stopio dy ffycin hasyl."

"Jest diod 'dan ni isio, Sarjant. Fydd 'im rhaid i ni haslo wedyn, na fydd?"

Aeth y Sarjant i ffwrdd heb ddeud gair, gan edrych i mewn i gell Bic yn sydyn wrth basio.

"Be 'di problam hwnna, dwad?" gofynnodd Bic.

"Ei ffycin iwnifform o," atebodd Sbanish. "Be o'dd y crac efo Drwgi, Cled? Sorted, ta be?"

"Sorted," medda Cled. "Mae o hyd yn oed 'di cael batri i'r fan 'fyd!"

"Lle oedd o, ta," gofynnodd Bic, "mewn parti?"

"Na. Gwrandwch ar hon, 'ogia. 'Da chi 'im yn mynd i goelio hyn 'de… "

= *17* =

Roedd Drwgi'n teimlo'n well ar ôl siarad efo Cledwyn. Roedd o'n dechra anghofio am ei drwyn a'i ddwylo gwaedlyd, a'i *close encounter* efo'r bytheigs bytheiriog yn y twll. Roedd meddwl Drwgi ar rwbath arall erbyn hyn. Roedd o wedi cael 'rwbath drwg' i'w neud. Roedd ganddo fatri i'w nôl.

Fel oedd ei enw'n awgrymu, drygioni oedd *buzz* Drwgi. Ac ar ôl profiad mor ysgytwol ag oedd o newydd ei gael, roedd o angan ffics o'r *buzz* hwnnw. Edrychodd o'i gwmpas. Roedd y ffordd yn glir.

Llusgodd ei hun allan o'r twll a gneud yn siŵr fod pob dim ganddo. Baco a sgins, check. Ganja, check. Leitar, check.

Ceillia, check. Edrychodd fyny ac i lawr y stryd eto. Popeth yn glir. Brysiodd i fyny'r rhiw at gompresar y goleuada traffig. Cododd un o'r cerrig oedd wedi eu gosod dan olwynion y compresar i'w stopio fo rhag rowlio lawr rhiw, a'i hiwsio i falu'r padloc ar gaead y peiriant. Malodd hwnnw ar y trydydd clec. Cododd y caead. Roedd 'na fatri ffresh, *heavy duty*, tu mewn. Ond ddim am hir.

Doedd Drwgi ddim yn siŵr sut oedd y compresars newydd 'ma'n gweithio; oedd y batri jesd yno i ddechra injan y generator, neu oedd y batri hefyd yn cadw'r diesel i lifo drwy'r systam? Os mai'r cynta oedd yn wir, bydda'r compresar yn dal i redag ar ôl tynnu'r batri allan. Ond os mai'r ail oedd yn wir, mi fydda'r injan yn sdopio a'r goleuada'n diffodd. Dim bod bwys gan Drwgi un ffordd neu'r llall. Gwenodd yn ddrwg a mynd i bocad ei jaced, yn ofalus oherwydd y briwia ar hyd ei fysidd, i nôl ei 'declyn drygioni'.

Roedd 'teclyn drygioni Drwgi' ganddo ers dyddiau ysgol. Roedd o wedi'i brynu fo'n Pontins Prestatyn efo pres pocad gafodd o gan ei nain. Cyllall bocad fawr, ddwywaith seis Swiss Army, efo dau lafn, dau sgriwdreifar (un fflat ac un Phillips), snips a sbanar *adjustable*. O fewn dim roedd y teclyn wedi agor y boltia oedd yn dal y *leads* wrth derminals y batri a roedd Drwgi'n rhedag lawr y stryd efo'r batri yn ei ddwylo. Roedd o'n rhedag am fod y batri *yn* cadw'r cyflenwad diesel i redag i injan y generator, a mi *oedd* yr injan wedi cytio allan, a'r goleuada 'di diffodd. Ond yn waeth fyth, roedd o'n clywad seiran car heddlu'n nesáu o ochor arall y rhiw...

Roedd o bron yng ngwaelod y rhiw pan welodd wawr golau car yn disgyn hyd doeau'r tai ac yn nesáu am y llawr wrth i'r car nesu at grib y rhiw tu ôl iddo. Doedd 'na'm gobaith cyrraedd y gwaelod cyn i'r car ddod dros y top. Doedd 'na'm dewis ond cuddio, ac aeth yn syth 'nôl am y twll y daeth allan ohono funudau'n gynt. Gollyngodd y batri'n glec ar y doman rwbal a deifiodd fel soldiar i'r twll, gan neud yn siŵr ei fod o'n glanio mewn ffordd fysa ddim yn wejio'i hun i mewn y tro yma. Daeth y cerbyd dros grib y rhiw a goleuodd y stryd. Sbeciodd Drwgi dros yr ochor wrth iddo basio'r twll. Dim car cops oedd yno, ond fan Transit las yn diflannu, ar ddwy olwyn bron, rownd y tro cyn dyrnu mynd i fyny Stryd y Gwynt. Nabodd Drwgi'r fan yn syth...

Cuddiodd Drwgi eto wrth i'r seiran a'r fflachiadau golau glas oleuo'r toea a'r walia. Daeth y car cops dros grib y rhiw a fflio lawr heibio twll Drwgi cyn sgrialu fel cath i gythral i fyny Stryd y Gwynt ar ôl y fan. Rhyw bum eiliad oedd rhyngddo fo a'r fan, roedd Drwgi'n recno. Jesd abowt digon o amsar i'r fan allu rhoi ei golau i ffwrdd a chymryd y stryd gefn ar y chwith a dyblu nôl i lawr a'i heglu hi am Dre. Achos i Dre oedd y fan yn mynd – roedd Drwgi'n gwbod yn iawn pwy oedd ynddi. Gwenodd wrth ddyfalu lle oedd hwnnw wedi bod wrthi heno. Ond dim ond y nos oedd yn gwbod yn iawn...

≈ 18 ≈

Arhosodd Drwgi ryw hannar munud i neud yn siŵr nad oedd mwy o gops ar y ffordd, a bod neb arall yn mynd i'w weld o chwaith. Tai ha gwag oedd rhan fwya'r tai ar waelod y stryd wrth y twll yn y pafin – eu perchnogion wedi marw neu 'di prynu *timeshare* ar y Costa Wanca – felly doedd 'na neb wedi cael eu deffro gan yr holl gomosiwn. Gafaelodd yn y batri a brysio dros y ffordd ac i fyny'r llwybr at gefn fflat Cled. Doedd 'na'm giât i iard gefn y fflat. Roedd y landlord wedi codi wal gerrig saith troedfadd a'i blocio hi ffwrdd. Rhoddodd Drwgi'r batri ar dop y wal a dringo drosti. Wrth y drws cefn estynnodd y goriad o ben y landar ac aeth i mewn. Rhoddodd y golau mlaen. Gadawodd y batri wrth ymyl y bin hôm brŵ yn y gegin tra oedd o'n sbio o gwmpas am rwla saff i'w guddio. Ond roedd pob cwpwrdd yn llawn o focsys baco, poteli cwrw, bocsys gwin, CDs a DVDs, a cannoedd o dunia bîns a tomatos a bwyd cathod a chŵn.

Aeth drwy'r drws sleidio oedd yn arwain o'r gegin i'r bathrwm. Roedd o angan piso a stydio'r difrod i'w drwyn yn y drych bach crwn ar silff y sinc. Doedd o'm yn rhy ddrwg. Falla angan pwyth neu ddau, ond fe wnâi heb. Byddai'n iawn heb jab tetanus hefyd, achos newydd gael un o'r rheiny oedd o fis ynghynt ar ôl sefyll ar hoelan rydlyd wrth hel coed tân o sgip tu allan Bryn Glas.

Tynnodd ei drwsus a'i drôns i lawr i stydio'i dacla'n iawn a rhoddodd wash iddyn nhw uwchben y bath. Er bod ei falog wedi rhwygo doedd petha ddim mor ddrwg ag y galla nhw fod. Scrats oedd y twll bach hwnnw welodd o ar ei gŵd cynt. Jesd wedi gwaedu lot oedd o, fel bysa rhywun yn ddisgwyl efo'r holl wythienna lawr yn fan'na. Roedd y cyt rhwng ei goes a'i gŵd yn waeth, ond doedd hwnnw ddim yn rhy siriys chwaith. Tsieciodd ei goc eto. Cadarnhaodd nad oedd marc arni. Roedd o wedi bod yn lwcus. Roedd botyma metal y balog wedi stopio dannadd Mitsi rhag gneud damej i 'Drwgi Bach'.

Ar ôl gorffan efo'i growm jiwals golchodd Drwgi'i wynab yn sydyn a sdwffio tameidia bach o bapur toilet i mewn i'r briwia ar ei drwyn i atal y gwaed. Yna gwelodd y golau *shaverlight* ar y wal uwchben y sinc. Switsiodd o mlaen, wedyn i ffwrdd. Switsiodd o mlaen eto, ac i ffwrdd eto, wedyn ymlaen ac i ffwrdd eto.

Doedd gan Drwgi ddim syniad pam oedd o'n gneud hyn ond roedd o'n ei neud o efo bron bob switsh oedd o'n ei weld. Switshys gola, switshys socets, cwcars, imyrsiyns. Roedd o hyd yn oed yn ffidlan efo switshys stereos a powar twls. *Compulsive Behaviour Syndrome,* neu rwbath, oedd o medda'r holl shrincs fu raid iddo fynd i'w gweld pan oedd o'n blentyn. Aeth petha'n ddrwg arno ar ôl iddo roi cegin gefn tŷ 'i nain ar dân wrth switsio'r socets ymlaen pan oedd cadar efo côt dros ei chefn yn pwyso'n erbyn tân trydan. Roedd o wedi llosgi garej ei dad, hefyd, pan switsiodd socet yr haearn soldro mlaen unwaith. Roedd o hefyd wedi bron â lladd Gai Genagoeg yn *Woodwork* yn ffyrst ffôrm rysgol pan droiodd y *lathe* ymlaen pan oedd ei dei o'n rhy agos i'r troellwr. Doedd yr un therapydd wedi gallu stopio'r arferiad peryglus 'ma, ond roedd Drwgi wedi dysgu ei hun i roi'r switshys i ffwrdd yn syth wedi eu switsio mlaen. Ac i fod yn saff eu bod i ffwrdd roedd o wedi datblygu'r habit – pan oedd o'n cofio – o'u switsio nhw mlaen ac i ffwrdd dair gwaith, jesd i neud yn siŵr.

Aeth yn ôl i'r gegin. Doedd o'm yn licio gadael y batri yn lle'r oedd o. Tasa'r cops am fystio'r fflat fysan nhw'n siŵr o'i weld o. Sylwodd fod un o'r terminals ar y batri'n rhydd. Roedd 'na grac yn ei waelod o. Mae'n rhaid fod o wedi hollti pan daflodd y batri ar y doman wrth neidio i mewn i'r twll i guddio. Duw, fydd o'n iawn, meddyliodd. Edrychodd eto am le i'w stashio, tra'n switsio socedi'r gegin i gyd ymlaen ac i ffwrdd. Fflic. Fflic. Fflic. Pan ddaeth at switsh y cwcar, stopiodd. Roedd Cled wedi rhoi tâp electrisian coch dros y switsh honno ac wedi sgwennu 'NA, DRWGI!' mewn beiro arno. Doedd y cwcar erioed wedi gweithio'n iawn a doedd Cled erioed wedi gadal i Drwgi ffidlan efo'r switsh. Roedd *fault* ar y cwcar, a roedd o'n mynd yn waeth, medda Cled. Ond dyma'r unig switsh oedd Drwgi heb gael ei dwtsiad ers i Cled symud i'r fflat. Roedd yn *rhaid* iddo'i switsio. Roedd *rhaid* iddo... Na! Tynnodd ei law yn ôl fel roedd hi bron â chyrraedd.

Cafodd syniad. Rhoddodd y batri yn y popty. Gystal lle â nunlla gan nad oedd y cwcar yn gweithio. Yna aeth allan i'r cefn a chloi'r drws ar ei ôl. Aeth i 'stash bach' Cled yn y wal uchal rhwng yr iard a'r llwybr cefn. Tynnodd y bag plastig allan a'i agor. Tun baco. Tynnodd hwnnw allan ac edrych tu mewn iddo. Bag plastig llai. Edrychodd yn hwnnw. Roedd hannar owns o wair ac wythfad o hash, a thamad o kitchen ffoil wedi ei blygu'n fflat rownd hannar dwsin o drips asid. Tynnodd y bag a'i gynnwys allan a'u sdwffio – yn ofalus – i lawr ei fôls. Rhoddodd y tun baco gwag yn ôl yn y wal a rhoi ffling i'r bag plastig ar lawr. Dringodd i ben y wal ac edrych o'i gwmpas. Roedd hi'n glir. Aeth am adra.

Roedd o bron â chyrraedd stad tai cyngor Bryn Derwydd, lle'r oedd o'n byw, ac wrthi'n tecstio Cledwyn i ddeud bod popeth yn glir pan arafodd car wrth ei ochr. Trodd rownd i edrych a dychrynodd wrth weld car copar wedi stopio. Mwy na thebyg yr un oedd wedi colli'r fan yn y *chase* 'na'n gynharach.

"Ffacin hel, mae injan dy gar di'n ddistaw!" medda Drwgi, mewn sioc, wrth y copar. Roedd 'na ddau ohonyn nhw yn y car.

"Drwgi," meddai'r copar.

"Dibynnu," atebodd Drwgi.

"Lle ti 'di bod? Lle ti'n mynd, a pam?"

Shit! Meddyliodd Drwgi am funud. "Yyym... dwi'm yn gwbod."

"Be'n union ti 'ddim yn gwbod'? Lle ti 'di bod ta lle ti'n mynd? Neu pam?"

Doedd Drwgi ddim isio deud y gwir rhag ofn rhoi'r Trowt mewn trwbwl am y lock-in. Doedd hi ddim yn ei natur i ddeud y gwir wrth y cops, beth bynnag. "Dwi'm yn cofio," medda fo.

Cododd y copar yr hambrêc a diffodd yr injan. Daeth y ddau o'nyn nhw allan o'r car a sefyll o flaen Drwgi fel Starsky and Hutch, yn cnoi *chewing gum*.

"Be ti'n feddwl, ti'm yn cofio? Pam ti'm yn cofio?"

"Cos dwi'n racs."

Edrychodd y copar ar ei wynab o. "Mae dy drwyn 'di'n racs hefyd. Wyt ti'n cofio be ddigwyddodd i hwnnw 'ta? Ti 'di bod yn cwffio, Drwgi?"

"Ffycin hel, naddo!"

"Be 'di'r gwaed 'ma i gyd 'ta?"

"Be, hwn?"

"*Yes*, Drwgi, 'hwn'!"

"Torri'n hun yn siafio wnes i."

"Am bedwar o gloch y bora? Wyt ti'n shafio dy ddwylo hefyd, wyt?" Roedd o wedi sylwi ar y briwia hynny hefyd.

"Na. 'Sgena i'm dwylo blewog."

"Dim dyna mae dy record di'n ddeud, Drwgi!"

"Be ti'n feddwl? 'Sgena i'm thefft na disonestis ar fy record o gwbwl!"

"Mae gen ti *criminal record, full stop*, Drwgi. *Which means* ti'n criminal. Ti'n criminal, so ti'n *dishonest individual. Dishonest individual equals thief and vice versa, therefore* ti, Martin Wyn Jones, aka Drwgi, aka Drwgi Ragarug, *aka dodgy, dishonest individual*, yn dwylo blewog *sort of person*."

Bu distawrwydd am rai eiliadau. Edrychodd y copar a Drwgi ar ei gilydd. Roedd y copar fel petai o'n disgwyl *applause* am ei eiriau clyfar a roedd Drwgi jesd isio chwerthin. Ond yn wyrthiol, cadwodd wynab syth.

Torrwyd ar y distawrwydd annifyr gan yr heddwas eto. "Mewn *plain English*, Drwgi, ti'n *felon*. Wyt ti'n gwbod be ydi *felon*, Drwgi?"

Meddyliodd Drwgi am eiliad. "*Ymm*, y petha 'na ar *Star Trek*, ia?"

Stopiodd y copar gnoi. Poerodd y *chewing gum* allan i'r stryd a sgwario.

"Be?!" protestiodd Drwgi. "'Sgena i'm help, dwi'm yn gwbod be di ffelon, onest ŵan!"

"Lle ti 'di bod, Drwgi? A dwi isio atab call ne ti'n dod efo ni i'r stesion!"

"OK, ylwch, os 'da chi isio gwbod, ges i'n atacio gan ddau gi. Sbiwch os dach chi'm yn coelio fi."

Daliodd Drwgi ei freichiau allan y naill ochr i'w gorff yn y gobaith y byddai hynny'n ei gwneud hi'n amlwg ei fod o'n deud y gwir. Roedd o wedi sylweddoli bod rhaid iddo ddechra mwydro er mwyn tynnu sylw'r plismyn i ffwrdd o unrhyw fwriad oedd ganddyn nhw i'w archwilio. "So be 'di'r broblam 'ta, bois?"

"*You tell us, Martin Wyn, you tell us.* Just wondro ydan ni be wyt ti'n ei wneud o gwmpas *this time of the morning, that's all*. Paid â deud ti'n dechra *paper round*?"

"Wel, fyswn i'n gofyn yr un peth i chi, ond mae'n obfiys 'da *chi'm* yn gneud *paper round*... 'Sa fo'n gwestiwn gwirion, rili, yn... bysa?"

"Bysa, Drwgi. Bysa fo *yn* gwestiwn gwirion. A *very stupid question in fact. Now then*, ydan ni'n mynd i gael gwbod lle ti 'di bod, ta 'dan ni'n mynd am sbin *in my nice new car?*"

"Wel os oes rhaid i chi gael gwbod 'de, dwi newydd ddod o barti yn Croesor. O'n i'n thymio a ges i lifft i Graig."

"Croesor? Gan pwy gas di lifft ta?"

"Dwimbo, o'n i'm yn nabod o. Sais oedd o."

"Sais, Drwgi? O'n i'n meddwl bo chdi ddim yn leicio Saeson, Drwgi?"

"Wel, '*beggars can't be choosers*' pan ti'n thymio'n oria mân y bora, na?"

"Na, mae'n siŵr. Dim bo fi wedi thymio yn oriau mân y bora, chwaith." Trodd y copar at ei bartnar, "*Drwgi doesn't like English people, Geoff.*"

"*Is that right, Wynnie?*" medda hwnnw mewn acen gogladd Lloegr wrth sbio'n fygythiol i lygid Drwgi a cnoi ei *chewing gum* yn goc i gyd. Roedd Drwgi'n teimlo fel hedbytio'r twat, ond cadwodd ei cŵl. Cofiodd y cyngor gafodd o gan Cledwyn rywbryd. 'Os byth bydd copar yn trio dy herio i neud rwbath gwirion, jesd dychmyga'r cont gwirion mewn twtw a wìg yn cael wanc.' Dechreuodd chwerthin, ond sdopiodd ei hun mor sydyn ag y dechreuodd. Stopiodd 'Geoff' gnoi, a daeth golwg rhywun oedd wedi methu cael y jôc ond ddim isio cyfadda hynny dros ei wynab. Edrychodd ar ei bartnar. "*Shall we take him in, then? We can do him for racism.*"

"*We could, unless he tells us what he's been up to.* Drwgi, y lifft 'ma ges di. Pa fath o gar oedd o?"

"Ym, car tywyll. Dwi'm yn siŵr be oedd o."

"Dim Transit Van oedd hi, naci?"

"Na. Car oedd o."

"Ti'n siŵr, ŵan?"

"Yndw siŵr! Dwi'n gwbod y gwahaniath rhwng car a fan, dydw?"

"Welis di Transit Van lliw tywyll, glas neu du, *maybe*, o gwmpas? Aru un dy basio di o gwbwl?"

"Naddo."

"Ti'n gallu bod yn siŵr o hynny, rŵan?"

"Yndw. Bendant."

"A ti heb fod yn agos i Tyddyn Tatws heno?"

"Tyddyn Tatws? Walter Towers? Lle Sid Finch?"

"*Correct times three,* Drwgi... "

"I be ffwc fyswn i isio mynd i fan'no?"

"Dwi ddim yn gwbod, dwi *just* yn gofyn."

"'Na fo, ta! A dwi jesd yn atab. Na."

"Ond os ti 'di dod o Croesor, ti wedi pasio Tyddyn Tatws, yndo?"

"Do, obfiysli, ond dwi heb fod *yn* Tyddyn Tatws, naddo?"

"So lle wyt ti wedi cael dy atacio gan gŵn *then*?"

"Croesor."

"Yn Croesor?"

"Ia, es i drwy fuarth ffarm ac aru'r ddau gi defaid 'ma atacio fi. Sbiwch os da chi ddim yn coelio fi." Daliodd Drwgi ei ddwylo allan. "Sbiwch, hoel dannadd 'di hynna. Dwi heb fod yn cwffio, onest."

"OK, Drwgi. Ond mae cŵn yn y ffermydd o gwmpas Tyddyn Tatws hefyd, *are there not*? Ti'n siŵr ti heb fod yn fan'no?"

"Hollol siŵr, man! Mewn parti yn Croesor dwi 'di bod, dwi 'di deud wrthach chi. Dwi jest isio mynd adra. Mae 'di bo'n noson hir."

Edrychodd y copar i fyny ac i lawr ar Drwgi. Roedd golwg fel 'sa fo wedi cael ei lusgo trwy'r drain ar y cradur. Roedd o'n bendant wedi bod i fyny i rwbath, meddyliodd. "Felly dwi'n gweld. A'r cŵn 'ma. Nhw gnoiodd dy drwsus di 'fyd?"

"Ia. Bron iddyn nhw rigo 'wbath arall 'fyd... "

"A'r parti – fysa ti'n gallu cael rhywun *to confirm* bod chdi yno?"

"Wel, i fod yn onast, do'n i ddim yn nabod llawar o neb a sgena i ddim syniad lle'n union oedd y tŷ, na tŷ pwy oedd o. Ges i lifft fyny o Ring mewn car a ddois i o'na *cross country*. Ga i fynd adra ŵan, plîs?"

"OK, Drwgi. Ond cyn i ti fynd, wnei di neud *favour* i fi?"

"Dibynnu pa fath o ffafr... " atebodd Drwgi, yn poeni mai *search* fyddai'r peth nesa.

"Ga i ogleuo dy ddwylo di?"

"Be?!" Roedd Drwgi'n gegagorad.

"Ga i ogleuo dy ddwylo di?"

"I be ffwc..?"

"Police business."

"Da chi'n cymyd y piss?"

"Come on, Drwgi. Mae 'na *crime* wedi cael ei comitio a mae genna i ddigon o *grounds* i fynd â chdi i mewn i dy holi di, *if that's what you want...* "

"Na, mae'n OK. Dim problam." Daliodd Drwgi ei ddwylo allan. "Sniff awê, Fido... "

Gafaelodd y plisman yn nwylo Drwgi a'u codi at ei drwyn. Sniffiodd yn ddwfn. Trodd at ei bartnar. *"What do you think, Geoff?"*

Dyma hwnnw'n eu hogleuo wedyn. "*They smell of sheep!*" medda fo, a gwenu'n sbeitlyd.

"*I'd say he's just had a wash, Geoff. Definitely a hint of soap…* "

"Toilets Abereryri," medda Drwgi gan obeithio eu bod nhw'n agorad drwy'r nos, achos doedd o'm yn siŵr. "Oedd rhaid i fi olchi 'nulo, doedd? O'n i'n gwaedu'n do'n?"

"OK Drwgi, off â ti'n hogyn da. Ond gwranda – ar y funud, ti'n *suspect* am y *crime* sydd wedi digwydd heno, OK?"

"Syspect? Syspect o be? Oes 'na jans o ga'l gwbod?"

"Alla i ddim dweud *details* i ti ar y funud, ond mae rhywbeth wedi hapno yn Tyddyn Tatws heno."

"Wel, 'di o ddim byd i neud efo fi, fedra i ddeud hynna wrtha chi rŵan!"

"Wel, mi fyswn i'n leicio gallu gwbod hynny *for certain*. Dyna be dwi'n ddeud wrthat *ti*. Mae *crime* wedi digwydd heno a rwyt ti, *by your own admission*, wedi pasio'r *crime scene roughly* o gwmpas yr amser mae'r *crime* hwnnw wedi cael ei comitio, OK?"

"Hold on… "

"*Now, now* Drwgi … gadael i fi gorffen, ia? Mae'n fy *duty* fi i infestigetio pob *lead* sydd ar gael, OK? Ac ar y funud – *maybe through pure coincidence or not* – rwyt ti yn *lead* yn y *case* yma. *Until I eliminate you, OK? Like it or not,* Drwgi, mae rhaid i fi gwneud fy job i. Dallt?"

Roedd Drwgi'n ca'l chydig o draffarth dallt acen dybyl dytsh y copar, ond fe gytunodd. "Yndw, dwi'n dallt."

"*Good*. Felly mae'n *possible* iawn y bydd rhywun yn galw heibio i dy holi di eto, fory neu *the day after*, OK?"

"Iawn." Roedd Drwgi jest yn falch o gael mynd adra.

"Iawn ta. *I'll let you get on home* i golchi'r *injuries* rŵan. A cofia fynd am Tetanus jab."

"Diolch, ond dwi newydd ga'l un."

Trodd Drwgi ar ei sodla mor sydyn ag y medrai cyn iddyn nhw newid eu meddylia. Roedd y copar Susnag wedi bod yn sbio dagyrs arna fo ers meitin. Gwrandawodd arnyn nhw'n siarad wrth iddo gerddad i ffwrdd.

"Unusually calm wasn't he, Wynnie? If he was innocent, he'd be a bit more pissed off."

"I don't know, Geoff. Probably up to no good himself. Drwgi's always got something to hide."

"Definitely lying, though, Wynne. We should have searched the little shit."

"Nah, we'd only find some dope for a caution. Too much hassle. He's probably been in the Brown Trout all night on a lock-in and fallen over… Definitely worth checking up on, though… he's bound to know something. His sort always do…

Collodd Drwgi eu lleisiau wrth bellhau. Ond roedd o wedi deall un peth – a roedd o'n sicr ei fod o'n iawn, 'fyd. Roedd 'na rywun wedi bod yn dwyn pysgod Sgweiar Finch! Rhywun mewn fan Transit las a'i ddwylo'n drewi o bysgod. A roedd Drwgi'n gwybod pwy…

≈ 19 ≈

Pwysodd y plisman y botwm ar y recordydd tâp a dechra siarad.

"PC999 Harris North Wales Police, Meirionethshire Divisional Headquarters, Dolgellau. Time is 9.56 am, Friday 26th August 2005, interviewing prisoner… " Amneidiodd y Plismon ar Bic i ddweud ei enw.

"Ga i'r interfiw yma'n Gymraeg, plîs?"

"Cei, cei… jest deud dy enw… "

"Ga i'r interfiw yn Gymraeg, plîs?"

"Cei, gei di'r cyfweliad yn Gymraeg. Enw, plîs?"

"Bic."

Ochneidiodd y copar. "Enw iawn neu fyddwn ni yma drwy dydd!"

"Robat Emlyn Flanagan."

"*Address?*"

"*Cyfeiriad?* 61 Bryn Derwydd, Graig-garw, Gwynedd."

"*Date of...* Dyddiad geni?"

"Un deg tri o Ebrill, un naw chwech wyth."

"*Also present is...* "

"PC007 Pratt," meddai'r plismon arall oedd yn bresennol.

"*You have the right to...* " Aeth y plisman yn ei flaen i egluro hawliau Bic, "*... however, the fact that you do not say anything may be used against you in a court of law. Do you understand?*"

"Sori?"

"*Do you understa* ... Wyt ti'n deall be dwi newydd ddeud wrtha ti?"

"Na."

"Pam?"

"Dwi'm yn dallt Susnag. Dwi isio fy *nghyfweliad* yn Gymraeg, os gwelwch yn dda!"

"Gwranda, dwi jesd yn darllan hwn, OK?" medda'r heddwas gan bwyntio at y tamad papur o'i flaen. "Sgena i ddim y sbîl yn Gymraeg. Dim bai fi ydi hynny. Fedra i chwilio am gopi Cymraeg i chdi, ond dwi'n deud wrthat ti rŵan, dwi ddim yn meddwl bod un yn y stesion 'ma. Mae i fyny i ti os ti isio bod yma trwy bora tra bo rywun yn cyfieithu... Wyt ti'n dallt be ydi dy hawliau di fel dwi wedi eu hescplêinio i ti?"

"Dwi'n gwbod be ydi fy hawlia, eniwê."

"*Prisoner has confirmed he understands what was put to him but is unable to communicate in English...* "

"Wnes i'm deud hynna... "

"Prisoner has been offered legal counsel and has declined. Can you please... fedri di plîs conffyrmio bod ti wedi dewis peidio cael twrna'n bresennol."

"Gallaf, gallaf gadarnhau hynny. Ond dwi heb gael galwad ffôn ers dwi i mewn yma."

Edrychodd y ddau gopar ar ei gilydd cyn cario ymlaen. "Reit, Robert ... "

"Emlyn."

"Emlyn... "

"Gei di alw fi'n Bic."

"Bic... Lle'r oeddat ti neithiwr?"

"Yn fy nghell yn yr orsaf heddlu hon drwy'r nos."

"Cyn hynny?"

"No comment."

"Ti ddim isio atab?"

"No comment."

"Cwestiwn bach digon diniwed ydio, ynde?"

"No comment."

"Sgin ti rwbath i guddio, Emlyn?"

"No comment."

"Oes 'na ryw reswm arall pam ti ddim isio deud wrthon ni lle ti wedi bod neithiwr?"

"Dwi'n defnyddio fy hawl i ddewis peidio atab cwestiyna."

"Ond fel dwi wedi egluro i ti, mi fydd gan y llys yr hawl i edrych ar hynny fel arwydd bod gen ti rwbath i'w guddio. Bod chdi'n euog o rwbath. 'Di hynny ddim yn poeni chdi?"

"No comment."

"Emlyn," medd y plismon arall. "Ti wedi dewis cael y cyfweliad yma'n Gymraeg. Rydan ni wedi gadael i chdi 'i gael o'n Gymraeg... "

"'Di o ddim i fyny i chi 'adael' i fi gael fy nghyfweliad yn Gymraeg. Hawl ydi o, dim ffafr."

"Ond mae *'no comment'* yn eiriau Saesneg!"

"Robat Emlyn Flanagan ydi fy enw ac mae PC007 *Pratt* yn fy intimidêtio i drwy gymryd y piss o'r ffaith bo fi 'di dewis cael y cyfweliad yma yn Gymraeg *ac* yn fy degradio am fod fy Nghymraeg i ddim yn academicali cywir."

"Emlyn!" medda PC Harris. "'Dan ni'n trio bod yn *proactive*. Ti sy'n bod yn *awkward* wrth beidio atab cwestiyna syml."

"Robert Emlyn Flanagan ydi enw fi a mae PC999 Harris yn insiniwêtio 'mod i'n bod yn anodd am ddefnyddio fy hawl i beidio atab cwestiyna..."

≈ 20 ≈

Plonciodd Sian ei hun i lawr ar unig sêt wag y bws, efo'i bagia siopa Co-op ar ei glin. Cododd ei llaw ar Anwen a Joy yn y bys-stop wrth i'r Clipa bach grafu i gêr a tynnu allan. Roedd Sian yn hapus. Roedd hi wedi cael lifft i fyny i Dre ar ôl gadal y plant efo Fflur Drwgi drws nesa ac wedi cael gwneud ei siopa'n weddol sydyn. Roedd hi'n edrych ymlaen at gyrradd adra ac ymlacio efo sbliffsan a panad o goffi. Doedd hi ond yn ddeg o'r gloch. Roedd y dydd i gyd o'i blaen.

Pasiodd fan felen heibio'r bws. Edrychodd Sian i weld os mai Cledwyn oedd o, ond fan Dewi Drync oedd hi. Lle oedd y ffwcin hogyn Cledwyn 'na, meddyliodd. Doedd ei fan o ddim tu allan i'r fflat pan aeth i sbio ben bora, chwaith.

"Snob!" medda llais cyfarwydd o un o'r seti gyferbyn, yn nes am yn ôl. "Fela ma'i dallt hi, ia?"

Trodd Sian i edrych. Gai Ows ac Anthracs, dau o'u ffrindia hi a Cled oedd yno, yn wên o glust i glust a'u llygid fel soseri.

"O hylô! Welis i mo'na chi fan'na! Lle da chi 'di bod, *dirty stop-out,* y diawliad?"

"Parti'n tŷ Bob nithiwr, Sian," chwerthodd Anthracs. "Oeddan ni 'di disgwl gweld Cled yna, deud y gwir. Lle mae o?"

"'Da chitha heb 'i weld o chwaith, 'lly? Dwi heb 'i weld o ers bora ddoe."

"O'dd o'n ca'l giro ddoe, doedd," medda Gai.

"Yn union, Gai! Does wbod lle mae o erbyn ŵan! Ffycar! O'n i isio lifft bora 'ma 'fyd, lle goro cario'r bagia 'ma! Oes 'na barti i fod heddiw hefyd, oes?" Roedd Sian yn sbio ar y botal fodca oedd yn sdicio allan o bocad côt Anthracs.

"'Di Cled ddim yn y fflat 'lly, Sian?" gofynnodd Gai. "O'n i'n pasa rhoi noc arno fo ŵan, deud y gwir."

"Dwi'mbo Gai, ella bydd o nôl erbyn ŵan, neu bydd o'n tŷ 'cw. Tyd draw am banad wedyn. Welis i Sara yn stryd gynna, bai ddy wê, Anthracs."

"Oedd hi'n iawn, oedd?" gofynnodd Anthracs am ei wraig.

"Oedd," medda Sian, yn deud clwydda. Doedd Sara heb fod yn iawn ers i Anthracs fynd ar gyfeiliorn. Blydi dynion, meddyliodd. "Ti'n ogleuo pysgod?" gofynnodd wedyn.

"Rhein?" Daliodd Gai fag plastig i fyny, efo chwech o frithyll mawr, bendigedig ynddo. "Ti isio un?"

"Ww, ia plîs! Maen nhw'n fawr, dydyn? Chdi ddaliodd nhw?"

"Naci, newydd gael nhw am ddim ydw i. Ddoth be-di-enw-fo, brawd bach Ed Jip, ata i yn y stryd a deud 'ynda'! Aru o'm deud lle gafodd o nhw na dim byd. Gei di ddau os ti isio. Un i Cled 'fyd. 'Na i werthu'r lleill i boi newydd y Trowt. Ddo i â nhw draw i'r tŷ yn munud i chdi."

"Ocê. Gawn ni banad a smôc. Mae 'na gania yn y ffrij, 'fyd."

"*Job done!*"

Yn y sêt o flaen Sian roedd dyn bach tena efo gwraig fawr

dew. Saeson, yn ôl eu sŵn a'u golwg. Roedd y gŵr yn ista wrth y ffenast, tu ôl i Wmffra Saim, hen gradur oedd yn byw efo'i gŵn yng Ngelliwigs. Roedd y Sais yn gwisgo sbectol-hen-ddyn-budur, a top tracsiwt Eng-ur-land dros grys-t efo *'my wife went scuba diving in Toremolinos and all I got was this poxy t-shirt'* mewn sgwennu pinc a gwyrdd a melyn ar ei flaen. Wrth ei ochr roedd ei wraig, monstras ugian stôn, mewn top pinc a legins pinc oedd yn hongian hannar ffordd lawr ei thin i arddangos crac fel Dyffryn Ogwen i'r byd a'r betws. Roedd hi'n ista efo un boch tin ar y sêt a'r llall yn llenwi llwybr canol y bws.

Dechreuodd y boi styrio, a phwnio'i wraig efo'i benelin, gan amneidio at Wmffra Saim o'i flaen. *"Look… !"*

"What?" medda'r dorth.

"Do you see that?"

"See what?"

Gostyngodd y dyn ei lais. *"A flea!"*

"What? Where?!" Roedd y ffatan yn cynhyrfu'n syth.

"There. Do you see it?" Rhoddodd ei gŵr ei fys wrth wallt Wmffra heb iddo sylwi, a phwyntio. *"There, see it?"*

Roedd hi'n chwannan anfarth. Roedd Sian yn ei gweld hi o lle'r oedd hi'n ista. Chwannan ci oedd hi, un frown, 'run seis â phen matsian.

"Oh my god!" medda'r Susnas, a shifftio'i hun fwy am allan nes bod dim ond hannar boch ei thin hi'n gafael yn y sêt. *"Don't touch it, Charlie!"*

Ond roedd Charlie'n ymddiddori mewn pryfid, a daliodd i stydio'r trychfil bach oedd yn gwneud gymnasteg ar flewyn gwyllt o wallt gwyn Wmffra.

"It's a dog flea, Amber love. Perfectly safe. It may bite but it doesn't live or breed on humans."

"I don't bloody care, don't fooking touch the little fooker in case it comes this way!" cyfarthodd Amber.

Roedd pobl yn dechrau clywed y ddau'n siarad erbyn hyn. "*Shshsh. Don't make a fuss, Amber,*" siarsiodd ei gŵr, gan sbio o'i gwmpas yn nerfus tu ôl i'w sbectol Hank Marvin. Gwelodd Sian yn sbio arno a rhoddodd nòd ysgafn a chwartar gwên.

"*God, I feel sick,*" medda'r ffatan wrth rythu i gyfeiriad y chwannan, a'i llygid yn gymysgadd o arswyd a ffieidd-dra. Roedd hi'n edrych ar Wmffra fel 'sa fo newydd gachu yn ei grefi dydd Sul. A dyna pryd neidiodd y chwannan...

"*Aaaaaaaaaaaaaaaaaaaaaahhh!*" Sgrechiodd Amber a thaflu ei dwylo am ei gwallt a dechrau'i rwbio a'i ysgwyd yn wyllt. "*Where did it go, where did it go, where did it go? Aaaah! Aaaah! Aaaah!*"

Roedd hi'n fflapio. Roedd hi'n rhwbio a chrafu'i chorff nes bod ei bloneg yn ysgwyd fel môr mawr gwyllt dan ei dillad-rhy-dynn pinc. Roedd pawb ar y bws yn sbio'n hurt arni, heblaw am berchennog y chwannan, Wmffra Saim, oedd bron yn gwbl fyddar ac yn cysgu...

"*It didn't go your way!*" gwaeddodd ei gŵr. "*Ambie! Calm down, it went that way!*"

Ond roedd Amber mewn hysterics. Roedd ar ei thraed rŵan, yn sgrechian a slapio'i hun efo'i dwylo fel 'sa hi ar dân. "*Aaaaaaaaaaaaahhh! Charlie! Get it off me, Charlie! Do something! Aaaaaaaaaahhh! Charlie! Charlie! Aaaaaaaahhh!*"

Roedd hannar y bws yn gegagorad a'r hannar arall yn chwerthin erbyn hyn, a'r ffatan yn sefyll ynghanol y bws yn sgrechian fel gwrach y rhibyn, a'i thin hi'n sgwasho bagia siopa Delyth Dyn oedd yn ista yn y sêt gyferbyn. Ond cyn i honno ddeud dim daeth llais dyn o gefn y bws. "*Ffycin sit down you stupid ffycin cow!*"

O diar. Trodd y fuwch a rhythu ar Keith Bîff, un o seicos Dre oedd ar ei ffordd i Port i seinio mlaen. Dechreuodd Anthracs ganu. "*There may be trouble ahead...*"

"*What did you fooking say?*" gwaeddodd Amber ar Keith Bîff.

"*I said* ffycin *sit down, you stupid* ffycin *cow!*"

Aeth y bws yn ddistaw am eiliad, heblaw am lais Gai Ows yn cymryd drosodd y canu gan Anthracs, "*… but while there's moonlight and music…!*"

"*Watchew call me? Watchew fooking call me? Charlie! Do somefink, Charlie!*"

"*It's OK, luv, leave it. Just sit down for god's sakes!*"

"*I'm not standing for that. You've got no right… !*"

"*Ah ffac off you* ffwcin *fat whale!*" medda Keith Bîff wedyn.

Aeth gwynab y ddynas yn biws. "*Charlie! Tell him! Go get him, will ya!*" Camodd yn ei hôl, gan sdicio'i thin yng ngwynab Delyth Dyn, i wneud lle i'w gŵr godi a mynd heibio. Ond wnaeth o ddim.

"*Just leave it will yer, luv. Sit down,*" medda fo, a troi at Keith Bîff. "*It's alright mate, she's just panicking 'cos of a flea.*" Cododd i hebrwng ei wraig yn ôl i ista. Ond doedd hi ddim isio ista.

"*Get your fooking hands off me, Charlie, I'm not sitting back there with all those fleas.*"

"*There ain't no fleas, luv. It's gone. Just sit down…* "

"*Can you sit down please, we're on a public highway,*" gwaeddodd Wili Wich y dreifar o'r ffrynt, wrth sbio yn ei ddrych. Ond fysa neb yn clywed llais Wili Wich mewn tun bisgets gwag, heb sôn am ynghanol gweiddi'r pâr o lyngs mwya welwyd ers *Free Willy*. Slapiodd y forfilas ddwylo'i gŵr i ffwrdd o'i hysgwydda,

"*Get off me Charlie, you prick!*" meddai. "*I'm fine standing here!*"

Safodd yno, yn chwythu tân tuag at Wmffra Saim, oedd yn dal i gysgu'n braf.

" *… And love and romance…* " canodd Anthracs ymlaen, a chwerthin efo Gai Ows a Sian. Roedd yr helynt i'w weld fel 'sa fo'n dod i ben...

"*Yes, that's it, calm down Godzilla, in case you start an earthquake!*" gwaeddodd Keith Bîff o'r cefn wedyn. Na, roedd mwy i ddod...

"*Oi! Mate...!*" dechreuodd Charlie.

"*You ffac off as well, you ffycin arsewipe. If you can't control your elephant don't bring it on the bus!*" atebodd Keith Bîff.

"*You fook off, pal!*" medda Charlie'n ôl.

"No, *you* ffyc off pal!"

"*You... that's my wife, so fook off!*"

Cafodd Anthracs ddigon ar hyn i gyd. "Ylwch, neith un o'na chi jesd ffwcio ffwrdd, ffor ffyc's sêcs!"

"*If that was my wife I'd take it back to the swamp where I found it and release it back into the wild,*" cariodd Keith Bîff ymlaen. "*If it was a camel I'd take it back to the camel farm – it's got too many lumps on it...* "

"'Sa'm isio bod cweit mor frwnt dy dafod nag oes, Keith Bîff?" gwaeddodd Gayle Pêl o'r ffrynt, cyn troi at Amber a Charlie. "*Do you mind? There's children here!*"

"*It's not us,*" dechreuodd Amber. "*It's that twat in the back!*"

"*I don't care who's to blame,*" dechreuodd Delyth Dyn. "*Just get your fat arse out of my face and off my chicken drumsticks!*"

Roedd pawb ar y bws un ai'n chwerthin neu'n trio peidio erbyn hyn. Gorffennodd Anthracs y gân. "*... just face the music and dance.*"

Ffrwydrodd Amber. "*Don't you fooking laugh at me!*" bytheiriodd ar Gai Ows, fel rhyw flomonj mawr gwyllt.

"*It wasn't me!*" medda Gai Ows, yn chwerthin fel ffŵl wrth bwyntio at Anthracs.

"*Don't you fooking laugh at me!*" bytheiriodd y blomonj ar hwnnw.

"*Just sit down before you go pop, fatty!*" gwaeddodd Keith Bîff.

"*I'm warning you...* " dechreuodd Charlie eto gan drio gwneud ei ffrâm beic o gorff edrych yn fygythiol, cyn gwywo dan edrychiad seicotig Keith Bîff.

"Mŵf... iôr... ffycin... ârs! " bloeddiodd Delyth Dyn. Roedd hi wedi cael digon.

"*Oh shut up, you Welsh slapper!*" gwaeddodd y Susnas yn ei hôl.

A dyna pryd torrodd wyrld wôr thrî allan ar y bws deg o Dre i Graig y bora dydd Gwenar braf hwnnw o haf. Cododd Delyth Dyn a rhoi hedbyt i Amber, yna'i phwsio am yn ôl am du blaen y bws. Neidiodd Charlie rhyngddyn nhw fel hîro din. "*Woah there, ladies...* " medda fo mewn ymgais gachu i fod yn Kofe Annan.

'Thwac!' Glaniodd Delyth Dyn biwtar o *right hook* ar ochr ei ên. Glaniodd Charlie yn ôl yn ei sêt fatha cadach. Ffêntiodd yn y fan a'r lle.

"*Grrraaaaaaaaaaarrrgh!*" sgrechiodd Amber a mynd am Delyth Dyn efo'i bag siopa. Gafaelodd yn ei gwallt efo un llaw a swingio'r bag fel pastwn efo'r llall, tra oedd Delyth Dyn yn ei dyrnu hitha fel... wel... fel dyn.

Roedd y bws ar y strets, yn agosáu am Graig. Slofodd Wili Wich i lawr.

"Paid â stopio, Wili," medda Gayle Pêl wrth dorchi'i llewys. "Sortia i nhw allan!" Cododd a gafael yng ngwallt Amber o'r tu ôl, a tynnu fel 'sa hi mewn *tug o war*. "Cym hîyr iŵ Inglish trolop!"

Roedd petha'n flêr ŵan. Ac yn beryg, braidd. Ynghanol y rhegfeydd a'r sgrechiadau, y crafanga a'r breichia gwallgo, roedd cynnwys bag siopa Charlie ac Amber yn fflio o gwmpas y bws. Roedd 'na duniau bîns, sbageti a sbam, a pacedi *Chocolate Digestives,* a melon, yn rowlio o gwmpas y llawr wrth draed Gai Ows ac Anthracs. Winsiodd y ddau wrth i Amber landio tun o sbageti yng nghanol tsiops Gayle Pêl, ac eto wrth i

Delyth Dyn landio dwrn yn sgwâr ar dop trwyn Amber, oedd bellach yn swingio'i hail fag siopa fel melin wynt am Delyth. Rhwygodd y bag, ac aeth ei lwyth i bob man, peth ohono'n disgyn ar liniau Gai Ows ac Anthrax.

"'Sa'm rhyfadd bod hi'n flin, Anth," medda Gai, yn gafael mewn bocs o tampons. Rhoddodd ffling iddyn nhw ar lawr cyn rhoi bocs o *chocolate fingers* ym mhocad tu mewn ei gôt. "Mmm, mynshis at nes mlaen! Be gast di ta, Anth?"

"Dau bacad o nŵdls," medda hwnnw wrth sdwffio'r ddau i'w bocedi fynta.

"Pa flas 'dyn nhw?"

"*Paprika beef… a… spicy curry.*"

"Lyfli!"

"Ond hon 'di'r gora… " Plygodd Anthracs ac estyn am y llawr rhwng ei goesa. Daeth yn ôl i fyny'n wên o glust i glust, efo potal fawr o Gordon's Gin yn ei law. Ac i mewn i'w bocad â hi. Ar ôl y nŵdls.

= 21 =

Roedd PC Harris yn dechra cael llond bol. "Fedri di o leia ddeud dy enw wrthan ni, Steven?"

"*No comment.*"

"Reit, *prisoner Steven Barlwyd Anthony Newman is refusing to confirm his name and address, that being 63, Bryn Derwydd, Graig-garw, Gwynedd. Prisoner's date of birth is 31 January 1968*… fedri di gonffyrmio hynny i ni 'ta? *… Prisoner has indicated positively…* "

"Naddo ddim!"

"Do. Wnest di nodio dy ben."

"Welish inna chdi'n gneud hefyd, Steven," medda PC Pratt.

"Er mwyn y tâp, nas i ddim 'indicêtio'n positifli' o gwbwl!"

"Ond Sbanish – Sbanish ma nhw'n galw chdi'n 'de? Dyna 'di dy enw di a dy gyfeiriad di ynde, Steven Barlwyd Anthony Newman… ?"

"No comment… "

"… 63, Bryn Derwydd… "

"… No comment, no comment, no comment… "

"Lle o ti nithiwr, Steven?"

"No comment."

"Mae hyn yn bôring, Steven!"

"Dim coment."

"Wyt ti'n mynd i atab unrhyw gwestiwn o gwbwl?"

"No comment."

≈ 22 ~

Lle bendigedig ydi Graig pan mae hi'n braf. Mae'r haul yn cael ei ddal gan y mynyddoedd a'i gadw yn y gorlan nes bydd pob coedan, pob gardd a phob creadur wedi gwasgu pob diferyn allan ohono cyn iddo fynd i'w wely yn y môr ym mhen draw'r byd. Does 'na neb yn wastio'r haul yn Graig.

Roedd Jac Bach y Gwalch a Tomi Shytyl yn ista ar fainc yn y parc ers hannar awr wedi naw, yn smocio a rhechan wrth aros i'r Trowt agor. Doedd o ddim yn agor yn swyddogol tan un ar ddeg, ond roedd wastad peint i'w gael o ddeg o'r gloch ymlaen tra oedd Megi Parri'n llnau.

Roedd Tomi a Jac, y warriars ag oeddan nhw, yn godwrs cynnar ar ôl sesh. Doeddan nhw ddim i'w gweld yn cael hangofyrs fel pobol erill. Ond dyna fo, roeddan nhw'n yfad bob nos ers hannar canrif. Chwarelwrs oeddan nhw, o'r ysgol nes oeddan nhw'n eu pumdega. Bildars oeddan nhw wedyn am ddeng mlynadd, ac ers iddyn nhw gael pensiwn gan y wlad roeddan nhw'n od-jobio o gwmpas y pentra am bres cwrw neu'n gneud amball ddiwrnod *cash-in-hand* i Macswel y Bildar. Er eu bod nhw'n yfad digon i feddwi byffalo bron bob nos, doedd 'run o'r ddau wedi colli diwrnod o waith o'r herwydd.

Roedd hi'n dawal braf yn y parc ryw hannar awr ynghynt, ond bellach roedd un o gontractiwrs y cownsil wedi dechra strimio'r gwair wrth fynedfa cartra'r henoed islaw. Roedd Tomi a Jac wedi bod yn ei wylio, yn trio gweld pwy oedd o. Doeddan nhw ddim yn nabod y fan, a doedd 'na'm enw arni, a roedd y boi chydig rhy bell i hen lygid brau y ddau – yn enwedig efo'r haul mor gry a nhwtha 'di bod yn y Trowt tan hannar awr 'di tri y bora. A doeddan nhw ddim yn dallt pam bod y boi yn sdopio'r strimar a sbio o'i gwmpas bob hyn a hyn. Roedd Tomi'n smocio cetyn.

"Ti'n siŵr gymi di'm smôc gall, Tomi?" gofynnodd Jac wrth rowlio ffag.

"Na, dwi am sdicio efo'r cetyn 'ma i weld lle'r a' i efo fo. Dwi 'di smocio baco am bron i sicsti îyrs, waeth i mi aros efo cetyn am wîcend, na waeth?"

"Chdi a ŵyr, Tomi. Ond neith o'm lles i ti newid dy smôc yn dy oed di, sdi. Ti'n cofio Bobi Lludw? Siop yn rhedag allan o Golden Virginia bora Gwenar, Bobi'n prynu Old Holborn a – bang – disgyn yn farw bora dydd Sadwn. Ti'm yn gwbo' nag wyt?"

"Ella dy fod ti'n iawn, Jac. Gown ni weld, yndê? Yli, ma hwn 'di sdopio eto."

Roedd y boi torri gwair wedi diffodd y strimar a roedd o'n tynnu ei helmet a'i fasg ac yn codi'i *earmuffs* o'i glustia. Edrychodd o'i gwmpas yn syn am funud, yna troi ar ei sodla fel dyn ar goll, cyn rhoi popeth nôl ymlaen a thanio'r strimar eto.

"Ti'n meddwl 'na poeth ydi o, Tomi?"

"Na. Sa fo'n tynnu'i *overalls* i ffwrdd 'yn bysa?"

"Bysa, debyg. Ond dyna'r wythfad gwaith iddo fo stopio a gneud hynna ŵan."

Cododd pwff o fwg glas hogla brethyn a bwtsias y gog o getyn Tomi a hongian ar yr awyr llonydd, gan ddenu dau gacwn o'r blodau pi-pi gwely gerllaw. Chwifiodd Tomi un i ffwrdd o flaen ei drwyn. "Ffycin cacwns 'ma'n beryg adag yma. Maen nhw'n marw ac isio mynd â pawb efo nhw."

"Na. Coel gwrach ydi hwnna, Tomi," medda Jac Bach y Gwalch yn ddoeth i gyd. "Mae'r ffycars yn beryg drw'r flwyddyn gron."

"Yli, mae hwn yn sbio o'i gwmpas eto," medda Tomi.

"Switsith o'r strimar off eto ŵan, watsia di," medda Jac. A mi wnaeth hefyd, a rhoi'r peiriant i lawr, a sbio fyny ac i lawr y stryd. Yna camodd i'r dde i edrych i fyny dreif y cartra hen bobol, cyn camu'n ôl at y strimar a'i roi nôl ar ei ysgwydd. Cymerodd un cipolwg arall o'i gwmpas, ysgwyd ei ben a thanio'r strimar eto.

"'Di o'n drysu, dwad? Neith o'm gorffan strimio'r pats 'na heddiw ar y rât yma!"

"Ella 'na un o'r petha *dairylea* 'na ydio, Jac. Cêr-in-ddy-cymiwniti, wsti."

"Bosib iawn, Tomi. Maen nhw'n rhoi gwaith iddyn nhw ŵan, dydyn? Ca'l pobol hannar call i neud gwaith am chwartar cyflog."

Pasiodd criw o blant am y cae swings ym mhen draw'r parc, yn fywyd a sŵn i gyd. "Rhen blant nôl yn rysgol mewn wsos," nododd Tomi.

"Lle gora i'r tacla, fyd. Gneud ffwcin dryga fuon nhw drw'r gwylia."

"Clyw arnat ti! Y Gwalch ei hun, myn diawl i! Mi 'nast di fwy o ddryga mewn un ha na 'nath rheina i gyd efo'i gilydd hyd yn hyn!"

"Hyd yn hyn, falla," gwenodd y Gwalch. "Ust! Yli, mae hwn yn sbio o'i gwmpas eto... Yli, mae o'n codi'i îyrmyffs eto... "

Roedd y torrwr gwair wedi diffodd ei strimar eto fyth, ac yn edrych o'i gwmpas fel goleudy, cyn tanio'r peiriant unwaith eto. Chwerthodd Tomi wrth sylweddoli be oedd yn digwydd. "Meddwl fod o'n clŵad rywun yn gweiddi arna fo dros sŵn y strimar 'na mae'r jolpyn!"

"Wel ia 'fyd myn diawl!" medda Jac. Chwerthodd y ddau a pesychu fel blaenoriaid.

"Wsti pwy ydi o, Jac? Tecwyn Tornedo o Pendryn, siŵr dduw!"

"Wel ia 'fyd, myn uffarn i." medda Jac. "Wela i o rŵan. *Mae* hwnnw'n clwad petha'n dydi?"

"Yndi. Lleisia yn ei ben. *Aliens* a rhyw betha o owtyr sbês."

"Blydi hel! 'Dyn nhw'n gall yn rhoi strimar iddo fo, dwad?"

Ar hynny daeth bws Clipa bach gwyrdd i'r golwg ym mhen draw'r strets, o Dre. Roedd hi'n slofi a chyflymu bob yn ail, efo ceir yn ofyrtêcio a canu eu cyrn yn flin. Nesaodd yn ara deg, yn ysgwyd o ochr i ochr. Roedd sgrechian a rhegi'n dod drwy'r ffenestri bach oedd yn agorad yng ngwres y bora. Stopiodd Tecwyn Tornedo ei strimar ac edrych arni'n pasio'r parc lle'r oedd Tomi a'r Gwalch yn ista'n gwylio'n gegagorad. Roedd 'na uffarn o ffeit ar y bws, tair o betha mawr, un o'nyn nhw'n binc.

"Welis di hynna, Jac?"

"Do, Tomi. Bys deg o Dre. Mae'r pyb yn gorad. Tyd!"

= 23 =

"Dwi'n gobeithio bo chdi'n mynd i fod yn fwy *sociable* na'r ddau arall," medda PC Harris wrth Cledwyn tra'n stryglo i agor pacad newydd o dapiau cyfweliad.

Ond roedd Cledwyn yn bell i ffwrdd. Yn y gell roedd o wedi bod drwy'r broses gyfforddus-ond-annifyr honno o ddod i lawr oddi ar ecstasi a elwir yn 'slejio'. Roedd slejio'n digwydd pan oedd y brên yn trio cau i lawr ar ôl ryshio fel lwnatic am oriau, ond bod gormod o gemegau amffetaminaidd yn dal yn y corff i adael iddo gael cwsg – heblaw amball hepiad byr a thrwm fel gafodd Cled.

Roedd slejio'n deimlad deublyg. Roedd rhywun yn dal i deimlo fel fflyffi-lyf-bybyl ond bod y nerfau'n conffiwsd wrth iddyn nhw ddod nôl i normal ar ôl eu sbri byrhoedlog fel *hug-monsters* yn y Costa Donta Giva Fuck. Roedd slejio'n troi pobol yn sachau tatws llipa a difywyd tu allan, ond yn sachau o bryfid genwair erotic a thrydanol ar y tu fewn.

Ar ôl y slejio roedd y *comedown* yn hitio, a roedd o newydd hitio Cledwyn fel slap ar draws ei wynab efo hadog melyn. Roedd o'n syllu efo llygid macrall ar y teils sownd-prŵff brown ar y wal tu ôl i PC Harris, ei ben yn llawn bwganod ar ôl yr alcohol a llawn gwe pry cop ar ôl yr amffetamin a'r MDMA. Roedd ei feddwl yn crwydro mewn cylchoedd ar hyd llwybrau defaid diddiwadd.

Roedd Cled yn casáu'r rigmarôl 'ma – noson yn y celloedd, hongian o gwmpas, cyfweliad, hongian o gwmpas eto, tsiarjio, ffingyrprintio, llenwi ffôrms… Wedyn aros am awr neu ddwy arall nes i'r cops benderfynu bod ganddyn nhw ddwy funud sbâr i'w adael o allan. Roedd Cled wedi blino. Wedi blino isio cwsg ac wedi blino ar hasyls efo'r gyfraith.

Roedd sgamio'r systam a gweithio'r farchnad ddu'n rhoi rhyddid i berson, ond roedd o hefyd yn gallu'i gymryd o i ffwrdd. Roedd Cledwyn yn dechra cael llond bol ar watsiad allan am y cops, cystoms a DSS rownd y rîl. Bysts, ffeins, cwrt, jêl falla… Pa fath o fywyd oedd hwnna i ddyn yn niwadd ei dri degau efo teulu bach ifanc?

Ond be oedd y dewis arall? Gweithio deg awr y dydd, chwe diwrnod yr wythnos, ar seit adeiladu tra bod y plant yn tyfu heb iddo sylwi arnyn nhw? Jesd i neud digon o gyflog i dalu rhent, cownsil tacs, letrig, gas a dŵr – heb sôn am redag fan neu gar a leisans teledu a rhyw gachu cyfreithlon fel'ny? Ti'n ennill ffyc ôl wrth werthu dy fywyd i'r systam, ond ti'n colli llwyth – amsar efo dy deulu, amsar i *wneud* pethau, i *weld* pethau, i *brofi*, i *greu* a *chyfrannu* a *mwynhau*. Mae amsar rhy ffwcin brin, siŵr dduw! Chei di byth jans i neud y petha 'ma tra ti'n gweithio – dod adra ar ôl diwrnod o waith, ca'l bwyd, yn sownd i'r gadar o flaen y teli, rhy ffycd i symud, yn rhochian cysgu cyn diwadd y *news*. A be nei di efo dy ddydd Sul i ffwrdd bob wsos? Be sy 'na'n agorad i'r plant ar ddydd Sul? Dim byd. Heblaw'r *beer garden* agosa. A'r capal. A ffwcio fan'no!

Doedd 'na'm rhyfadd fod pobol efo jobsys da a thai eu hunain yn flin a dipresd – a *divorced*. *Stress, stress* a mwy o ffwcin *stress*. *Stress* yn gwaith, *stress* yn y bocad a *stress* yn y cartra. Pwysa i gadw'r bòs yn hapus, cwsmeriaid yn hapus, a'r wraig a'r plant yn dawal. I drefnu'r holidês yn yr haul, y wîcend yn Wiclo neu'r penwsos ar y *piste*. I gadw'r banc yn hapus, y cwmni morgais, y dyn insiwrans, HP y car, treth car, treth cyngor, cardiau a llogau, a biliau British Telecom, Scottish Power a Welsh Water... ac opyrêtors ffôn o India...

Ffwcio hynna i gyd. Dyna oedd Cledwyn wedi'i ddeud erioed. Be oedd y pwynt bod yn slêf i'r systam, 'mond i gadw'r gangstars yna i gyd mewn ffwcin Botox a BMWs? Yn sownd ar y felin draed yn mynd i nunlla ar ffwc o sbîd – 'mond i gael pres i mewn er mwyn ei dalu fo allan yn syth i gangstars y cwmnïau diwynab. *Aaach!* Roedd y basdads yn corddi Cledwyn. A'r contiaid uwch eu pennau, y gwleidyddion, wel, roeddan nhw'n haeddu cael eu llusgo o'u gwlâu liw nos a'u saethu...

Daeth ias oer dros Cled. Roedd o'n dychryn ei hun weithia 'fo'r petha oedd o'n feddwl. Saethu bobol yn eu pennau yn y nos? Doedd o'm yn credu hynny go iawn, oedd? Be oedd yn ei neud o mor chwerw? Jesd y *comedown* yn siarad oedd hyn, meddyliodd. Roedd o angan alcohol yn reit sydyn. A sbliff, a pilsan fach arall ella...

"Sori am hyn, fydda i'm dau funud," medda PC Harris, yn cael traffarth agor y seloffên rownd y pecyn tapia. "Blydi sdwff 'ma – bydd y byd i gyd wedi'i lapio mewn ffwcin clingffilm cyn hir... "

Roedd PC Harris yn iawn yn hynny o beth, meddyliodd Cled. Roedd pob dim yn y byd yn cael ei lapio fyny a'i wneud yn anoddach i gael gafael arno – oni bai bod gen ti bres a pasport. Na, *roedd* angan chwyldro. I chwalu'r drefn a diorseddu'r gangstars sy'n rheoli pob agwedd ar fywydau pobol, yn eu caethiwo i bympia petrol a theledu digidol, i *credit schemes* a *finance plans,* ac i gronfeydd pensiwn fyddai ond yn cael eu rheibio heb gywilydd na chydwybod. Y gangstars sy'n defnyddio'n ychydig ni i gynnal eu biliynau nhw. Mae nhw'n cymryd y ffycin piss.

Gormes corfforaethol y Libral Democrasis a'u 'hymrwyniad' i degwch a hawliau dynol! Tegwch i bwy? Affrica? Palesteina? Irac? Y *shanty-towns* a'r *favelas*? Yr Ardoyne? Caia Park, Town Hill a'r Gurnos? Penrhys, Penparcau, Pencaeau, Pengwndwn? Maes Gwyndy, Maes Barcer, Maes G? A hawlia dynol pwy? Trigolion Falujah a Guantanamo? Jean Charles de Menezez?

Tra oedd 'na systam roedd 'na ffordd o'i sgamio. Ond roedd y gangstars yn brysur yn cau pob twll yn y sach. Roedd hi'n amsar symud ymlaen o'r bolycs yma, meddyliodd Cled. Roedd ganddo Sian a Caio a Rhys i feddwl am. Roeddan nhw'n byw yn Bryn Derwydd, yn Graig. Stad gownsil fach fendigedig yn llawn o deuluoedd Cymraeg. 'Blaw bod y tai'n fach braidd i deuluoedd mawr. Doedd 'na'm gobaith prynu tai yn y pentra ei hun beth bynnag. Roedd y farchnad yn hollol hurt a dim ond y gangstars oedd yn elwa ohoni. O *estate agents* a *property developers* i gynghorwyr ar y mêc a twrneiod ar y têc, roeddan nhw i gyd â'u trwynau yn y cafn. A'r llywodraeth yn elwa'n wleidyddol wrth i Saeson brynu'r tai a llai o bobol i fod isio petha yn Gymraeg a fôtio Plaid – dim bod rheiny'n werth rhoi fôt i. Roedd strydoedd cyfan bellach yn Saeson. Roeddan nhw'n rhedag busnesa, pwyllgora a cymdeithasa, yn mynd ar y cynghora, ac yn troi pentrefi'n golonis Susnag wrth bwsio'r 'Abos' Cymraeg i'w *reservations* ar y stadau tai cyhoeddus. Heblaw am yr hen bobol, roedd y Cymry fwyfwy'n byw mewn *ghettos* fel Bryn Derwydd...

Gwyliodd Cledwyn y plismon yn llwyddo i agor y seloffên a thynnu tâp allan, a'i roi yn y peiriant. Faint o dapia ohono fo oedd gan y cops erbyn hyn? Dwsinau, siŵr o fod! A dyma fo rŵan, yn dri deg saith oed, yn rhoi un arall iddyn nhw. Iawn, ffrîc o ddigwyddiad oedd o y tro yma – pric yn dechra arnyn nhw, wedyn ffonio'r cops! Pric oedd â'i air yn cael ei goelio cyn gair yr hogia 'mond am fod ganddo fusnas a leisans yn ei enw. Jesd bod genna fo ddigon o bres i brynu busnas mae o'n cael ei dderbyn fel person go iawn yn lle un o'r plebs. Be 'di o bwys fod y cont yn *crook*? Tra bod hogia cyffredin, heb ddrwg yn eu hesgyrn, mewn carchardai, neu'n talu ffeins, am drio gneud chydig o bres pocad gonast. Mae'r systam wedi ei stacio yn erbyn pobol dda. Crwcs fel Seamus, a gwaeth, oedd yn cael llonydd gan y systam. Achos crwcs ddyfeisiodd y systam, a crwcs oedd yn ei rhedag hi.

'Ffwcin Seamus!' meddyliodd Cledwyn. 'Mi ffwcin ga i'r cont am hyn!'

Ond be oedd yn bygio Cledwyn fwya ar y funud oedd ei fod o'n dri deg saith oed ac yn dal i endio fyny yn yr un sefyllfaoedd coc ag oedd o pan oedd o'n un deg saith! Doedd 'na'm gobaith i sgamstars bach gonast y byd 'ma. Roedd yr *odds* wedi'u stacio mor uffernol ar ochor y Sefydliad. Ond doedd ganddo'm llawar o ddewis ond rhygnu mlaen a breuddwydio am y sgam fawr fyddai'n setio fo a Sian a'r hogia i fyny unwaith ac am byth. Roedd wedi pasio Cwm Cyfaddawd ar gan milltir yr awr flynyddoedd yn ôl. Roedd hi'n rhy hwyr i barchuso rŵan, ac wedi canu arno i gael morgej. Waeth iddo gachu mwy nag uwd.

"Ti isio'r *interview* ma'n Gymraeg, mae'n siŵr, oes?" medda PC Harris.

"… Oes," medda Cledwyn, yn neidio o'i feddyliau.

"Dyna ddudodd y lleill 'fyd, ond aru nhw'm atab 'run blydi cwestiwn wedyn! Doeddan nhw'm yn *interviews* mewn unrhyw iaith a deud y gwir… "

Roedd PC Harris yn amlwg yn disgwyl i Cledwyn werthfawrogi ei sylw craff.

"… Eniwê… WPC Jones ydi hon."

Trodd Cledwyn i sbio. Doedd o heb sylwi arni'n dod i mewn. Roedd hi'n ifanc a thlws. A siapus 'fyd. Gwenodd Cled, a wincio. "Haia, WPC Jones." Rhythodd hitha syth drwyddo.

"OK, rhaid i fi ddeud hyn yn Susnag… " dechreuodd PC Harris, "achos dwi'm yn gwbod be ydi o yn Gymraeg." Pwysodd y botwm *record*.

"*PC999 Harris, North Wales Police Meirionethshire Divisional Headquarters, Dolgellau. Time is 11.09 am, Friday 26th of August 2005, interviewing prisoner…* Be 'di dy enw, *address* a *date of birth* di?"

"Cledwyn Bagîtha Williams, chwe deg, Bryn Derwydd, Graig-garw, nawfad o Ragfyr, un naw chwe saith."

"*Also present is North Wales Police WPC69, Cheryl Jones. You have the right…* "

Nefoedd yr adar pinc, roedd hyn yn ddiflas. Diflas a ffwcin *pointless*! Ond roedd y blismonas ifanc yn bishyn. Blondan, wedi clymu'i chyrls melyn i fyny fel eu bod nhw'n downsio'n chwareus tu ôl i'w chlustia. Roedd esgyrn ei bocha'n uchal ac amlwg, a roedd hi'n gwisgo *eyeliner* trwchus rownd ei llygid duon. Ffycin hel, roedd hi'n secsi, meddyliodd Cledwyn.

"Cledwyn… ?" medda Harris. "Cledwyn?"

"*No comment!*"

"W't ti'n dallt yr hawlia dwi wedi ddarllen i ti?"

"Gwbod nhw off bai hârt," medda Cled gan ddal i edrych ar y blismonas.

"Wyt ti isio twrna'n bresennol o gwbwl?"

"Na, dim o gwbwl … " Jesd WPC69 oedd Cled isio…

"Cledwyn Bagîtha maen nhw'n galw chdi?"

"Dyna ma nhw'n galw fi, ia."

"O lle ddoth yr enw yna?"

"O'n i'n gwbod 'sa chdi'n gofyn hynna!"

"Pawb yn gofyn, ma'n siŵr?"

"Dim pawb, na … Neli Bagîtha oedd Nain. Neli Bagîtha Roberts. Dyna oedd ei henw iawn hi. Cyn prodi. Ffyc nows o lle ddoth yr enw. Jipsi oedd hi, ti'n gweld."

"Pwy oedd dy dad ta?"

"Bobi Dici Nel. O Harlach mae'i deulu o."

"Bobi Dici Nel?" Roedd y copar yn trio meddwl pwy oedd o. "O Harlach dwi 'fyd, sdi. Be mae o'n neud?"

"Llawar o ddim byd. Ma' 'di marw ers pum mlynadd. Ond Cledwyn Bagîtha ydw i, ia. Y *One and Only* – y banana draw yn fan'na, a'r dyn yn fan hyn. Cledwyn ar ôl Taid a Bagîtha ar ôl Nain. Ti isio'r rest o'r ffamli trî tra dwi wrthi?"

"Na. Awn ni'n syth at yr *interview*, dwi'n meddwl!"

"Ar ôl chdi, ta!"

"Cledwyn Bagîtha Williams, ti wedi cael dy arestio ar *suspicion of causing an affray and assaulting a police officer*…"

"Bolycs!… Gowch chi'm hwnna i sefyll!"

"Cledwyn, dwi jest yn deud wrthat ti pam dy fod ti yma. Sdim isio bod yn *abusive*. Rŵan, elli di ddeud wrtha i lle oeddat ti nithiwr?"

"Dwi'n dewis peidio atab y cwestiwn." Edrychodd ar WPC

Jones. Roedd hi'n osgoi ei edrychiad.

"Ond os na wyt ti'n atab y cwestiwn mae'n gneud i fi feddwl bod gen ti rwbath i guddio."

"Dwi'n dewis defnyddio fy hawl i beidio atab y cwestiwn."

"Dim cwestiwn oedd hwnna."

"Be oedd o ta?"

"...*statement of fact*..."

"O? Swnio fel *statement of suspicion* i fi."

Trodd y blismonas i sbio arno. Gwenodd Cledwyn arni, ond fflamiodd nôl arno efo llygid dagyrs. Trodd Cledwyn i ffwrdd.

"Mae 'na gwnstabl wedi brifo yn y strygl neithiwr. Wyt ti'n gwbod rwbath am hynny?"

"*No comment*."

"Ond rŵan ydi'r cyfla i chdi ddeud na dim y chdi wnaeth ei frifo fo."

"Dwi heb frifo neb. Y chi sy wedi brifo fi."

"O *come on*... "

"Er mwyn y tâp dwi'n pwyntio at anafiadau ges i wrth gael fy arestio gan yr heddlu neithiwr. Marciau ar ochr fy ngwynab, a gwefus, a cleisia ar hyd fy ribs."

Cododd Cledwyn ei grys i ddangos i WPC Jones. Trodd hi i ffwrdd y tro hwn. Aeth Harris yn ei flaen, "*Allegations of police misconduct are to be reported independently from...* "

"Cymraeg, plîs!"

"Gwranda. Mae gennan ni *grounds* i syspectio bod person arall yn *involved* yn yr *assault* ar y cwnstabl. Mae gennan ni le i gredu mai hogan oedd hi... Wyt ti'n gwbod am bwy 'dan ni'n sôn?"

"*No comment*."

"Wel, os ti isio clirio dy enw, rŵan 'di'r amsar i neud hynny. Fydd hi'n rhy hwyr wedyn."

"Dwi'n defnyddio fy hawl i beidio atab y cwestiwn."

"*Likewise*, mae o'n gyfla i ti gael yr hogan 'ma allan o drwbwl os ti'n gwbod ei bod hi heb neud dim byd. Be 'di henw hi 'fyd, Sioned? Shwgwr 'da chi'n ei galw hi, ia?"

Basdads slei, meddyliodd Cled. Roedd gan Shwgwr Traws record am frathu plisman yn ei law a'i gicio yn ei gŵd, ond wnaeth hi ddim byd neithiwr, 'mond deud wrth y cops mai ar Seamus oedd y bai, dim yr hogia. Roedd y cops yn gwbod ei bod hi'n ddiniwad ond yn ei ffordd *subtle* ei hun roedd PC Harris yn bygwth ei fframio hi am *assaulting a police officer* os nad oedd Cledwyn yn cymryd y rap. A doedd 'na'm amheuaeth y bydda Shwg yn cael jêl am hynny oherwydd ei record.

"Efo chdi oedd hi? Y Shwgwr 'ma, ia?" gofynnodd Harris eto.

"Ffacin hel, 'da chi'n drist!"

"Wyt ti *yn* byw efo rhywun arall, dwyt?"

"Twtw, wìg, wanc!"

"Be?"

"Twtw, wìg, wanc!" Chwerthodd Cledwyn yn uchal.

"Ti'm yn meddwl dy fod ti mewn digon o dwll fel mae hi, heb fod yn *obtrusive?*"

"Yli, PC Harris o… Harlach ddudasd di? Faint o hir mae hyn yn mynd i gymyd? Achos dwi ddim yn mynd i atab 'run cwestiwn o gwbwl. Dwi 'di sysio dy gêm di. Dwi'n gwbod, a ti'n gwbod, a mae'r *charming young lady* 'ma'n fan hyn yn gwbod, does 'na 'run cwnstabl 'di brifo, nag oes?"

"Sut elli di fod mor siŵr, Cledwyn?"

"Wyt ti'n deud wrtha fi y bydda aelod o Heddlu Gogledd Cymru'n deud celwydd?"

"Ond be dw i'n drio neud, Cledwyn, ydi asyrtênio wyt *ti'n* deud celwydd neu beidio."

"Gwranda. Dwi ddim yn mynd i atab dy gwestiyna di am ddau reswm. Un – mae genna i hawl i beidio atab, ac yn ail, does 'na neb wedi brifo neithiwr. Blyffio wyt ti."

"O cym on, Cledwyn… "

"Cym on di, PC. Ti'n rîli disgwl i fi ddisgyn am honna? Ma hen gi fel fi'n nabod eich hen dricia chi! Ista'n fan'na fel Yncyl Orinoco'n holi pwy oedd Nain a rhyw lol. Trio rhoi fi *off guard*. Dod â WPC sixty-nine fan hyn i mewn fel *distraction*! *Nice try*, chwara teg. Dwi'n gweld pam bo chdi 'di meddwl bydda 'na jans iddo fo weithio – ma hi *yn* ddel iawn, chwara teg. Un broblam fach. Yr iwnifform. *Very off-putting, love!*"

"*Interview terminated, time is now 11.18 am.*" Hitiodd Harris y botwm *stop* a rhythu ar Cledwyn.

"Ti'n mynd i ddifaru hyn, Bagîtha."

"Hwrach 'mod i. Ond dwi'n mynd i fwynhau o gynta!"

≈ 24 ≈

"Be ti'n feddwl, 'di o ddim yma'?" medda Jac Bach y Gwalch wrth Megi Parri fel 'sa hi 'di deud bod y gath 'di dodwy wy.

"Dim yma fel yn 'dim yma', Jac Bach," atebodd honno'n ddifynadd. "*Not here* yn Susnag!"

"Ond ma'n goro bod yma," medda Tomi Shytyl. "Mae o wastad yma am ddeg!"

"Os fysa fo 'wastad yma', fysa fo yma ŵan, yn bysa, Tomi?" Doedd gan Megi Parri fawr o fynadd efo Tomi chwaith. Roedd hi'n cael digon o hasyl efo'r hŵfyr, heb orfod sefyll yn dadlau'r gwyn yn wyn efo Dastardly a Muttley. "'Sna un o chi'ch dau yn gwbod wbath am letrig?"

"'Mond y bysai'n go dywyll arna ni hebdda fo," medda Jac. "So lle mae o, ta?"

"Dwi 'mbo, Jac. Ond 'swn i'n licio 'sa fo yma imi ga'l sortio'r blydi hŵfyr 'ma allan, wir dduw!"

"Wel, blydi hel," medda Tomi. "Be 'nown ni ŵan, Jac?"

106

"Iesu! Gwrandwch arnach chi'ch dau, myn uffarn i! Dio'm 'di mynd yn bell, siŵr! 'Nowch chi'm marw o sychad! Oedd y drws yn 'gorad pan ddos i yma 'im llawar yn ôl."

"O Duw! Pam 'sa ti 'di deud, Megi bach?" medda Jac cyn mynd draw i du ôl y bar i helpu'i hun. Aeth Tomi i ista ar ei stôl wrth y bar.

"Gobeithio bo chi'n pasa talu am hwnna," medda Megi. "Dwi'm isio ca'l y bai os bydd y til i lawr!"

"Dala i'n munud pan ddaw Jerry nôl i ddallt y til, Megi, paid ti â poeni. Tendia di i dy hŵfyr yli," atebodd Jac yn sych.

"Gei di'r blydi hŵfyr fyny twll dy din yn munud, y basdad bach!" medda Megi gan ddal coes y peiriant i fyny'n fygythiol.

Dynas dda oedd Megan Parri. Dynas gynnas, ffraeth, efo hiwmor brathog a gwynab ded-pan. Roedd hi yn ei phumdega ac yn pwyso o gwmpas y deunaw stôn 'ma. Fysa neb yn dadla gormod efo hi rhag ofn iddyn nhw gael *bear-hug* neu fôn braich. Doedd Megi'n cymryd dim shit, ond roedd hi'n werth deunaw stôn o hwyl.

Cerddodd Jac Bach y Gwalch rownd i flaen y bar a'i beint o micsd yn diferu hyd y llawr.

"Ti'n lwcus 'mod i heb fopio'r llawr 'na eto'r uffarn!" medda Megi.

"Ti heb fopio fo erioed yn ôl 'i olwg o, ddynas," atebodd Jac. Lwcus fod Megi a fynta'n nabod ei gilydd yn dda.

"Pam ffwc na 'nei di adal o ar y bar tra ti'n cerddad rownd, y clown?" medda Megi wedyn, a'i smôcyr's coff yn britho'i chwerthiniad iach. "Ti'n rhy fîn i adal o o dy olwg am funud, y diawl!"

Anwybyddodd y Gwalch y sylw ola. "Wel mae o 'di gneud tân beth bynnag," medda fo wrth roi hergwd i'r gath oddi ar y gadar wrth y grât. Sgrialodd honno fel melltan ddu i lawr am y gegin. Pympcin, cath y Trowt, oedd y gath fwya paranoid yn y byd i gyd. Doedd hynny ddim yn syndod o gofio ei bod hi'n gorfod rhannu ei chartra efo gelynion peryglus fel Jac Bach y Gwalch a 'ffycin cŵn' Bryn Bach.

"Mae'r gath 'na'n mynd i gachu yn dy nionod di un o'r diwrnodia 'ma, Jac Bach y Gwalch," medda Megi. "A dwi ddim yn ei beio hi chwaith, ar ôl yr holl hambŷg ti 'di roid iddi! Graduras!"

"Dim os 'di isio byw i gachu eto," brathodd Jac wrth roi ei beint ar y silff ben tân a gneud ei hun yn gyfforddus. "Ew, tân da 'fyd."

"Blydi hel, mae'n chwilboeth allan fan'na a ti'n dod i pyb i ista ar dy din wrth y tân! Welis i'm cradur 'run fath â chdi, Jac Bach y Gwalch. Na chditha chwaith, Tomi Shytyl. 'Da chi'ch dau'n da i ffyc ôl. Wêstars os welis i rei rioed! Fedrwch chi ddim hyd 'no'd helpu dynas fel fi efo blydi hŵfyr! Ma isio'ch ysgwyd chi'n iawn, y diawliad."

Diflannodd Megi i'r gegin. Roedd wedi clywad clic y tecall yn gorffan berwi.

"Jac..!" medda Tomi, yn amneidio tuag at beint ei fêt.

Ond daeth sŵn Megi Parri'n gweiddi o'r gegin, "Sgiat yr uffarn! Shiw! Sgiii-at!"

Sgrialodd Pympcin fel rocet heibio drws y bar o gyfeiriad grisia'r gegin ac yn syth allan drwy'r drws ffrynt. Daeth sŵn brêcs o'r stryd, a sŵn sgid... Ond ddaeth 'na ddim clec. Roedd Pympcin newydd ddefnyddio un arall o'i bywydau – roedd ganddi *overdraft* go lew erbyn hyn.

"Clôs siêf arall," medda Jac, cyn gweiddi am y gegin, "ti 'di lladd y gath, Megi, y gnawas greulon!"

"Ffwcio'r blydi gath! Mae hi 'di byta hannar y blydi sgodyn 'ma! Bydd Tiwlip yn contio!"

"Tiwlip!" medda Tomi.

"Sgodyn?" gwaeddodd Jac a'i glustia'n twitsio.

"Ia. Un o'r pysgod ffresh neis 'ma ar y bwrdd fan hyn,"

gwaeddodd Megi o'r gegin. "Gai Ows ddoth â nhw funud nôl efo bys deg… "

Goleuodd llygid Jac Bach y Gwalch. Roedd wrth ei fodd efo pysgod. "Ma 'na jans am sgodyn pan ddaw Jerry'n ôl, felly, Tomi."

"Tiwlip!" medda Tomi eto. "Ddaw Jerry ddim yn ôl, Jac bach. Sna'm rhyfadd bod Jerry ddim yma. Dio'm i fod yma, nacdi? Ma 'di gorffan nithiwr dydi, siŵr dduw! Tiwlip sy yn y cocpit o heddiw mlaen, ynde!"

"Ffwcin hel, ti'n iawn 'fyd, Tomi," medda Jac. Roedd y ddau wedi anghofio'n llwyr fod Jerry 'di gadael, oedd ddim yn syndod o gofio'r stad ar y ddau'n deud ta-râ wrtho fo yn oriau mân y bora…

"Jac…!" medda Tomi wedyn, yn amneidio at beint ei fêt unwaith eto.

"Y ffwcin Megi Parri ddiawl 'na!" chwerthodd Jac heb gymryd sylw. "Gwbod yn iawn bo ni'm yn cofio'n doedd, y diawl drwg!" Dim yn amal oedd y Gwalch yn chwerthin ar ei ben ei hun, ond roedd Megi a fo'n mynd yn ôl yn bell. Llowciodd hannar ei beint. "Wel, os 'na Tiwlip Cocinveeneenee sy yn y coc-pit, dwi am un arall *on the house*…!"

"Hold on, Jac Bach y Gwalch! Ti 'di anghofio rwbath, y cont bach?" gofynnodd Tomi, a'i stopio'n ei dracs.

"Naddo. Pam ti'n gofyn?"

"'Di'r beint 'na'n neis ta be?"

"Dim yn ddrwg, pam?"

"Lle ma'n ffwcin un i 'ta?"

= 25 =

Roedd Anthracs a Sian yn dal i chwerthin am y ffeit ar y bws wrth gerddad draw am y tŷ i chwilio am Cled. Roeddan nhw newydd biciad drosodd i'r fflat i weld os oedd o'n fan'no, ond doedd 'na'm golwg o'r fan tu allan. Ailymunodd Gai Ows efo nhw ar gornal Ty'n Bryn ar ôl bod yn y Trowt yn gadal pysgod efo Tiwlip a Megi Parri. Fel roeddan nhw'n dod rownd tro Bryn Derwydd mi welson nhw nad oedd fan Cled tu allan i'r tŷ chwaith.

"Neith hi smôc a panad, eniwê," medda Sian. "Neu can o lagyr. Ti'n iawn efo dy fodca'n dwyt, Anthracs!"

"A'r jin," medda hwnnw.

"Ffonia i Cled eto i weld lle mae o, dwi'n meddwl," medda Sian wedyn. "Fuas i'n trio tua tri o gloch bora 'ma, ond doedd o'm yn atab. Ddim yn nabod 'yn nymbyr newydd i, ma'n siŵr. Neith o'm atab nymbyrs 'di o'm yn 'u nabod."

"Pam?"

"Duw a ŵyr. Ma'n ffônoffobic neu rwbath… "

"Ti 'di ca'l ffôn newydd, Sian?"

"Na, SIM card gan Tintin, o hen ffôn ei frawd o."

Ar hynny cnociodd Drwgi ar ffenast y sdafall ffrynt, drws nesa i Sian, yn Nymbar Ffiffti-nain, wrth eu gweld nhw'n pasio. Roedd golwg newydd godi arna fo, a roedd 'na blastars ar ei drwyn. Daeth allan drwy'r drws. "Iawn, Sian? Ti 'di clwad gin Cled?"

"Un arall!" medda Sian, yn dechra laru ar bawb yn gofyn lle'r oedd y llyffant gwirion. "Naddo, Drwgi. 'Sgenna i'm syniad lle mae o, fel arfar! Be *ti* 'di bod yn neud?"

"Stori hir. Dduda i 'thach chi'n munud. Ma Cled yn *cells* Dolgella… "

"Be?!"

"Fo a Bic a Sban. Ryw sîn efo cops ne rwbath… "

"Wel y ffwcin basdad!" medda Sian. "Mi ffwcin lladda i o!"

"Doedd o'm yn swnio'n rhy sîriys. Fyddan nhw allan bora 'ma, medda fo."

"Oedda chdi efo nhw?"

"Nag o'n. Ffonio bora 'ma nath o."

"Shit! Ma 'di trio ffonio, ma'n siŵr," medda Sian. "Ddudas i wrtho fo am roi'r nymbyr newydd yn y ffôn! Ffycin twmffat gwirion!"

"Oria mân bora ffoniodd o, Sian. Dwi'm yn cofio pryd yn union. Ma'n siŵr bod hi'n tua tri neu bedwar, 'sdi. Oedd o isio i fi fynd i symud y stash bach o'r fflat... "

"Aru ti?" gofynnodd Sian.

"Do, do, mae pob dim genna i..."

"'Dyn nhw 'di ca'l 'wbath arna fo 'ta?"

"Blimsan o ddôp, dwi'n meddwl. *Caution* ella."

"Diolch byth!" medda Sian a dechra anadlu eto. "Ffycin cops! Basdads uffarn. Betia i di na nhw aru ddechra arna fo eto."

Chwerthodd Gai Ows ac Anthracs. Roedd Sian Wyn yn bownd o roi llond ceg i Cled, a bonclust ella, ond ar ddiwadd y dydd doedd 'na'm amheuaeth ar ochor pwy oedd hi. Hogan dda oedd Sian.

"'Di'r hogia'n iawn, Drwgi?" gofynnodd Sian.

"Yndyn tad, ma nhw allan yn 'rardd gefn efo rei fi."

"Dowch i tŷ 'ta, hogia. Ffonia i Cled ŵan i weld os 'dio allan. Ti isio panad, Drwgi?"

"Fydda i yna ŵan. Jest mynd i roi'r *grill* off."

"Ac ymlaen ac i ffwrdd eto, ma'n siŵr!" medda Gai Ows. Roedd habit Drwgi o ffidlan efo switshys yn chwedlonol bellach.

Roedd ffôn Cled i ffwrdd pan ffoniodd Sian. Gadawodd Gai Ows ac Anthracs yn y lownj, Gai yn siarad 'fo Peredur y parot ac Anthracs yn gneud stumia ar Nemo, Mwstaffa Ffish a Scampi 2, y pysgod aur. Aeth drwodd i'r gegin i roi'r ddau drowtyn gafodd hi gan Gai Ows yn y ffrij. Daeth nôl mewn chwinciad. "Diolch am y pysgod, Gai. Ma nhw'n neis. Be tisio, panad 'ta lagyr?"

"*Panad!*" medda Peredur y parot.

"Lagyr," medda Gai.

"*Laga, laga, laga…* " medda'r parot wedyn.

"Anthracs?"

"Jest gwydr i fi, plîs, Sian," medda hwnnw, yn methu penderfynu be i yfad gynta, y fodca 'ta'r jin.

Eisteddodd Gai Ows ar y soffa a dechra sginio i fyny, ei fop o wallt brown llwydaidd yn disgyn dros y bagia dan ei lygid glas. Daeth Sian yn ôl i mewn efo can a gwydr. Aeth draw at y sownds a pwyso *play* ar y CD. Bownsiodd reggae dub King Tubby dros y sdafall. Trodd y foliwm i lawr chydig. Roedd 'na betha i'w trafod.

Daeth Drwgi i mewn. "Ffycin hel, dwi'n ryff," dechreuodd, wrth sbio o'i gwmpas ar yr holl switshys yn y sdafall. "Am ffwcin noson, y cont! 'Nowch chi'm coelio be ddigwyddodd i fi nithiwr 'de!"

"Can o lagyr felly, ia?" medda Sian, yn gwbod be fysa'r atab.

"Ia, *canine follicle,* os gweli di'n dda. Diolch i ti, Sian, mêt."

"Jysd cadwa dy ddylo i ffwrdd o'n socets i!"

"Wna i, siŵr." Roedd Drwgi'n manejio i reoli ei habit os oedd rhywun yn tynnu ei sylw at y peth. Er hynny, fydda neb yn mynd yn agos at eroplên efo fo.

"Aa, ffyc it," medda Sian wedyn. "Gyma inna gan o lagyr 'fyd!" Ar ôl dechra addawol, roedd plania Sian am y bora wedi mynd yn ffliwt.

Eisteddodd Drwgi a tynnu baco, sgins a gwair allan o'i bocad. "Sgin ti awydd gneud joint i fi, Anth? Ma 'mysidd i'n ffycd, sbia." Daliodd Drwgi ei fysidd i fyny. Roedd 'na blastar ar bron bob bys. Doedd o'm angan gymint o blastars go iawn ond roeddan nhw'n ffordd dda o gael pobol i ofyn be oedd o wedi'i neud, iddo gael adrodd ei stori…

"*Sginia fyny...* " medda Peredur y parot ar eu traws.

"'Di raid i fi?" gofynnodd Anthracs, oedd yn hannar gorwadd yn ei gadar efo potal o fodca yn un llaw a photal o jin yn y llall. "Sgenna i'm mynadd, sdi... "

"'Na i sginio fyny i chdi, Drwgi," medda Sian wrth ddod yn ôl efo lagyrs oer o'r ffrij. "Duda di wrthan ni be ddigwyddodd i chdi nithiwr."

"Ia, tyd â hi i ni," medda Gai. "Be ffwc ti 'di bod yn neud ŵan 'to?"

= 26 =

Doedd Tiwlip ond yn bum troedfadd a hannar o daldra ond roedd o'n teimlo fel cawr bora 'ma. Roedd yr haul yn twynnu, yr adar yn canu, ac ynta bellach yn fistar ar ei deyrnas fach ei hun. Roedd yr wythnosau dwytha wedi bod yn ddim byd ond *stress* a gwaith papur. Heb sôn am ddelio efo Jerry Bagîtha Williams. Sôn am gymeriad, os mai dyna oedd y gair! Roedd y chwe diwrnod dwytha wedi bod yn arbennig o galad. Roedd trio dallt Jerry'n siarad wedi bod yn ddigon drwg, ond roedd gorfod byw dan yr un to â fo wedi bod yn brofiad na fydda fo, na Tabitha ei wraig, isio mynd drwyddo fo eto ar hast.

Roedd y dafarn wedi'i throsglwyddo i Tiwlip a'i wraig ers wythnos, ond gan nad oedd ganddo fo na hitha brofiad o redag tafarn roedd Jerry wedi cynnig aros am wythnos i ddangos y rôps a ballu. Roedd y cynnig yn un caredig, ond roedd Tiwlip a Tabitha'n difaru o fewn diwrnod. Pan ddudodd Jerry 'aros am wythnos' roeddan nhw wedi meddwl y bysa fo'n symud i un o'r stafelloedd sbâr. Ond doedd Jerry heb symud o'r mastyr bedrwm tan ddwy noson yn ôl, a doedd hynny ond am fod Tabitha wedi rhoi ei throed i lawr un bora ar ôl i Jerry fyta'i fejitêrian sosej hi o'r ffrij. Roedd Tiwlip wedi bod ofn gofyn. Roedd golwg digon gwyllt ar Jerry, er ei fod o'n galon i gyd. Ond y cwbwl ddudodd Jerry pan ddudodd Tabitha mai ei henw hi oedd yn mynd uwchben drws y dafarn, ac felly ei henw hi oedd uwchben gwely'r mastyr bedrwm, oedd, *"well, why didn't you ffwcin say something, Tabi bach?"*

A'r lock-ins! Blydi hel! Roeddan nhw'n lladd Tiwlip. Doedd o'm yn ddyn cryf ar y gora. Roedd ganddo asthma drwg, a roedd o wedi ei ddeiagnôsio efo rhyw *stress-related syndrome* oedd yn gwneud iddo flino'n hawdd. A mi oedd Tabitha'n trio dod ati'i hun ar ôl nyrfys brêcdown. Doedd hi'm yn gallu handlo lot o bobol ar yr un pryd, ar y funud, felly roedd hi'n methu rhannu shiffts efo fo tu ôl y bar tan yr oriau mân. Deud y gwir, doedd Tabitha heb ddod lawr o'i llofft o gwbwl. Roedd hi wedi bod yn brysur yn paentio'r walia a sortio'r llofftydd allan, ond doedd hi ddim cweit yn teimlo'n barod i ymlacio a cwrdd â'r locals chwaith. Roedd hi angan amsar, a roedd Tiwlip yn hapus i'w roi o iddi. Roedd hi'n ei haeddu o. Roedd arna Tiwlip hynny iddi ar ôl iddo... wel, ar ôl iddo fod yn rhannol gyfrifol am ei brêcdown yn y lle cynta.

Tiwlip, felly, oedd wedi bod wrthi'n syrfio cwrw i'r meddwyns tan berfeddion, bob nos. A sôn am feddwyns! Roedd o'n gwbod bod gan y Cymry enw am yfad, ond roedd rhein fatha *water-buffalos!* Roedd o wedi gorfod ordro mwy o gwrw'n barod, a roedd hwnnw ar ei ffordd heddiw, i fod. Duw a'i helpo fo os fysa'r lle'n mynd yn sych ar ei ddiwrnod cynta *in sole charge*, fel 'tai. A be fysa'r locals yn neud? Roeddan nhw'n gallu bod yn dipyn o niwsans fel roedd hi. Dim yn broblam fawr, jesd eu bod nhw'n wyllt. Ond gwyllt mewn ffordd dda. Dim *airs and graces*. Cyntefig, mewn ffordd annwyl. Yn enwedig yn eu cwrw. Roedd 'na rei yn iawn ond roedd rhei erill yn gwrthod siarad Susnag efo fo a ballu, a mi oedd rhei o'r criw ifanc jesd yn cymryd y piss. A roedd o'n siŵr eu bod nhw'n smocio dôp yn y pŵl rŵm...

Ond dyna fo, meddyliodd. *'When in Rome...'* a ballu. A roedd Phillip Tadcaster yn licio Cymru. Yn enwedig yr ardal hon. Roedd o'n dod i fyny ar ei wyliau i Bermo pan oedd o'n blentyn ac, yn fwy diweddar, roedd o a 'Tabs' wedi bod yn treulio amball benwythnos yng ngharafán ei ffrind ar faes carafannau bach neis o'r enw Tyddyn Tatws, chydig filltiroedd lawr y ffordd. Dyna sut gwelodd o fod y Brithyll Brown ar werth. A fuodd o ar werth am bron i flwyddyn tra bu Jerry'n dal allan am brynwr lleol.

Mi fuodd Tiwlip yn lwcus i gael y lle yn y diwadd. Roedd Jerry'n despret i werthu am ei fod o 'di ffendio *beach bar* bach delfrydol yn y Caribî a bysa'r *deal* hwnnw'n disgyn drwodd os na fysa fo'n gallu gwerthu'r Trowt yn sydyn. Cafodd Tiwlip fargian. *Cash deal*. Deud y gwir, roedd o'n methu dallt pam nad oedd neb lleol wedi prynu'r lle. 'Mond dau gan mil oedd o!

Roedd Tiwlip eisoes wedi gwerthu'r *guesthouse* deuddag llofft yn Wolverhampton am chwartar miliwn. Roedd hynny'n llai na be oedd o'n ofyn, ond roedd ynta ar hast i werthu hefyd. Roedd hi'n hunlla byw yn y lle erbyn diwadd. Ar ôl y sgandal... A diolch byth ei fod wedi rhoi'r adeilad yn enw Tabitha cyn i'r busnas gael ei wneud yn bancrypt. Er iddo gael traffarth cael y pres ganddi ar ôl iddi fynd off a'i adael o. Gymrodd hi dri mis i berswadio Tabitha i ddod nôl ato a dechra bywyd newydd yng Nghymru. Erbyn hynny roedd hi wedi gwario can mil o bunna a bu rhaid i Tiwlip fenthyg hannar can mil gan ei ffrind. Fuodd hynny'n strôc o lwc, deud gwir. Roedd o'n *interest free loan*. Er, mi *oedd* 'na *catch*...

Ond roedd Tiwlip yn edrych ymlaen am gael dechrau eto ar lechan lân. Jesd fo a Tabs. Roedd 'na bwysa mawr wedi codi oddi ar ei sgwydda, a heddiw, efo'r haul yn gwenu mewn ardal mor braf, ymhell i ffwrdd o'i hen fywyd a'i hasyls, roedd Tiwlip yn gwbod ei fod wedi troi ar y llwybr iawn o'r diwadd. Roedd Graig yn *rural idyll*, efo cymuned fach glòs, meddyliodd. '*Quite touching, really.*' Lle delfrydol i ddod dros ei helyntion. A'i wendidau...

Doedd 'na fawr o ddim byd *yn* y pentra chwaith. Roedd

tair siop wedi cau'n ddiweddar, yn cynnwys y siop bapur, gan adael dim ond un siop ar ôl. Siop Frank oedd honno. Roedd Frank yn star. Doedd Tiwlip ddim yn dallt sut oedd o'n llwyddo i agor y siop am wyth o gloch bora, bob dydd, a fynta 'di bod yn y Trowt yn yfad tan chwech awr ynghynt. Ond roedd Tiwlip yn licio'r teyrngarwch annwyl yma i'r gymuned. Boi oedd yn amlwg yn licio'i beint ond eto'n driw i'w ddyletswydd i'r gymuned ac yn agor ar amsar, bob bora. Ers i'r siop bapur gau roedd 'na rywun o'r pentra'n mynd fyny i Dre i nôl llwyth o bapurau newydd i bobol oedd wedi eu hordro ac yn dod â nhw'n ôl i Frank eu dosbarthu o'i siop. Roedd Tiwlip yn gweld hynny'n beth hollol wych. Pobol yn tynnu at ei gilydd yn wyneb newidiadau'r byd mawr. Falla ei fod o'n rhamantu, ond roedd o'n licio'r enghreifftiau o ysbryd hunangynhaliol oedd yn Graig. Fel y boi bach annwyl 'na ddoth i mewn i'r Trowt i werthu pysgod rai munuda'n ôl...

"*Boray dah*, Frank!" meddai Tiwlip yn wên o glust i glust wrth gerddad drwy ddrws y siop i nôl ei gopi o'r *Telegraph* a'i faco cetyn.

"Bore da, Tiwlip!" medda Frank yn ôl.

Doedd Tiwlip ddim cweit yn siŵr o'r ffugenw. Er, roedd o wedi dallt bod pawb yn cael ffugenw yn y lle a bod 'na'm malais yn y peth o gwbl. A mi oedd 'Tiwlip' wedi dechra tyfu arno. Y broblem oedd ei fod yn ei atgoffa chydig o'r bywyd oedd o wedi ei adael ar ôl yn Wolverhampton. Roedd 'na sawl un wedi ei alw'n enw blodyn adag hynny. Ond doedd o ddim yn mindio bloda...

"*Usual, os gwelook in dah.*"

"*Duwcs, very good, Tiwlip! You'll soon be one of us!*"

"*Oh deeolk Frank, I'll look forward to that,*" medda Tiwlip, cyn codi ei law i'r awyr a dweud, "*dwee show peedlahn inveeneenee.*"

Aeth Tiwlip allan drwy'r drws yn ôl i'r haul heb sylwi ar Frank yn sbio'n geg agorad. Pasiodd car a chanu corn. Cododd

Tiwlip ei law, ond sbiodd boi y car yn hurt. Trodd Tiwlip rownd a gweld mai canu corn ar y ddynas oedd yn sefyll yn nrws ei thŷ tu ôl iddo fo oedd y car. Aeth yn ei flaen am y Trowt. Lle neis, meddyliodd wrth groesi stepan drws y dafarn. Pawb yn nabod ei gilydd ac yn sgwrsio mewn siopau a ballu. Bobol gynnas, groesawus. Bobol annwyl iawn, iawn...

"*Where the fuck you been, Tiwlip?*" medda Jac Bach y Gwalch.

"*We thought you'd abandoned us already!*" medda Tomi Shytyl.

Bu bron i Tiwlip gael hartan. Roedd dau o 'alcis' mwya'r pentra wedi bod ar ben eu hunin yn y pyb! Diolch byth doedd 'na'm llawar o gwrw ar ôl i'w yfad.

"*It's a good job your* musus *is here to look after us*," medda Jac wedyn.

"*And a fine lady she is, too!*" medda Tomi efo gwên fel y diafol ei hun. "*Fancy leaving her alone with two gentlemen of leisure like us two!*"

Rhoddodd Tiwlip ei ben rownd drws y bar, yn disgwyl gweld Megi Parri. Ond fel ddudodd y ddau drwbadŵr, ei wraig, Tabitha, oedd yno. Roedd hi wedi llwyddo i ddod i lawr i'r bar o'r diwadd! Gwenodd Tiwlip. Roedd heddiw *yn* ddiwrnod braf...

≈ **27** ≈

Doedd Bic, mwy na Cledwyn a Sbanish, ddim yn angal. Roedd o'n hen law ar fyw ar yr ochr wyllt i'r gyfraith ac wedi cael mwy na'i siâr o nosweithia mewn cell a gwyliau byrion yng ngwestai ei mawrhydi. Roedd yn ei dridegau hwyr erbyn hyn, ac yn dad i bedwar o blant – Seren, oedd bron yn ddeunaw, Steffan, un deg chwech, Liam, pymthag, a Sion Bach, neu

'Sweep' fel oedd pawb yn ei alw, oedd yn un ar ddeg – felly doedd carchar go iawn ddim yn rwbath oedd o am ei brofi eto. Ond doedd hynny'n pylu dim ar ei ysfa ddiddiwedd i bwsio'i hun i'r eithaf, a doedd cyfreithiau, copars a celloedd – a llysoedd barn – ond yn rhwystrau oedd rhaid eu goresgyn wrth fwynhau danteithion bywyd.

Na, doedd gan Bic ddim problem efo torri'r gyfraith na chanlyniada hynny, hyd yn oed os bysa'n rhaid iddo fynd nôl i jêl, sydd yn gont o le. Ond cont o le neu beidio, roedd bod yn y carchar fel treulio'r pnawn mewn parlwr masâj o'i gymharu â bod mewn cell cop siop yn dod i lawr oddi ar ecstasi ac yn anadlu ogla cachu Cledwyn Bagîtha.

Rŵan bod y tri'n cael eu rhyddhau ar fechnïaeth, teimlai Bic ei hun yn gwella'n braf, fel 'sa pwysa'r holl fyd yn codi oddi ar ei ysgwydda. Roedd hi'n tynnu am hannar dydd ac roedd yr hogia 'di bod dan glo ers bron i ddeuddag awr. Deuddag awr o greindio dannadd a chwysu wrth i'w cyrff ddod dros *hypodrive* y *speed* a dod lawr o uchelfannau ewfforig yr ecstasi i waelodion diflas syrffed meddyliol a diflastod corfforol. Deuddag awr heb ddiod, na bwyd. Roedd o'n edrych ymlaen am beint o lagyr oer, neis, a gallai weld un o flaen ei lygid, yn felyn tryloyw mewn gwydr peint hir, syth, a miloedd o fybyls bach yn saethu i fyny am yr ewyn gwyn, tew ar ei ben. Dechreuodd lyfu'i weflau, ond roedd ei dafod fel tamad o garpad. Llyncodd ei lwnc ond doedd 'na'm poer o gwbl i iro'r weithred. Crafodd ochrau'i wddw yn erbyn ei gilydd fel gêrbocs tractor. "Ffycin hel, rhaid i fi gael peint cyn imi sychu fyny!"

"Ffyc, a fi," medda Sbanish, oedd yn teimlo'n wan fel brechdan, a'i ben o'n troi fel top.

Roedd y ddau'n sefyll efo Cledwyn wrth y fainc yn nerbynfa'r cop siop. Roeddan nhw 'di cael eu tsiarjio, eu ffingyrprintio a'u bêlio'n rhyfeddol o sydyn. Erbyn i Cled ddod o'i gyfweliad o roedd Bic yn llenwi ffurflenni disgrifiad a Sban wrthi'n cael ei ffingyrprintio. Ma'n rhaid bod y cops isio cael gwarad ohonyn nhw'n reit sydyn. Dim bod yr hogia'n cwyno. Roedd deuddag awr yn y ffwc lle'n hen ddigon.

Y cwbl oedd ar ôl i'w wneud oedd arwyddo'r bymff o ddogfennau cyhuddo, ffurflenni dychwelyd eiddo a papurau mechnïaeth, wedyn fyddan nhw'n rhydd. Cled oedd yr ola, a roedd o'n pwyso'n erbyn y cowntar uchal yn cael *hot flushes* a chwysu fel blaenor mewn blŵ mŵfi.

"Seinia fan'na... fan'na, fan'na a fan'na," medda'r Sarjant, oedd fel Zorro efo beiro'n rhoi croesau bach ym mhobman oedd angan llofnod.

Arwyddodd Cled, a'i law'n crynu. "Lle oedd y llall?"

"Fan'na a fan'na... " medda'r Sarjant eto. "... A fan'na... Diolch yn fawr. Dyna honna wedi'i gwneud... " Tynnodd un copi papur carbon i ffwrdd a'i roi i Cledwyn. "Cadwa di hwnna... " Wedyn rhoddodd bentwr arall o ddogfennau ar y cowntar. "Seinia fan'na, fan'na a fan'na... a fan'na... a fan'na... "

Pum munud wedyn roedd yr hogia â'u traed yn rhydd ac yn sefyll tu allan drws y cop siop, yn gwywo fel *vampires* yn yr haul.

"Henffych a haleliwia i fyd mawr y blaned fach dlos – mae Bic Flanagan yn ôôôl!!" gwaeddodd Bic dros bob man a'i freichia ar led fel Moses. Anadlodd yn ddwfn i lenwi'i sgyfaint efo awyr rhyddid. Pesychodd. Tagodd. Chwythodd, a pesychodd wedyn. Cododd lwyth o fflems a'u poeri ar hyd y steps tu allan i'r drws. Chwerthodd Cled ar ei ben o gymint nes iddo fynta godi fflems hefyd. Rhai du, tew i ddechra, wedyn hen lyffant o beth mawr melyn. Roedd hynny'n ddigon i Sbanish; cafodd gyfog gwag yn y fan a'r lle, cyn chwydu cegiad o hylif melyn dros ei sgidia. Chwydodd Cled gegiad o sdwff melyn i fatsio, wedyn cegiad o sdwff clir. Ac i orffan y cwbwl chwydodd Bic y sdwff gwyn efo'r mymryn o waed arferol roedd o'n ei chwydu ar benwythnosa. Erbyn i'r hogia orffan roedd y grisia tu allan cop siop Dolgella'n edrych fel 'sa nhw 'di cael eu cynllunio gan Jackson Pollock.

"Peint a-hoi?" cynigiodd Cled wrth sychu slemps o'i wynab efo'i lawas.

"Ai-ai, lefftenant!" medda Sbanish.

"*Commander Worf,*" medda Cled yn ei lais Jean-Luc Picard gorau. "*Set course for nearest intoxicating establishment, north Wales, Earth. Warp speed eleven... *"

"*Engage!*" gwaeddodd y tri.

≈ *28* ≈

Roedd hi'n chwilboeth tu allan, a'r haul yn toddi'r bora i mewn i'r pnawn mewn ffordd na wnaeth ers dechrau'r ha. Ym Mryn Derwydd roedd King Tubby'n bŵmio'r ryb-a-dyb-dyb o sbîcyrs Sian drw'r ffenestri agorad i siglo tin yr awyr llonydd. Roedd pawb yn yr ardd erbyn hyn, yn llyncu'r haul efo'r lager ac yn sugno'r mwg i'w penna efo stori Drwgi'n cael ei atacio gan 'ffycin cŵn' Bryn Bach. Roedd y stori wedi'u ticlo nhw'n racs. Roeddan nhw 'di chwerthin nes bod eu sgyfaint yn sgrechian. Roedd hi'n stori mor dda fel bu'n rhaid cael ei chlywad drosodd a throsodd mewn manylder pitw. Roedd hi'n mynd yn fwy digri bob tro, a Drwgi yn ei elfen yn chwarae i'r gynulleidfa. A tra oedd Drwgi ar gefn ei geffyl roedd yr amsar yn pasio fel trên.

"Ti 'di gweld y ffrŵt bats 'na ar y teli, do?" medda Drwgi. "Fatha slumod mawr ydyn nhw. Debyg i *gargoyles,* 'sdi... Fel'na o'dd y ffwcin thing yn edrach... *evil* 'sdi... yn sbio arna fi o dop y twll, yn chwyrnu... *grrrrrrrrrrrr*... fel rhyw Sgŵbi Dŵ *possessed*... 'Mond dwy lygad a dannadd o'n i'n weld, y cont!"

Erbyn hannar dydd roedd ffrij Sian yn wag o gania a roedd Drwgi 'di nôl mwy o'i ffrij o. Roedd o hefyd 'di dod â potal o tonic efo fo i Anthracs, oedd wedi yfad y fodca i gyd a 'di agor potal jin Amber, y ffatan Susnag ar y bws. Roedd Carys, cariad Sbanish, Jenny Fach, cariad Bic, a Fflur gwraig Drwgi wedi eu denu gan y miwsig a'r botal o jin, a roedd plant-a-cŵn, pawb yn nôl a blaen ar feics, scŵtyrs, *skateboards* a llongau gofod dychmygol.

Roedd Drwgi bellach yn adrodd y stori am y cops yn ei stopio ar y ffordd adra, ac yn cael pawb mewn hysterics unwaith eto. Doedd dim stopio ar y boi. "Be ffwc 'di *felon* eniwê?" medda fo. "Sgena i'm help bo fi'm yn dallt ffwcin American!"

"Ynda, Sian," medda Gai, yn chwerthin wrth yrru'r sbliff drosodd iddi ar ben jîp remôt control y plant. Rhoddodd Sian y joint yn ei cheg a'i smocio'n ddwfn. Roedd Sian i mewn i'w ganja. Dyna oedd ei phlesar. A roedd hi'n reit parsial i'w lager hefyd. Dynas dda oedd Sian Wyn. Roedd hi'n gorfod bod, i allu rhoi fyny efo Cledwyn. Roedd hi'n hogan llawn ysbryd – 'digon o gythral ynddi,' fel oedd ei hyncl, Jac Bach y Gwalch, yn ddeud. Un hoffus ofnadwy oedd hi hefyd, yn dda efo pobol ac yn chwerthin lot. Doedd hynny'm yn syndod, yr holl ganja oedd hi'n smocio. A roedd hi'n bictiwr o harddwch, efo'i gwallt brown yn rhaeadrau cyfareddol dros ei sgwydda a'i llygid gleision fel crisialau'r wawr.

Un dlws oedd Carys Sbanish hefyd. Hitha efo gwallt tywyll hir a llond trol o hwyl. A Jenny Fach. Cochan, cocan a cymeriad. Hitha wedi torri calon, crib a chefn amball hogyn rownd yr ardal efo'i llygid gwyrddion breuddwydiol, ei thempar a'i thafod rasal. A'i bronnau 38DD.

A Fflur Drwgi. Un arall oedd yn barod am ffeit unrhyw adag ac, fel y dair arall, yn edrych yn ddigon da i'w byta. Roedd 'na amal i ddyn wedi'i hudo gan lygid duon Fflur a'i gwallt o donnau'r heulwen. Roedd hi'n edrych yn *stunning* heddiw, wedi sythu'i gwallt a'i liwio fo'n goch fel afal. A *stunning* oedd y gair am y bedair ohonyn nhw heddiw, hefyd, yn yr ardd yn eu topia bicini a'u sgertia byrion yn dal yr haul.

Aeth Drwgi'n ei flaen. "A hogleuo'n ffwcin 'nulo fi'r cont!"

"A?" medda Anthracs, oedd wrthi'n rhawio sbîd i'w geg efo'i fys a'i olchi i lawr efo jin.

"O'n i'n sefyll 'na efo'n nwy law allan fela... Os bysa rywun 'di pasio adag yna 'sa nhw'n taeru bod nhw'n cusanu 'nulo fi fel 'swn i'n rhyw fath o *king*!"

"Pam ffwc oeddan nhw'n neud hynna?"

"Chwilio am hogla pysgod."

Snotiodd Anthracs wrth chwerthin, a gyrru'i bowdwr gwyn i bob man dros ei drwsus. "Be oddan nhw'n feddwl o'ch di 'di bod yn neud, cnesu dy ddulo fyny cotsan Doris Dew?"

"Oi, y mochyn!" gwaeddodd y merchaid bron fel un.

"Ia, dyna lle gas di'r cyts 'na'i gyd ma' siŵr," medda Gai. "Ma gin honna ddannadd fyny'i chont meddan nhw."

Rhoddodd Carys swadan iawn i Gai ar dop ei fraich.

"Neu *leeches*!" medda Anthracs, gafodd swadan ar ei goes gan Jenny Fach, cyn cario mlaen heb ots na chwilydd. "Neu trio gwella'r briwia oeddach chdi, Drwgi – *miracle cure* newydd, sdicio nhw fewn yn gwaedu a tynnu nhw allan efo *stitches* arnyn nhw. *Stitches* wedi eu rhoi gan Doctor Huws. Mae o'n sownd i fyny 'na ers dwy flynadd a hannar... "

"'Da chi hogia'n ffwcin ffiaidd!" ceryddodd Sian. Ond roedd rhaid iddi hi a'r merchaid erill chwerthin hefyd erbyn hyn. Yn enwedig am fod elfen o wirionedd – a sgandal, felly – yn be ddudodd Anthracs. *Roedd* Dr Huws wedi bod yn trin Doris Dew, meddan nhw. A dim trin yn yr ystyr meddygol chwaith. Fo a dwsina o hen ddynion budur erill. Oedd rhaid i Dr Huws symud i ffwrdd yn diwadd oherwydd y cwilydd, a doedd 'na neb wedi'i weld o ers dwy flynadd a hannar.

Wedi i bawb stopio rowlio o gwmpas yn gafal yn eu hochra a thagu, aeth Drwgi'n ei flaen, ar ôl cael ei wynt yn ôl, i egluro'i amheuon. "Holi am Tyddyn Tatws oeddan nhw... So, dwi'n recno bod rhywun wedi bod yn *stock tank* y 'sgweiar' ... Achos gofias i wedyn am y fan, honna ddudas i aru basio fi pan o'n i'n y twll, efo'r cops ar ei hôl hi... "

"O ia... "

"Ti'n gwbod pwy sy bia hi, dwyt? Yr arch-botsiar ei hun..."

"Ffwcin hel!" medda Anthracs ar draws bob peth, a'i wynab fel bitrŵt ar ôl tagu cynt. "Dyna lle mae'r pysgod 'na di dod o, ma'n siŵr, Gai!"

"Pa bysgod?" gofynnodd Drwgi.

"Ffwcin rheina sy yn 'yn ffrij i!" medda Sian.

"Na!" medda Gai. "Oedd 'na frownis efo rheina! O Dam Trwyn Martha ddaethon nhw, ma'n siŵr... "

"Na, ma gin Sid Finch frownis yn y llyn 'na sgenno fo, Gai," medda Anthracs.

"Oes," medda Drwgi. "Oedd Steve Sdwffwl Syth 'di bod yna efo'i blant dydd Sadwn dwytha. Gathon nhw ddau frowni."

"Dyna pam o'dd hwnna mor *keen* i'w rhoi nhw am ddim i chdi, Gai," medda Anthracs. "Chei di'm byd am ddim gin rheina fel arfar!"

"Pwy oedd o?" gofynnodd Drwgi.

"Brawd lleia Ed Jip. Wsdi... be ffwc 'di enw fo 'fyd?"

"Rodni?"

"Na, yr un 'gosa ato fo 'di hwnnw, mae hwnnw'n mynd efo Sera, merch Idwal Ffarm, 'yndyri? Y llall ifanc oedd o. Y lleia ella," medda Gai wrth daflu remôt control y jîp i Sian gael gyrru'r joint ymlaen.

"Mae hynna'n gneud sens, 'lly!" medda Drwgi.

Roedd pawb, bron, yn ardal Dre a Graig, yn sgota. Gwlad y sgotwrs oedd y lle, a drwy'r ha roedd y tafarnau'n clecian efo tynnu coes am anturiaethau ac anffawdau sgota nos yn y llynnoedd. A doedd 'na'm pwynt gofyn i neb lle ddalion nhw'r pysgod yn eu bag. Achos os 'di sgotwr 'di ca'l llond bag o bysgod da, dydi o ddim yn debygol o ddeud wrth bawb ym mha lyn gafodd o nhw, lle bod pawb yn tyrru yno'r noson wedyn a sbydu'r lle. Enw llyn arall roith y sgotwr cyfrwys bob tro. Ond roedd 'na ffyrdd erill o ffendio o ba lyn ddaeth y pysgod – fel math, lliw, maint a siâp y pysgod eu hunain. Neu drwy wybod lle gwelwyd car y sgotwr wedi ei barcio ar y dydd neu'r noson dan sylw…

Brownis gwyllt tew o'r llyn yma, rhai hir a tena o lyn arall, neu canibals efo penna mawr o'r llynnoedd gwyllta. Wedyn roedd y brownis stoc, wedi'u gollwng i ddau neu dri o lynnoedd yn unig, a'r rênbows oedd yn cael eu gollwng i ddau lyn yn rheolaidd, ac i ddau arall adag cystadleutha sgota. Efo'r dystiolaeth yma, a'r ffaith fod seis y pysgod, a faint ohonyn nhw, gafodd eu gollwng i lyn adag sdocio yn gyfrinach agorad beth bynnag, doedd hi'm yn rhy anodd dadansoddi o ba lyn oedd bag o bysgod yn dod.

Doedd y pysgod yma ddim yn dod o un o lynnoedd Dre na Graig na Traws. Roeddan nhw'n dod o lyn sgota talu. A diolch i waith ditectif Drwgi, neu diolch i'r ffaith iddo gael ei atacio gan 'ffycin cŵn' Bryn Bach yn y lle iawn ar yr amsar iawn, roedd yr hogia'n gallu bod yn reit siŵr o'u petha. Achos roedd un o frodyr mawr cariad brawd bach Ed Jip wastad yn mynd allan efo perchennog y fan Transit las i sgota neu hela neu botsio. Ac roedd y pysgod wedi eu hwrjio ar Gai Ows am ddim. Yn amlwg roedd 'na ymdrech ar droed i gael gwarad o'nyn nhw mor sydyn â phosib.

"Wel," medda Sian wrth roi'r joint yn y jîp bach remôt control a'i gyrru draw at Drwgi. "Twll tin Sidney Finch a'i Tyddyn Tatws Trout! Te Tŷ Ni ydyn nhw rŵan! Iechyd da, hogia!"

Cododd pawb eu lagyr a'u jin i'r awyr.

"Iechyd da! "

29

Roedd Bic a Sbanish yn cael traffarth aros ar ben eu stolia heb gymorth y bar yn y Stag yn Dolgella. Roeddan nhw wedi clecio peint yr un a newydd gymryd swig o'u hail. Roedd Cledwyn wedi yfad hannar ei beint cynta ac wedi mynd i'r bog i gachu. Roedd Bic a Sbanish yn syllu'n wag ar y peint ffresh oeddan nhw wedi'i godi i Cled. Roedd o'n sgleinio'n felyn tryloyw, efo pen mawr o ffroth, a miliynau o fybyls bach yn saethu o'i waelod...

Roedd y ddau ffrind wedi distewi wrth i'r cwrw gordeddu yn eu stumoga gwag. Yr unig sgwrs fu rhyngddyn nhw ers iddyn nhw gyrradd oedd pa mor dda oedd y peint cynta a'r ail. Heblaw amdanyn nhw'u dau a'r barman, un hen gradur wynab coch, ac un boi ifanc efo genwair sgota a bag plastig trwm oedd newydd ddod mewn i chwara'r bandit, roedd y bar yn wag.

"Aru nhw gymyd dy DNA di, Bic?" gofynnodd Sbanish yn diwadd.

"Na, oedd o gennan nhw'n barod. Ers i fi ddreifio'r dympar 'na dros golff côrs Aberdyfi. Ffwcin Polîs Stêt ta be!"

"Aber-ffwcin-dyfi, ia! Little ffwcin England!"

Roedd y boi oedd yn chwara'r bandit yn gwrando. *"Aberdyfi? Shit place. Even the seagulls fly upside down cos there's nothing worth shitting on!"*

Chwerthodd yr hogia. Un dda oedd honna. Daeth y boi at y bar i nôl newid. *"Best thing that could happen to Aberdyfi is a Tsunami!"* medda fo wedyn. Roedd o'n gymeriad. Aeth i biso.

Yn y toilet roedd Cledwyn ar y bog mewn trafferthion. Fel arfar ar ôl sesh roedd Cled angan o leia pump o gachiadau i glirio'i systam allan. Rhywle yn ystod y cachiadau hyn byddai'r *purges* yn dechra. Fel arfar doedd hynny ddim tan tua'r pumad cachiad, ond heddiw, am nad oedd Cledwyn wedi byta llawar yn ystod y ddau ddiwrnod cynt, roeddan nhw wedi dechra efo'r ail. Profiadau digon arteithiol oedd y pyrjis 'ma. Roedd rhaid ista ar y bog am chwartar awr yn tuchan a griddfan a chwythu a gwingo wrth i'w gorff o wasgu pob tamad o hylif estron allan o'i systam. Hylif melyn drwy'i din, snot o'i drwyn, dagrau o'i lygid, piso, a chwys o bob modfadd o'i groen. Roedd Cled yn teimlo fel petai o'n cachu drwy osmosis. 'Osmo-purge' oedd o'n galw'r broses.

Roedd yr osmo-pyrj yn horiffic ond yn gwbl angenrheidiol i rwtîn drannoeth-y-ffair corff Cled. Ac er mor boenus oeddan nhw, roeddan nhw'n betha doedd Cled ddim yn mindio'u diodda, achos roedd y teimlad wedyn yn braf, yn gorfforol ar ôl y carthiad ac yn feddyliol o wybod bod ei gorff yn ôl yn lân. Roedd Cled yn deud bob tro byddai rhywun yn canmol rhinweddau *colonic irrigation* ar y teledu ei fod *o'n* cael enema drwy osmosis. A hynny bob bora. Roedd Sian, ei gariad, yn recno y byddai'r gwyddonwyr wrth eu boddau'n cael chwilota yn ei gorff ar ôl iddo fo farw. Byddan nhw'n siŵr o ddarganfod math hollol newydd o'r ddynolryw, medda hi. Rhywogaeth na welodd neb erioed o'r blaen – Homus Cledus Bagithatus.

Roedd yr osmo-pyrj yn waeth nag arfar heddiw a doedd 'na'm llawar o jans o beidio tuchan yn uchal a gweiddi. Roedd Cled ynghanol un 'yyaayyrrg' fawr pan ddaeth llais o'r lle piso.

"Ffwcin hel, *you alright in there, chav*?"

Roedd Cled yn chwythu, a'i lais wedi mynd yn wich. "*Wwwtsia-wtsia-wtsia–iai-ai-ai-caramba-basdad-ffwcin-ffwc-aaaa-oooo-eee-iiiii-yyyyy…* "

"*Is that you, Cled?*" Roedd y boi wedi nabod ei lais.

"*Who's that?*"

"*It's me, Sooty!*"

"*Yyyyyaaargh…* Sooty sud wti?"

"Iawn, *chav!* Ti ddim yn sowndio'n iawn ddo!"

"*Hwwwooaaargh…* fyddai'n iawn sdi, jysd ca'l osmo-pyrj … *aaah!*"

126

"Ffwcin hel, Cled, ti'n *still* yn nyts, *chav!*"

Roedd Sooty'n nabod Cled yn iawn. Fuodd Cled yn canlyn hogan drws nesa iddo fo flynyddoedd yn ôl. Un o 'hogia dre' Dolgella oedd Sooty, rhan fwya o'nyn nhw 'di troi i siarad y iaith fain am ryw reswm ond yn siarad Cymraeg efo Cled bob tro am ei fod o wedi dechra siarad Cymraeg efo nhw yn y lle cynta. Roedd Cled 'di dod i nabod hogia Dolgell yn dda, Sooty yn eu plith. Roedd o'n cadw fo'i hun iddo'i hun, yn hapus i bysgota, yfad a gamblo, a roedd o'n un o'r bobol ffeindia dan haul. "Be ti fyny i, Swt?"

"O, jesd 'di bod yn pysgota, Cled. Fyny Llyn Cynwch dros nos."

"Faint gas di?"

"Naw, *chav.*"

"Rhei neis?"

"Ges i un pedwar pwys, *chav – brownie, like* – a dau o rai tri pwys... "

"Ffwcin hel! Shot, mêt!"

Roedd Sooty'n sgotwr heb ei ail, chwara teg. Wastad yn dal llond bag, a rheiny'n bysgod da.

"Helynt neithiwr, Cled? Ti a dy fêts?"

"Ffycin Seamus, Swt!"

"*Man's a cunt, chav!*"

"Ti'n iawn yn fa'na, Swt. Pric. Ffonio cops arnan ni am ffyc ôl," dechreuodd Cledwyn wrth sychu'i din. "Fo ddechreuodd bob dim, fel arfar. A ninna off 'yn penna'n ca'l amsar da. Endio fyny yn ffwcin *cells*! A'r peth oedd, 'mond mynd i Traws i chwilio am fatri i'r fan 'nes i... So be ti'n neud ŵan 'ta, Swt? Ti'n dal i weithio i Geraint...? Swt...?"

Ond roedd Sooty wedi mynd nôl i'r bar ac roedd Cledwyn yn siarad efo fo'i hun.

Mae'n rhyfadd fel mae cyfraniad rhywun newydd i'r eiliad yn rhoi gwaed ffresh yn y funud. Un funud roedd Bic a Sbanish yn llonydd a distaw, yn dal eu penna fyny efo'u dwylo ar y bar, a'r funud nesa roeddan nhw'n fyw. Sbanish ddeffrodd gynta. "Bic!"

"Be?"

"Ffac off!"

"Ffac off dy hun, y cont!"

Chwerthodd y ddau a cymryd swig dda o'u peintia.

"Oedd eich mêt yn swnio fel 'i fod o'n cachu draenog cynt," medda'r hen gradur wrth y bar. "O'n i'n 'i glwad o o fan hyn."

"'Di hynna ddim yn synnu fi," medda Sbanish. "Mae'r cont yn byta draenogs. Wel, mi oedd ei nain o, eniwê."

Roedd 'rhen Neli Bagîtha, yr hen sipsi, yn byta draenogod pan oedd hi'n ifanc, medda nhw. Roedd Cledwyn wastad yn deud ei fod o wedi byta rhai ganddi pan oedd o'n fach, ond deud clwydda oedd o. Pam ffwc fysa rhywun yn mynd i'r draffarth i fyta draenog pan gâi o *chicken* yn Kwiks am ddwybunt?

"Bic," medda Sbanish mewn chydig.

"Be ŵan 'to?"

"Oes 'na rywun rioed 'di deud wrthat ti, 'fod ti'n gont hyll?"

"Clyw arna chdi, *pancake features!* Ti'n siŵr bod dy wynab di heb fod ar dân pan o't ti'n fach, y cont?"

"Yndw. Weli di ddim marcia llosgi arna i, na?"

"Aru chdi'm llosgi, naddo, aru dy fam roi'r tân allan 'fo rhaw!"

Caeodd Sbanish ei geg. Roedd o wedi colli. Dim ei fod o'n poeni be oedd neb yn ei ddeud am ei drwyn fflat o, jesd ei bod hi'n amlwg bod Bic yn dod i ffôrm. A pan oedd Bic ar ffôrm doedd 'na neb i'w guro fo. Roedd o'n ffastiach na wipet mewn Korean Restront pan oedd hi'n dod i dynnu coes. Cleciodd Bic ei beint. "Tyd laen. Rownd chdi, Quasimodo!"

Daeth Cled yn ôl o'r toilets efo chydig o liw yn ôl yn ei wynab. Gafaelodd yn ei hannar peint a'i glecio, a cymryd swig o'i beint llawn.

"Paid â ca'l un arall i fi, Sban, dwi'n dreifio."

"Aru o'm stopio chdi ddoe, naddo?"

"Mae o'n stopio fi heddiw, mêt. Bydd y cops yn gwatsiad y fan, garantîd."

Ar hynny gollyngodd y ffrŵt mashîn lwyth o ddarna punt i'r silff oddi tani, nes bod sŵn y pres yn diasbedain dros y bar. Roedd Sooty 'di ca'l noson o wagio Llyn Cynwch a rŵan roedd o'n gwagio'r bandit.

"Cled, aros yn fa'na a paid â symud, *chav*," medda Sooty. "Ti'n lwcus i fi, boi!"

"Lle ma'r pysgod 'ma 'ta?" gofynnodd Cled.

"Yn y bag, *chav*. Cer â nhw efo ti. Gei di nhw, ti a dy fêts," medda Swt wrth luchio peth o'i enillion nôl i grombil y mashîn a gwasgu botymau'n gyflymach na allai llygid ei ddilyn. "O'n i'n mynd i'w gwerthu nhw i'r Ship, ond dwi newydd ennill twenti cwid. 'Na i ddim symud o fan hyn rŵan – fydda i'n *pissed* mewn awr, *chav*!"

Diolchodd Cled i Sooty a rhoi peint i mewn iddo fo tu ôl y bar. Cleciodd ei beint a clecio'r gwydr gwag i lawr ar y pren. "Dowch, hogia. Nôl y fan ac awê. Dwi 'di ca'l blas a mae'r Trowt yn galw." Gafaelodd yn y bag pysgod. "I'r banana a thu hwnt! *Engage!*"

≈ *30* ≈

Y peth ola oedd y cwnstabl Wynne Pennylove isio oedd treulio pnawn dydd Gwenar yn infestigêtio achos oedd wedi'i farcio fel *priority* gan yr Inspector. Bydda nos Wenar yn ddigon prysur fel oedd hi, efo nytars yn meddwi a cwffio o gwmpas y pybs, heb orfod bod dan bwysa yn y pnawn hefyd. Roedd neithiwr wedi bod ddigon drwg – gadael i Transit fan roi'r slip iddo, wedyn cael ei fwydro gan Drwgi Ragarug ar ochor stryd.

A'r mwya oedd o'n meddwl am Drwgi, y mwya oedd o'n meddwl bod hwnnw'n gwbod rwbath. Roedd Drwgi wastad yn gwbod am bob dim oedd yn digwydd, ac os oedd o allan yn oriau mân y bora roedd 'na siawns ei fod o'n gwbod rwbath am y pysgod. Wel, os nad oedd o neithiwr, byddai'n gwbod erbyn heddiw. Roedd Pennylove wedi penderfynu y bydda fo'n cael gair arall efo Drwgi yn go fuan. Ond yn gynta roedd rhaid iddo fynd lawr i Tyddyn Tatws i gael datganiad llawn gan ryw '*former Chief Inspector Lawrence Croft*' oedd yn dyst i ladrad y pysgod ac wedi colli ei gi yn y broses. Roedd yn gas gan Pennylove achosion yn ymwneud efo swyddogion uchel yr heddlu a'u ffrindia. '*Priority case*' *my arse*, meddyliodd. *A few dead fish, one dead dog and a pissed off ex-copper!* Roedd 'na bobol yn hannar lladd ei gilydd ar strydoedd y trefi, a *smackheads* yn dwyn pob dim oedd heb ei hoelio'i lawr, a'r cwbwl oedd yr Inspector yn poeni amdano oedd edrych ar ôl ei *fellow Mason,* gynt o'r ffôrs. Ond dyna fo, falla bydda 'na streips ar y ffordd i Pennylove hefyd tasa fo'n cael *quick fix* i'r cês...

"*You say the ring tone was the Muppet Song, Mr Croft?*" gofynnodd Pennylove i Croft.

"*Yes it was, really loud too. I really can't understand how the van got away, you know. I mean, you arrived minutes after I called... You said you were in the vicinity?*"

"*Just outside Caellywarch, yes.*"

"*Which is... ?*"

"*Two miles away. But by the time I got here the van had a good head start...*"

"*Nevertheless...* "

"*Nevertheless, we did manage to catch up to within a few*

hundred yards of it and… "

"*Lost it?*"

Brathodd Pennylove ei dafod gan gogio sgwennu yn ei lyfr bach. Roedd o'n sefyll efo Lawrence Croft a Sidney Finch wrth y tanc pysgod gwag yn Nhyddyn Tatws. Roedd o wedi cael yr hanas, fel roedd y llofruddwyr diegwyddor wedi dreifio'r fan dros Howie'r ci'n fwriadol wrth sgrialu i ffwrdd. Ac roedd o wedi cael hanas y potsiars yn trio boddi Croft yn y tanc. Roedd rhaid iddo gyfadda ei fod o'n gweld yr hanas hwnnw'n eitha digri. Doedd 'na'm amheuaeth fod Croft wedi lliwio dipyn go lew ar y stori. Achos go brin ei fod o wedi gallu reslo'i hun yn rhydd o afael tri dyn mawr oedd wedi'i ddal o dan y dŵr am bedwar munud gan weiddi "*we're going to drown you now, you English bastard!*" Pwy ffwc oedd o'n feddwl oedd o, Jackie Chan? A be oedd o'n feddwl oedd Pennylove os oedd o'n disgwyl iddo goelio'r ffasiwn stori goc? Rhyw *Hickville bobby*, debyg? Roedd o'n gwatsiad gormod o blydi *Heartbeat*, yn amlwg.

"*Do you want to take measurements and casts?*" gofynnodd Croft dros ei sbectol.

"*Casts?*"

"*Tyre marks.*"

"*There aren't any… it's a gravel road, I doubt if… *"

"*What about measurements?*"

"*I don't think we need to… *"

"*But there's been a fatal accident.*"

"*Yes, but it's a dog. I mean, it's not normal procedure… *"

Cerddodd Croft i ffwrdd yn dalog a gadael Pennylove yn sefyll efo Sid Finch.

"Inspector Williams yrrodd chdi lawr, ia?" gofynnodd hwnnw.

"Ia. Oedd o'n *very eager* i roi *priority* i'r *case* 'ma," atebodd Pennylove.

"Chwara teg," medda Finch. "*Fair play*, chwara teg… "

"Ia, a dwi'n cael yr *impression* 'i fod o isio i ti, a Croft, wbod ei fod o'n *prioritising the case* hefyd."

Doedd gan Pennylove ddim llawar o gydymdeimlad efo Croft o achos ei gi, er roedd hi'n amlwg i'r dyn gael ei 'assaultio' a bod rhaid dal y dihirod. Roedd colli bron i ddau gant o bysgod, fodd bynnag, yn fatar difrifol. Ond eto, yr hira roedd Pennylove yn ei dreulio yng nghwmni Sid Finch, y lleia'n y byd o gydymdeimlad oedd o'n deimlo.

Un o Seiri Rhyddion ucha'r sir oedd Finch, a dyn oedd wedi arfar cael ei ffordd. Roedd o'n fasdad tew a barus, efo digon o bres i luchio o gwmpas. Pwy arall fysa'n talu am tags electronig i roi yn ei bysgod? Roedd pymthag ohonyn nhw wedi cael implant bach electronig oedd yn gyrru signal allan i ddeud lle roeddan nhw! Iawn, ffêr inyff, bydda hynny'n help i ffendio'r cylprits, hwrach, ond 'ffyc mî' meddyliodd Pennylove, roedd y boi 'ma'n mynd i eithafion i warchod ei asedau! *Mine, all mine mentality,* ta be! Rhoddodd Pennylove *chewing gum* yn ei geg.

"Sbia ar y net 'ma, cwnstabl!" medda Finch. "Sbia! Wyt ti'n gwbod faint mae un o rhein yn gostio? *All in all,* efo'r pysgod a bob dim, mae 'nghosta fi'n mynd i fod yn *thousands*! Blydi *thousands*!"

"Oedd gen chi *insurance*, syr?"

Ar hynny daeth Croft yn ei ôl yn cario bocs fel 'sa fo'n cario *tray* llawn bwyd mewn restront. Rhoddodd y bocs i lawr wrth draed Pennylove a'i agor. Daeth pry allan ohono, a chwa ysgafn o ogla marw. Edrychodd Pennylove ar y blew, gwaed a dannadd tu mewn iddo. "*What is it, sir?*"

Roedd Croft yn owtrêjd. "*It's Howie! My dog!*"

"*Don't you think you should bury him sir?*"

"*Well, Inspector Williams assured me he would do everything in his power to catch the murdering scoundrel, and, well, I'm sure he mentioned he could wangle a bit of forensic investigation? I don't expect a whole team of Socos bearing down on the camp, obviously, just maybe a brief inspection in the lab?"*

"*I really don't think…* " dechreuodd Pennylove, cyn i'r olwg ar wyneba Croft a Finch ddeud wrtho ei bod yn well iddo gael ei weld yn gwneud ymdrech. Trodd at Finch. "Mr Finch…"

"*Call me Sidney…*" medda hwnnw ar ei draws.

" … Mr Finch, elli di gael gafael ar *inventory of some kind* i fi? Rhywbeth i ddangos i fi faint o pysgod oedd yn dy tanc ti?" Wedi i hwnnw fynd am ei offis trodd Pennylove at Croft. "*I'll call Inspector Williams now, Mr Croft. We'll see what we can do…* " Cogiodd bwyso botyma ar ei fobail ffôn a'i rhoi wrth ei glust. "Helô, insbectyr? Syr? Dau gi bach yn mynd i'r coed, esgid newydd am bob troed… ia syr… a dau gi bach yn dŵad adra wedi colli un o'u sgidia… ia… ia, yndw, na, ydi… OK." Rhoddodd y ffôn yn ei bocad. "*Mr Croft?*"

"*Yes?*"

"*There'll be someone down to pick it… I mean Howie, up in a minute.*"

"*Thank yow constable! Such a shame he went like this. Such a special little dog.*"

"*Yes, it's a shame to cut him up again after all he's been through already…* " medda Pennylove. "*And after all that painstaking inspection they'll be lucky to find anything at all…* "

"*Tell you what, PC Pennylove,*" medda Croft ar ei draws. "*Maybe you're right. Let's skip the post mortem eh? A waste of taxpayers' money, of course.*"

Gwenodd Pennylove drwy'i ddannadd. Twat, meddyliodd.

Roedd y 'parti' yng ngardd Sian yn Bryn Derwydd wedi tyfu'n dipyn o garnifal. Roedd Sian 'di tanio'r barbeciw ac wedi rhoi'r pysgod arno fo, efo chydig o borc tsiops, a byrgyrs i'r plant. Roedd bron bawb o'r cymdogion 'di troi allan, wedi'u denu gan yr hogla, a'r miwsig a'r cwrw a'r crac. Roedd 'na griwia bach yn ista ar y wal ac ar y cadeiria plastig oedd Cledwyn wedi'u 'benthyg am byth' o ardd y Bryn Glas pan gaeodd y lle i lawr. Roedd 'na rei erill 'di dod â'u cadeiria'u hunain, a cania a sdwff i'r barbi, ac roedd pawb yn yfad – a rhai'n sginio fyny – wrth gymdeithasu yn yr haul.

Roedd plant fel gwybad o gwmpas y lle, yn chwara Cyrbi efo pêl ar y pafin, yn saethu gynna dŵr, yn rhedag ar ôl Wali a Dalglish a cŵn erill y stryd, yn hambygio cathod, ac yn rhedag ar ôl ei gilydd rhwng coesa oedolion, gan ddangos sgiliau side-stepio fydda'n gneud i Barry John edrych fel polyn letrig.

Roedd 'na criw go lew o hogia a genod ifanc yn eu harddega – yn goths mewn *make up* llygid du a hwdis, a *chavs* mewn bling a capia baseball – i gyd yn meddwi'n braf ar gania pawb arall, ond bod neb yn mindio cyn bellad â bod y goths yn dal i sginio fyny a pasio'r sbliffs.

Roedd 'na gathod yn bob man 'fyd, yn hofran rownd y barbi'n aros eu cyfla i fachu tsiopsan neu damad o sgodyn. Roeddan nhw wedi landio cynt, pan oedd Gai Ows yn llnau'r pysgod yn 'rardd gefn, ac wedi ca'l ffîdan reit dda ar y perfadd a'r penna. Tan i Dirty Sanchez, cwrcath mawr jinjyr Drwgi, ddod yno a sgrialu'r lleill o'r ffordd a gwledda ar be oedd ar ôl.

Dirty Sanchez oedd y 'top cat' yn Bryn Derwydd ers rhai blynyddoedd. Roedd o'n greithia i gyd ar ôl waldio a ffwcio'i hun i'w safle breintiedig ar dop y doman. Doedd o'n cymyd dim shit gan 'run gath na'r un ci, a fo oedd yn gyfrifol am y syplei o gathod jinjyr erill oedd wedi mynd a dod o gwmpas y stad. Roedd 'na jôc o gwmpas mai fo oedd tad Tanc, ci Ned Normal yn Nymbar Tŵ, am fod hwnnw'n fwngral mor hyll a'i fod o'n claddu'i gachu'i hun ers pan oedd o'n bypyn bach.

"*Mmmmmm!* Ma'r sgodyn 'ma'n neis," medda Sian wedi agor y ffoil a rhoi tamad yn ei cheg. Aeth i nôl platia o'r gegin, lle'r oedd criw o goths, a Gai Ows, yn gneud *hotknives* ar y cwcar.

Pan ddaeth hi'n ôl i'r ardd roedd Dirty Sanchez yn ystyriad rhoi ei drwyn i mewn i'r sgodyn ar y barbi. Dim yn amal oedd Sanchez yn petruso wrth weld bwyd, ond roedd gwres y barbeciw'n gneud iddo feddwl ddwywaith. Gwaeddodd Sian wrth fynd amdano ond neidiodd Drwgi drosodd a rhoi ffling i Sanchez i ganol y lawnt. Sgwariodd Dirty Sanchez, a chwythu melltithion anweddus at Drwgi yn iaith y cathod, tan ddaeth pêl ffwtbol dros y wal a landio reit ar dop ei ben o. Ond wnaeth hynny ddim torri'i grib o, chwaith. Y cwbwl wnaeth o oedd swagro i ffwrdd, ei gynffon yn symud fel coedan yn y gwynt, yn dangos ei dwll tin a'i gwd mawr tew i'r byd a'r betws. Pêl? Pah! Plonciodd ei din brenhinol i lawr wrth y wal a melltio'i genfigen wrth watsiad pawb yn byta o'i flaen. Pobol! Roedd yn gas gan Sanchez bobol!

"Cops!" gwaeddodd un o'r plant wrth i gar yr heddlu ddod rownd cornal y stryd. Cerddodd dau neu dri o bobol oedd yn digwydd bod â sbliffs yn eu dwylo'n hamddenol am y tŷ, a thrwodd i'r ardd gefn. Parciodd y car o flaen tŷ Drwgi, a daeth PC Pennylove allan. Roedd o ar ei ben ei hun. Rhedodd terriar black and tan Nymbar Ffiffti-sefn amdano gan gyfarth, a trotiodd Wali a Dalglish amdano dan hyffio a pyffio. Rhewodd Pennylove a gadael i'r terriar a'r ddau Staffi sniffio rownd ei sodla am eiliad neu ddwy.

"Ffycin dyma ni!" medda Drwgi. "Ma Sheriff John Bunéll yn ei ôl i chwilio am ffwcin 'fflingons' ne be bynnag ffwc oeddan nhw... "

Daeth y plismon draw at ardd tŷ Sian. "Mae'n braf," medda

fo wrth bawb yn gyffredinol, cyn troi at Drwgi. "Sut mae dy ddwylo di?"

"Fel ti'n gweld nhw," medda Drwgi a dal ei fysidd plastrog i fyny i'r byd i gyd gael gweld.

"Ti'n gwbod be dwi isio, yndwyt Drwgi?"

"Byrgyr? Sosej?" atebodd hwnnw. "Ti newydd fethu'r tsiops."

"Well genna i pysgodyn, Drwgi. 'Sgen ti pysgodyn i fi?"

"Nag oes, sori. Ond fydda i'n mynd i sgota rywbryd yn fuan. Gofia i amdana chdi."

Gwenodd Pennylove. "Na, dwi'n chwilio am *certain* pysgodyns *in particular*. Dwi'n meddwl bod ti'n gwbod pa rhei dwi'n feddwl."

"'Sgenna fi ddim syniad o gwbwl, offisyr," medda Drwgi, mor *convincing* ag y medra fo.

"C'mon Drwgi, paid â chwara gêms efo fi… "

"Chdi ddechreuodd… "

"Drwgi, dwi'n siŵr bod ti wedi sysio fo allan bellach. Mae'r stori'n dew o gwmpas Dre, ma'n siŵr… "

"Dwi heb fod yn Dre heddiw, 'sdi."

"OK, Drwgi. Tyddyn Tatws Trout. Pysgod Walter Sidney Finch. Wyt ti wedi gweld nhw?"

"Rioed yn fy mywyd. Costio gormod i fynd 'na. Yli, wna i ddim bwlshitio chdi, OK? Dwi, go iawn, heb fod yn nunlla heddiw, OK? Ond 'wnes i sysio allan neithiwr bod rhywun wedi bod yn dwyn pysgod Sid Finch… "

"O? *How's that, then*, Drwgi? Ddylsa chdi fod yn *detective*! 'Sgin ti awydd joinio'r *forces of good*?"

"Ha ha. 'Nes i feddwl amdano fo unwath pan o'n i'n hogyn bach, ond gofis i y bysa'n well genna i roi fy môls mewn petrol a tanio 'nghedors wrth wrando ar Max Boyce yn canu '*Duw It's Hard*'."

"*Slight overstatement* fan'na, Drwgi, ti'm yn meddwl?"

"Shit, ti'n iawn. Gas genna i Max Boyce. Yli, does genna i ddim byd o gwbwl i neud efo unrhyw bysgod, a dwi ddim yn gwbod dim byd am bwy nath na dim byd. Dwi'n dallt bod rhaid i chdi neud dy job, ond dwi rîli wedi ca'l digon o'r harasment 'ma. Dwi jesd isio llonydd i fwynhau'r haul efo 'nheulu a'n mêts. So, os ti'm yn mindio, 'snag wyt ti'n mynd i arestio fi a mynd â fi i'r stesion, dwi ddim isio siarad efo chdi ddim mwy." Cododd Drwgi a dechra cerddad i ffwrdd. Doedd o'm yn gwbod lle oedd o'n mynd, ond roedd o jesd yn gobeithio bysa'r copar yn ffwcio ffwrdd. Ond gwaeddodd hwnnw ar ei ôl,

"Ti'n siŵr na dim *Yorkshire Terrier* wnaeth y *damage* i dwylo ti?"

Stopiodd Drwgi yn ei dracs. "Be?"

"Wna i *cut the bullshit* efo chdi, Drwgi. Dwi ddim am fynd â chdi i mewn – dim ar y funud, eniwê. Ond ti'n gweld y *gadget* bach clefar 'ma?" Dangosodd yr heddwas y teclyn efo erial oedd ganddo yn ei law. Roedd Drwgi 'di meddwl 'na *walkie-talkie* oedd o tan hynny. "Walter Sidney Finch bia'r *gadget* yma, Drwgi. Asu, mae o'n beth bach clyfar. Os dwi'n switsio fo *on*, mae o'n gallu ffendio pysgodyns, 'sdi!"

"Handi iawn! Tsians am fenthyg o rywbryd?"

"'Dio ond yn ffendio *certain* pysgodyns *though*, Drwgi. Pysgodyns Tyddyn Tatws, *to be precise*."

"OK. So mae Sid Finch yn rhoi *electronic tags* yn rhei o'i bysgod! Yr unig beth mae hynna'n brofi ydi bod Sid Finch yn *sad twat*."

Gwenodd Pennylove eto. "Felly, Drwgi, os dwi'n switsio hwn *on* a mae o'n dangos bod un o pysgodyns Mr Finch yn fan hyn, bydd genna i ddim *option* ond mynd â chdi i fewn, Drwgi... 'Sdim isio panicio, Drwgi. Os oes gen ti ddim byd i poeni amdano fo, does dim problem, na?"

"Hei, ffwc o bwys genna fi. Dwi heb neud ffyc ôl, mêt. Switsia'r ffwcin thing on, go on, ffendith o ffyc ôl yn fa... "

Bîb-bîb-bîb… Dechreuodd y sganar blîpian yn syth wedi i Pennylove ei roi o mlaen.

"Wel, Drwgi! Dwi ddim isio iwsio *cliché*, ond, *hello, hello, hello! What's all this then?*" Gwenodd Pennylove yn sych. Roedd o'n mynd i fwynhau hyn.

"Bolycs!" gwaeddodd Drwgi. "Ma hyn yn ffwcin *stitch-up!*"

"*No stitch-up at all*, Drwgi. *Just the marvels of modern technology. Transmitter tag* bach, *inserted in the gills* of pysgod, *under the skin* – tipyn fel ti *in that respect* … A *hand-held receiver*, pigo fyny'r signals yn syth. Rhain maen nhw'n iwsio i monitro *swimming patterns* pysgodyns yn yr Atlantic. *Pinpoint accuracy*, Drwgi."

"Pinpoint ffycin bwlshit!"

"*Not according to this.* Pwy sy'n byw yn y tŷ 'ma?"

"Fi!" medda Sian wrth iddi gerddad allan drwy ddrws y tŷ, wedi bod yn lluchio esgyrn pysgod dros ffens yr ardd gefn. "Ac os tisio dod i mewn rhaid i chdi ga'l warrant!"

"Fyny i chdi, ond dwi ar y *trail of stolen goods* a dwi wedi locatio nhw yn fan hyn, felly dwi'n dod i mewn eniwê." Camodd Pennylove dros wal yr ardd a cerddad am Drwgi. Roedd y signal ar y sganar yn cryfhau wrth iddo nesu. "Wel, wel, Drwgi. Ti'n deud wrtha i fod ti heb weld y pysgodyns ac mae hwn yn deud wrtha i bod ti wedi byta rhei, y mochyn bach tew!"

"Rŵan dwi'n gwbod bod hyn yn *stitch up*! Dwi heb dwtsiad mewn ffwcin 'pysgodyns' heddiw, a dyna 'di'r ffwcin gwir!"

"*Chill out*, Drwgi," medda Pennylove. "Neith gweithio dy hun i fyny ddim helpu chdi." Aeth Pennylove yn ei flaen i fyny'r ardd, ac aeth y signal yn gryfach eto. "*Ooh! I do believe I'm getting hotter!* Gwraig Cledwyn Bagîtha wyt ti, ia?" gofynnodd i Sian.

"Cariad, actiwali. Wel, ex-cariad," atebodd Sian yn glwyddog. "Ond os ti'n meddwl bod Cled 'di bod yn dwyn pysgod ti'n mynd i gael ffwc o sioc achos… "

" … Roedd o i mewn yn *cells* Dolgella dros nos. Oedd, dwi'n gwbod. *We do keep in contact in North Wales Police,* ti'n gwbod. Mae Cledwyn *obviously in the clear.* Sydd yn fwy nag y galla i ddeud amdanach chdi ar y funud. A chditha hefyd, Drwgi!"

"Be, ti'n meddwl bo fi'n mynd allan i ddwyn pysgod ganol nos efo dau o blant ifanc?" medda Sian.

"*Handling stolen goods…* Wyt ti isio deud wrtha fi rŵan os ti 'di cael pysgodyns gan rywun bore 'ma?"

"*No* ffycin *comment!*" medda Sian.

"*Swearing won't help,* Sian, *swearing won't… hmm, strange…* " Stopiodd Pennylove am funud. Roedd y signal yn mynd yn wannach fel oedd o'n nesu at y tŷ. Trodd yn ôl i gyfeiriad Drwgi ac aeth y signal yn gry eto. Ond fel oedd o'n mynd reit i fyny at Drwgi roedd o'n mynd yn wannach. Crafodd Pennylove ei ben. Aeth y signal yn gryfach eto wrth droi nôl i gyfeiriad y tŷ, nes cyrraedd rhyw bwynt a dechra gwanhau eto wedyn. Sbiodd o'i gwmpas. Roedd o'n chwysu slops. Gwelodd y barbeciw. Sbiodd ar Sian a Drwgi a rhoi gwên smyg. Cerddodd am y barbeciw. Ond aeth y signal mor wan roedd o bron â diflannu. Dechreuodd Pennylove anesmwytho. Roedd y penbleth yn amlwg ar ei wynab.

"'Na fo 'li! Pinpoint ffwcin tecnoloji o ffwc!" dechreuodd Drwgi.

"*Shut it!*" oedd unig atab Pennylove. Y peth ola oedd o isio oedd edrych yn ffŵl. Roedd pawb yn sbio arna fo fel oedd hi. Camodd i fyny ac i lawr yr ardd, yn benderfynol o ffendio'r spot lle'r oedd y signal gryfa. Fe'i cafodd wrth un o'r cadeiria gwag. Edrychodd o dan y gadar. Yno'r oedd y gath fwya, a hylla, welodd Pennylove ers pan fuodd o'n Chester Zoo efo'r plant. Dirty Sanchez! Top cat y stryd, oedd wedi byta pen a pherfadd dau bysgodyn rhyw awr yn gynt! "*For fuck's sakes!*" medda Pennylove.

"Be sy, offisyr?" gofynnodd Drwgi.

"Pwy bia'r giath 'ma?"

"Dim syniad. *Stray*," medda Sian cyn i Drwgi agor ei geg. Roedd Drwgi'n prowd o Sanchez a fysa fo'n cael traffarth gwadu na'i gath o oedd o.

"*Stray*, ia? Wel, gawn ni weld pwy fydd bia hi pan fyddan nhw'n dod i'r stesion i'w claimio." Plygodd Pennylove i lawr er mwyn gafael yn Sanchez. "Pws pws pws, *here kitty kitty*, psss psss… " Arhosodd pawb am y waedd. A mi ddaeth.

"*Aaaaaawtsh!*" Gollyngodd Pennylove y sganar ar lawr. Roedd Dirty Sanchez nid yn unig wedi ei gripio fo, ond wedi ei frathu fo 'fyd. "*Vicious fucking bastard!* Be ydi o, *half cat half crocodile* neu rwbath?"

"Fel ddudas i," medda Sian. "Strê ydi o."

"*Ferral cats* yn anifails perygl! Rhaid cael warden allan i'w ddal o!" medda Pennylove wrth edrych ar y gwaed yn llifo lawr ei law.

"Tisio napcin, offisyr?" gofynnodd Sian, gan estyn un o'r hancesi papur o ymyl y barbeciw.

"Diolch," medda Pennylove a'i lapio fo am ei law. Sbiodd i lawr ar Dirty Sanchez. Chwyrnodd hwnnw'n ôl.

"Ylwch, Drwgi a Sian," medda Pennylove. "Os dach chi'n meddwl 'ych bod chi *in the clear*, gewch chi feddwl eto. *The cat could be anybody's*, iawn, ond mae rwbath yn drewi fan hyn. Fydda i'n ôl, *mark my words*. A mae'r 'gath' 'na'n beryg. Bydda i *in touch* efo'r cownsil, a.s.a.p., a deud bod cath *ferral* yma."

"Ond ma pob cath yn *furry,* siŵr!" medda Drwgi.

"*Don't push it*, Drwgi!" medda Pennylove yn syth a dechra cerddad i ffwrdd.

"Be ffwc ddudas i?" medda Drwgi'n gegagorad â'i ddwylo ar led, yn sbio ar bawb. Doedd Pennylove ddim cweit yn dallt fod Susnag Drwgi bron mor sâl â'i Gymraeg ynta. Aeth yr heddwas am gât yr ardd, ond stopiodd mwya sydyn, a troi at Drwgi eto. "Drwgi. Sgen ti *mobile phone*?"

"Oes, pam?"

"Be ydi'r *ringtone* arni?"

"Hen Wlad Fy Nhadau. Pam?"

Llwyddodd Pennylove i roi hannar gwên. "*Why doesn't that surprise me?*"

"A be ydi dy bwynt di?"

"Ga i glywad o?"

Roedd Drwgi bron mor gob-smacd ag oedd o yn oriau mân y bora pan ofynnodd Pennylove am gael ogleuo'i ddwylo fo. "Pam?"

"*Police business*, Drwgi. Tyd ŵan."

Aeth Drwgi i'w bocad a rhoi'r ring tôn ymlaen. Dechreuodd yr Anthem Genedlaethol ganu.

"OK, Drwgi, gei di switshio fo off ŵan. Sgen ti ring tôns erill yn y ffôn?"

"Oes."

"Ga i weld y ffôn?" Pasiodd Drwgi'r ffôn iddo fo. "*Aaah*, Nokia 6230. *Just like my wife's...* " medda Pennylove a dechra byseddu drwy'r menu, cyn stopio mwya sydyn a rhoi'r ffôn yn ôl. "'Di'r ffôns yma ddim yn chwara Real Tones, nacdi? Ti rioed 'di meddwl mynd am un o'r ffôns Real Tones 'ny, Drwgi?"

"Na... "

"Ti 'di clwad un o'r rheiny?"

"'Di clwad amdanyn nhw, do."

"Sgin neb o dy fêts di un?"

"Na, ddim i fi wbod. Pam?"

"*Police business*, Drwgi, *police business*."

Aeth y plisman am y gât, yn hollol ymwybodol bod llygid pawb yn yr ardd – a phawb yn y stryd bellach – arna fo, a'u bod i gyd yn chwerthin ers i'r gath ei sgratsio fo. Pwsiodd i agor y gât. Doedd hi'm yn agor. Pwsiodd eto. Roedd hi'n sownd. Tynnodd. Agorodd yn berffaith. Hebryngwyd ef at y car gan Wali a Dalglish.

"Cofia fynd am tetanus jab, bei ddy wê!" gwaeddodd Drwgi ar ei ôl.

≈ 32 ≈

"Dyma ni hogia," medda Cled wrth i'r fan fach felan ffyddlon gyrraedd strydoedd cyfarwydd Graig. "*City limits R Us.*"

"*All hail the banana!*" gwaeddodd Sbanish, yn dal can o lager yn yr awyr fel salŵt.

Fel oeddan nhw 'di disgwyl, roeddan nhw wedi gorfod bymp-startio'r fan yn Nolgella. Lwcus fod Cled wedi cadw'r goriada yn yr egsôst fel arfar neu mi fydda'r cops wedi'u ffendio nhw a mynd i searchio'r fan. Roedd 'na chwech o bils o dan y mat o dan y llanast a'r cania yn *footwell* ochor pasenjyr. Doedd o'n cofio dim amdanyn nhw tan gafodd Bic hyd iddyn nhw a llyncu un o'nyn nhw'n syth. Erbyn Ganllwyd roedd Bic yn bowndian ac wedi bod yn blastio canu efo Kentucky AFC ar y stereo yr holl ffordd ers hynny, tra oedd Cled yn contio loris Mansell Davies a John Bont, pob tractor a tŵrist, a phob hen 'ffosil' oedd yn gneud 'llai na ffwcin sicsti mewn Tyrbo Injecsiyn'.

Pan ddaethon nhw at y gwaith trwsio pafin yn ganol Graig, roedd rhaid iddyn nhw stopio am fod boi yn sefyll yno efo sein *stop and go*.

"Pam bo'r traffic leits i'm yn gweithio, dwad?" medda Bic.

"Ffyc nows," medda Cled. "Ma'r job 'ma 'di bod yn ddisastyr ers blwyddyn gyfa bron. Hoples." Roedd Cled yn sbio ar ei fflat, oedd ar y dde gyferbyn â lle oeddan nhw 'di stopio. Roedd o'n meddwl lle i barcio – wrth y fflat, ta wrth y Trowt. Ond cyn iddo benderfynu trodd y boi ei lolipop mawr rownd a dangos yr ochor gwyrdd, gan neud y penderfyniad drosto. Aeth y 'banana' yn ei blaen i fyny'r rhiw. Wrth nesu am y Trowt sylwodd yr hogia'n syth ar ryw ddeg neu fwy o gasgenni cwrw'n sefyll ar y pafin tu allan drws selar y dafarn. Doedd 'na neb yno'n eu tendio. "Helô!" medda Cled. "'Da chi'n gweld be dwi'n weld, hogia?"

"Delifyri cynta Tiwlip!" medda Sbanish yn syth. "'Di'r cont gwirion ddim yn dallt eu bod nhw fod i fynd yn syth i'r selar!"

"Rhei gwag 'dyn nhw siŵr!" medda Bic.

"Gawn ni weld ŵan," medda Cled a refyrsio'r fan reit i fyny at y casgenni. Er mawr foddhad i'r hogia, rhai llawn oeddan nhw. Ac o fewn matar o eiliadau roedd 'na gasgan Stella Artois yn rowlio i mewn i gefn y fan. O fewn munud arall roedd y fan wedi'i pharcio'n daclus o flaen fflat Cledwyn, a dau funud wedyn roedd y gasgan yn ista fel dynas dew ar lawr y gegin gefn. Roedd yr hogia'n methu coelio'u lwc ac i ffwrdd â nhw nôl i'r Trowt i ddathlu, a bag pysgod Sooty Dolgell efo nhw.

Pwy ddoth i'w cwfwr yn nrws y Trowt, efo bwrdd du bach a pacad o sialcs bob lliw, ond Tiwlip.

"Hello boys!" medda fo'n siriol i gyd. "It's a luvley day, ain't it?"

"Yes, Tiwlip, it is indeed," medda Cledwyn. "What are your barrels doing standing out there? You wanna watch it, someone might steal them."

"Oh, I can't find the keys to the cellar. Tabs is still looking in the kitchen now. Would yow have an idea where yow brother Jerrey would keep them, Cledwayne?"

"Fuck, they could be anywhere knowing him, Tiwlip. Has he gone yet?"

"I think so, ain't yow seen him?"

"Fuck, no! Can we have a pint or what?"

Roedd Cled ddeng mlynadd yn iau na Jerry a doeddan

nhw rioed wedi gneud rhyw lawar efo'i gilydd.

"*Yeah, be with yow now… What's Welsh for 'opening night'? I've asked Jac and Tomi but I've got a sneakey feeling they're taking the mickey.*"

"*Tell you what, write what you want on a piece of paper and I'll translate it for you.*"

"*Oh thank yow, Cled. Yow can have the first pint on the house.*"

"*Great, Tiwlip. Do you want to buy some fish?*"

Dau funud wedyn roedd yr hogia'n ista yn y bar efo peintia ar y bwrdd o'u blaena. Doedd 'na'm llawar i mewn. Jac a Tomi – y ddau fel darna o ddodrafn yn y lle erioed – tri o hogia ifanc yn chwara pŵl yn y cefn, a cwpwl o Saeson yn y lownj. Rhoddodd Tiwlip damad o bapur i Cled efo '*Opening Night 2nite, First 2 drinks free!*' arno.

"'Sgin ti faco, Cled?" gofynnodd Jac Bach y Gwalch.

"Oes, damio – o'n i yn y fflat cynt, anghofis i ddod â peth efo fi. Dwi'n mynd i fyny'n munud, ddo i â peth nôl. Faint t'isio, un?"

"Un powtsh, ia. Sgen ti fwyd ci?"

"Oes. Pac o ddau ddeg pedwar. Saith bunt i chdi, Jac."

"Tsiampion. Lle da chi 'di bod ta'r ffycars?" Roedd rhaid i Jac gael holi.

"Traws," medda Sbanish, yn gwbod yn iawn fysa'r stori rownd y pentra mewn chwinciad 'sa fo'n deud y gwir.

"Be oeddach chi'n neud? Hwrio ia?" gofynnodd Tomi Shytyl.

"Na, jesd yfad," medda Sbanish.

Roedd Tomi'n ewyrth i Sbanish. Brawd ei fam, a'r unig deulu oedd ganddo heblaw am ei chwaer yn Llandudno. Roedd mam Sbanish 'di marw ddeng mlynadd yn ôl a doedd o rioed wedi cael y siawns i nabod ei dad. Boi o'r sowth oedd o, 'di gadael ei fam pan oedd o a'i chwaer yn betha bach. Boi o'r enw Anthony Newman, a doedd Steven Barlwyd Anthony Newman – Sban, neu Sbanish, i'w fêts – ddim yn hapus ei fod o'n gorfod cario'i enw fo am byth.

"Sud mae dy chwaer? Dal yn Llandudno?" holodd Tomi. "Heb ei gweld hi ers oes pys."

"Na finna chwaith," medda Sbanish yn siort. "Dim ers pan dorris i drwyn ei gŵr hi."

Daeth dynas dena i mewn a sefyll wrth y bar a dechra mynd drwy'r bwydlenni yn y rac yn y gornal. Hogan tua'r pedwar deg oed, yn ôl ei golwg, efo gwallt du uffernol o hir yn hongian yn is na'i thin â dau neu dri o dredlocs fel rhaffa yn ei ganol. Roedd ganddi fodrwy arian drwy'i thrwyn a sbectols potia jam mewn ffrâm dew, ddu. Roedd hi'n chwilio am rwbath.

"Fydd o'n ôl yn munud, del," medda Bic, yn bownsio fyny a lawr yn ei gadar gan gnoi *chewing gum* a mwmian iddo fo'i hun.

"*Sorry?*"

"*He'll be back now yeh, del.*"

"*Who?*"

"*The barman, yeh.*"

"*Do you mean Phillip, my husband?*"

"*Erm... maybe, yes... I think?*"

Daeth Tiwlip i mewn. "*Boys, have you met my wife? Tabs, this is Cled, Sbanish and...err ... *"

"Bic, ia."

"*Bickya... Lads, this is Tabitha.*"

Poerodd Sbanish gegiad o gwrw yn ôl i'w wydr. "*Tabitha? That's a... nice name...*" Chwerthodd Bic chwerthiniad ddrwg.

"*It's cool, man. Everyone calls me Tabs, yeah?*" medda Tabitha mewn acen hannar Brymi a hannar New Age Traveller.

"*Tabitha, Tabitha! The tantalising Tabitha!*" medda Cled. "*Did you know your name rhymes with my name? In a way. Mine has an accent on the i-dot. Bagîtha, not like Tabitha, like...*"

"*Awh! You're Jerrey's bruvva?*"

"*Indeed I am, Tabitha, indeed I am. I'm the younger – and better looking – of the two.*"

"*Oooh, you can say that again!*" medda Tabitha a fflachio golwg tynnu trôns efo'i llygid, a set o ddannadd duon efo'i cheg.

Doedd Cled heb ddisgwyl honna. Newydd gwrdd â'r sgragan oedd o. Ac roedd ei gŵr hi'n sefyll reit wrth ei hochor hi. Anghofiodd be oedd o wedi bwriadu'i ddeud. "*How's it diddling?*"

"*Better if I found the keys to the cellar.*"

"*It's okay my sweet, I've found them,*" medda Tiwlip. "*They were in my coat pocket.*"

"*Oh bloodey hell, Phillip, you're fucking useless, you are!*" medda hitha a cerddad allan mewn hyff.

Roedd Tiwlip ar fin mynd allan ar ei hôl pan basiodd Cled ei gyfieithiad Cymraeg iddo fo.

"Deeolk, Cled," medda fo cyn ei sgidadlo hi ar ôl 'Tabs' fel ci bach.

"Tyd," medda Jac Bach y Gwalch wrth Tomi. "Awn ni i roi hand iddo fo 'fo'r barals. Siŵr fydd o'n werth peint neu ddau." Ac allan â nhwtha ar eu hola.

"Sut ffwc 'dan ni'n mynd i agor y gasgan yn y fflat, Cled?" gofynnodd Bic ar ôl iddyn nhw fynd.

"A'n ni i weld Ding wedyn. Ma genna fo'r gajets i gyd – cyplar, pwmp a gas."

"Lle mae pawb, dwad?" medda Bic. "Ma'i'n hannar awr wedi un."

"Giros pobol yn hwyr neu rwbath," nododd Cled.

Cododd Bic i roi pres yn y jiwcbocs ac aeth Sbanish i'r bog i biso. Eisteddodd Cled ar ei ben ei hun yn gwrando ar y bareli cwrw'n cloncian lawr i'r selar islaw a Jac Bach y Gwalch yn rhegi a cwyno am ei gefn. Gwyliodd y cwpwl Susnag yn y lownj yn paratoi i adael. Roeddan nhw'n edrych yn ddigon cyfforddus eu byd, yn ôl y dillad oeddan nhw'n wisgo. Braf arnyn nhw, meddyliodd Cled. Gallu jesd codi pac a mynd ar eu gwylia. Ond ma'n siŵr eu bod nhw wedi gorfod gweithio digon i gael eu pythefnos o ryddid. Meddyliodd mor braf fydda gallu mynd â Sian a'r hogia i ffwrdd i rwla pell. Ond ddim drwy orfod slafio am bum deg wythnos y flwyddyn chwaith …

Roedd Cled yn colli mynadd efo'i fywyd. Roedd o angan cerddad i'r fflat i nôl baco a bwyd ci i Jac Bach y Gwalch, a roedd o angan ffendio Drwgi i gael ei stwff yn ôl rhag ofn byddai rhywun isio prynu rwbath nes ymlaen. Dyddia giro. Dyddia sêls a dyddia ca'l pres i mewn am be oedd bobol 'di ga'l ar tic yn ystod y pythefnos cynt. Doedd 'na'm amsar i chillio allan yn iawn – yr union reswm pam doedd o'm yn gweithio llawn amsar yn y lle cynta! Ac am mai yn y pyb oedd o'n gneud ei sêls bron i gyd, yno'r oedd o'n gwario'r proffits hefyd.

'Mug's game,' meddyliodd. Roedd rhaid iddo ffendio ffordd o neud pres mawr, a hynny'n fuan. Roedd y farchnad cyffuria meddal wedi chwalu ers dyfodiad petha caletach. Cocên oedd cyffur y masses y dyddia yma. Ac er bod Cled yn prynu gramsan o hwnnw iddo'i hun ar achlysuron arbennig, doedd o'm yn credu yn ei werthu fo yn y gymuned. Roedd gormod o bobol ifanc yn gwario'u cyfloga i gyd arno ar wîcends. Ac roedd lot yn troi at y 'llwya' – troi'r powdwr yn garrag, crack, a'i smocio fo. A roedd hwnnw'n fwy adictif na heroin.

Roedd y smack wedi cydio yn yr ardal hefyd. Bobol ddŵad ddaeth â fo yma. Sgym wedi'u hel o stadau mawrion Manceinion a Lerpwl a'u gosod yn rhai o dai cyhoeddus yr ardal. Doedd gan y cops ddim adnoddau, na'r mynadd chwaith, mae'n debyg, i daclo'r contiaid, ac erbyn iddyn nhw ddechra cael brics drwy'u ffenestri roedd hi'n rhy hwyr – roedd pobol ifanc lleol yn gaeth i'r sdwff ac yn gorfod ei werthu fo eu hunain i gynnal eu habit. A doedd 'na'm stumog yn y dre i hel rheiny o'ma. Pawb yn nabod nhw a nabod eu teuluoedd. Eu pitïo nhw oedd pobol, fwy na dim.

Roedd y sdwff brown yn wrthun i Cled, fel i ran fwya o hen *heads* yr ardal. Roedd y farchnad ganja wedi chwalu bron yn llwyr, a pilsan ecstasi'n costio llai na peint. Doedd 'na'm gobaith gneud cyflog o gyffuriau meddal, bellach. Roedd cymdeithas wedi bod yn newid gymaint dros y pum mlynadd dwytha. A doedd Cled ddim yn licio be oedd o'n newid i.

Cofiodd Cled am y Dyn Sdici. Ysgydwodd drwyddo fo i gyd. Roedd rhaid iddo fynd i weld oedd Sian a'r hogia'n iawn. Doedd 'na'm byd drwg wedi digwydd hyd yn hyn, a falla na fydda rwbath drwg yn digwydd chwaith. Ella bod y freuddwyd am y Dyn Sdici jesd yn gasgliad o atgofion cymysglyd am amsar cythryblus pan oedd y Dyn Sdici'n ymddangos yn amlach. Ond doedd 'na'm pwynt cymryd tsians. Cleciodd ei beint. Bydda'n rhaid i Jac aros am ei faco a bwyd ci.

Ar hynny daeth y Red Hot Chilli Peppers ymlaen ar y jiwcbocs, a cerddodd Jac a Tomi'n ôl i mewn, a Tiwlip wrth eu sodla. Aeth hwnnw'n syth i du ôl y bar a gafael yn y *delivery note* ddaeth efo lori'r bragdy a'i stydio'n ofalus.

"Ffwcin hel, mai bac's ffycd Tiwlip," medda Jac. "Get mî e peint bîffôr ai dai!" Digon hawdd deud bod Jac yn chwara i fyny. Roedd o'n troi'r acen hen gradur bach o'r wlad ymlaen.

"*Just a minute*," medda Tiwlip. Roedd o'n dal i graffu ar y papur. "Tabs? Tabs?"

"*What?*" atebodd honno'n flin o du allan y drws ffrynt.

"*Can yow come here a minute?*"

"*I'm writing this bloodey Welsh on this bloodey blackboard sign thingey, Phillip!*"

"*Is this a pub or is it a pub?*" gofynnodd Jac Bach y Gwalch wrth hitio'i wydr gwag ar y bar. Rhoddodd Tiwlip y papur i lawr a mynd i syrfio'r Gwalch a Shytyl. Daeth Sbanish yn ôl o'r bog, a daeth Bic i'w ganlyn yn bownsio o gwmpas fel nytar.

"Peint, hogia?" medda fo.

"Na, dwi'n mynd i weld Sian a'r hogia… " dechreuodd Cled, ond torrwyd ar ei draws gan un o'r hogia ifanc yn gweiddi o'r sdafall pŵl.

"Ti'm yn y parti, Cled?"

"Pa barti, mêt?" Doedd Cled ddim yn cofio enw'r boi.

"Yn tŷ chdi. Llwyth o bobol yn yr ardd pan o'n i'n pasio cynt."

Sbriwsiodd Cled drwyddo. "Hogia, 'dan ni'n mynd."

"Dwi newydd godi peint!" protestiodd Bic.

"Clecia'r ffwcin thing, neu tyd â'r glass efo ti. Ma 'na barti'n tŷ ni. Fan'na mae pawb!"

Martsiodd y tri allan i'r haul, gan basio Tabitha yn y drws. Roedd hi newydd orffan sgwennu'r cyfieithiad Cymraeg ar y bwrdd du.

"*Later, gorgeous,*" medda Bic. Gwenodd Tabitha a dangos ei dannadd duon eto. Edrychodd Cled a Sban yn hurt ar Bic. Trodd y tri am y pafin, gan basio'r bwrdd du oedd yn datgan mewn llythrennau lliwgar bras, '*Opening Night 2nite, First 2 drinks free!* – Dawnswyr Noeth a Cwrw Am Ddim Drwy'r Nos!'

≈ 34 ≈

Os oedd gan Pennylove lwyth o gwestiynau yn ei ben pan oedd o'n tynnu i mewn i Bryn Derwydd, roedd ganddo lot, lot mwy wrth adael. Doedd 'na'm dwywaith bod y ffycars yn gwbod rwbath am y pysgod, a doedd 'na'm dwywaith eu bod nhw'n gwbod pwy oedd bia'r ffwcin gath 'na 'fyd. Ond doedd gan Pennylove ddim tystiolaeth. 'Mond blyffio oedd o'n gallu neud, a gobeithio bysa rhywun yn baglu. Rhywun fel Drwgi.

Drwgi Ragarug. Roedd y cont bach hwnnw'n *chopsy* rŵan 'fyd, meddyliodd. Doedd o ddim mor coci neithiwr, wel, bora 'ma. Roedd Pennylove yn siŵr bod ganddo rwbath i'w guddio adag hynny ac roedd o'n cicio'i hun na fysa fo wedi mynd â fo i mewn a rhoi chydig o bwysa arno fo.

"Ffycin pysgod!" medda'r plismon wrtho'i hun. A pysgod Sid Finch o bawb! Pa mor thic oedd y potsiars? Os oeddan nhw isio llond bag hawdd, pam ffwc 'sa'r basdads barus 'di mynd i styllennu Llyn Gwrach neu rwla yn lle tynnu un o fêsyns mwya'r sir i'w penna? Ac i'w ben o, Pennylove. Ar adega fel hyn roedd o'n difaru'i enaid dod i'r ardal 'ma i weithio. Roedd o wedi dod am fod o isio dysgu Cymraeg, ac yn hynny o beth roedd hi wedi bod yn werth iddo symud. Ond ffycin hel, roedd isio mynadd yn y lle! Diflas. Ar wahân i amball wîcend brysur roedd o'n ffendio'i hun yn gwylio traffig neu'n gneud gwaith papur rhan fwya o'r amsar.

Roedd 'na fynyddoedd o waith papur i'w wneud yn Wrecsam, ei dre enedigol, lle'r oedd o'n gweithio cynt, hefyd. Ond o leia roedd delio efo llofruddiaethau a dryglords, a *race riots* yn Caia Park, yn gneud y job yn ecseiting. A'r cynnwrf hynny, ynghyd â thaclo problemau go iawn, oedd y rheswm pam bod Pennylove wedi ymuno â'r heddlu yn y lle cynta. Dim i erlid troseddau dwy a dima oedd yn gneud fawr ddim niwad i neb. Yn enwedig achosion *dead end* fel hwn. Ar ôl ei ymweliad byr â Bryn Derwydd roedd rhaid i Pennylove gyfadda iddo'i hun bod fwy o siawns clirio drygs o strydoedd Wrecsam na ffendio pysgod Sid Finch.

'Sa fo ond wedi gallu dal y fan 'na neithiwr bydda popeth yn iawn. Rŵan roedd o dan bwysa. Yn gneud ofyrteim am fod yr Inspector isio *result* er mwyn cadw gwynab yn y Lodge ar ôl gaddo'r byd. Er, mi *oedd* 'na *assault* honedig go ddifrifol wedi digwydd, chwarae teg. Ac mi oedd 'na "*household pet*" wedi ei ladd. Gneud *change* o brostitiwts ifanc o Lithuania, *I suppose*, meddyliodd.

Y Transit Van oedd y *lead* gora. Yr unig beth oedd, doedd 'na'm byd concrit i'w chysylltu hi efo'r trosedd. Roedd WPC James yn Bae Colwyn wedi trêsio pob Transit Van yn yr ardal dros nos ac roedd pob un o'nyn nhw'n wyn neu allan o'r pictiwr am wahanol resyma. Mwy na thebyg bod y fan heb ei chofrestru ers iddi gael ei phrynu. Er, 'mond chydig o ymholiada oedd isio'i neud a bydda fo'n siŵr o'i ffendio hi. Dyna oedd y peth gora i neud rŵan, meddyliodd. Mynd i holi am bobol yn gwerthu pysgod yn rhad. Os oedd gan un ohonyn nhw Transit Van, neu gysylltiad efo Transit Van, o leia bydda 'na lygedyn o obaith. Hynny a ring tôn y Muppet Show. Dyfalodd Pennylove a fysa'r gorjys WPC Heather James yn gallu ffendio pwy oedd wedi downlôdio'r ring tôn yn ddiweddar. Roedd yn werth gofyn. O leia bydda fo'n gyfla i'w chatio hi fyny eto.

Penderfynodd Pennylove fynd am y Brithyll Brown i holi oeddan nhw wedi clwad neu weld rwbath. Wrth nesu am y dafarn gwelai dri ffigwr amheus yn bowndio tuag ato wrth ymyl safle'r bysiau. Nabodd yr un gwallt byr, trwyn fflat a bwlch yn ei ddannadd mewn crys ffwtbol Cymru i ddechra. Wedyn Bic mewn crys-t du a *Fuck You You Fucking Fuck* arno yn fawr ac yn wyn. A doedd 'na'm angan sbio ddwywaith i nabod yr un talaf. Roedd y gwallt du hir a blêr a'r *earring* aur fawr gron, a'r pythefnos o dyfiant cringoch ar ei wynab, yn ddigon. Fel oedd y trowsus-tri-chwartar llawn pocedi, y crys-t Bob Marley llawn *blim-holes* a'r tatŵ Free Wales Army ar ei fraich dde. Slofodd Pennylove i lawr ac agor ei ffenast. "Iawn?"

Ond cerddodd y tri yn eu blaena heb hyd yn oed sbio arno. Ffycars digwilydd, meddyliodd, gan ystyriad mynd ar eu hola. Ond doedd 'na'm pwynt os oeddan nhw 'di bod *in custody* dros nos. Er, roedd y crys-t gan Bic yn offensif 'fyd… Na, ffyc it, meddyliodd. Roedd o 'di ca'l digon o siarad efo *wise guys* am un bora.

Yn y Trowt roedd Tiwlip newydd fod ar y ffôn efo'r bragdy, a nhwtha wedi cadarnhau fod 'na bedar ar ddeg o gasgenni cwrw wedi eu gollwng yno'r bora 'ny, ac os oedd Tiwlip wedi seinio amdanyn nhw – a mi oedd o – yna doedd dim byd allai o neud ond talu amdanyn nhw. Daeth PC Pennylove i mewn. Trodd Tiwlip yn wyn. Roedd o'n siŵr ei fod am gael rhybudd am y *lock-ins*.

"Preen-hoon dah, *officer*," medda fo a gwenu'n nerfus.

"*What?*" medda Pennylove.

"*Afternoon,*" medda Tiwlip wedyn, yn gwywo yng ngolwg yr iwnifform.

"*How you settling in?*" gofynnodd Pennylove.

"*Awh, bustin thanks, yeah.*"

"*The natives not giving you too much of a hard time, I hope?*" medda Pennylove wrth edrych ar Tomi a Jac, oedd newydd guddio'r bag pysgod anghofiodd Cledwyn o dan y gadar.

"*Nuthing I can't handle,*" chwerthodd Tiwlip, yn wan.

"*If you say so,*" medda Pennylove wedyn. "*I'm actually making some enquiries and was wondering if you could help?*"

"*Of course, it'll be my pleasure…* " medda Tiwlip, bron â baglu dros ei eiriau, cymaint oedd ei ysfa i blesio'r plismon.

"*Have you bought, or been offered, any fish today at all?*"

≈ *35* ≈

Roedd 'na 'hwrê' fawr dros y stryd i gyd pan ddaeth Cled, Bic a Sban i'r golwg rownd tro Bryn Derwydd. Gwenodd y tri fel gatia wrth i freichia'r croeso cyfarwydd eu gwasgu'n dynn i gyfeiliant y reggae mwyn. O fewn dau funud roedd yr hogia'n ista yn yr ardd efo cania oer a sbliffs mawr tew yn eu dwylo, fel rhyfelwyr yn adrodd straeon anhygoel am anturiaethau a rhyfeddodau mewn anialdiroedd pell. Bu pawb yn chwerthin yn iach wrth gyfnewid straeon, yr hogia'n sôn am yr antur ddiweddara yn y banana melyn a'r strach efo Seamus a'r cops, a Drwgi, Sian a'r stryd i gyd yn deud hanas y *crime of the century*, ymholiadau PC Pennylove ac, unwaith eto, rhyfel Drwgi efo 'ffycin cŵn' Bryn Bach.

Dyma oedd cymuned. Pawb yn mynd a dod dros walia gerddi yn cario cwrw a bwyd, sgwrs ffraeth a llond bol o chwerthin efo nhw. A pawb yn gwatsiad cefnau'i gilydd. Ym Mryn Derwydd roedd gan bob un plentyn o leia ugian set o rieni, mwy fyth o frodyr a chwiorydd mawr, ac ugeinia o ffrindia.

Y diweddara i landio oedd Ding, oedd yn byw ym mhen pella'r stryd yn Nymbar Ffiffti-ffôr. Roedd o 'di gorffan ei waith yn gynnar am ei bod hi'n ddydd Gwenar. Be bynnag oedd ei waith o. Doedd neb yn siŵr iawn, 'blaw bod o'n gneud dipyn o bob dim, roddodd iddo'r enw Ding Bob Dim.

Roedd Ding chydig flynyddoedd yn hŷn na Cled a'r hogia, ac wedi cŵlio lawr lot i be oedd o ers talwm, yn ôl y sôn. Roedd o wedi byw y bywyd, roedd hynny'n saff. Wedi downsio'n noeth mewn sawl cylch cerrig, fel tae. Ond bellach slochian cwrw a smocio dôp yn yr ardd fyddai'r peth mwya 'gwallgo' fydda fo'n neud dros yr ha. Roedd Ding wedi cyrradd efo bocs o boteli Stella a pacad o stêcs porc *chinese style*. Roedd o wrthi'n rhoi rheiny ar y barbi pan soniodd Cled ei fod angan benthyg ei 'wasanaeth agor casgenni cwrw' nes ymlaen a mai mawr fyddai ei wobr wedyn. Roedd Ding wrth ei fodd. Roedd sesh fach dawal yn y fflat yn apelio.

Agorodd Ding botal efo'i ddannadd a'i phasio i Cled, wedyn agor un arall a'i phasio i Drwgi. Rhannodd ddwy botal arall i Sian a Sbanish, a phan siglodd Anthracs allan o ddrws ffrynt y tŷ, yn ffwcin racs bôst, pasiodd un i hwnnw hefyd. Ar unrhyw adeg, Anthracs oedd y cradur tebyca i Golem o'r ffilm *Lord of the Rings* a welodd neb erioed. Roedd ganddo ben siâp bylb oedd o'n ei siafio'n foel, pâr o lygid mawr llwyd efo bagia fydda Ryan Air yn gwrthod eu caniatáu fel *hand luggage*, ac roedd ei ddannadd yn edrych fel petai o'n byta dim byd ond Blackjacks. Ond heddiw yn yr haul, heb ei grys, roedd o'r un sbit â'r creadur truenus ddaeth o ffrwyth dychymyg dychrynllyd Tolkien. Doedd llinyn trôns ddim ynddi. Bron nad oedd hi'n bosib chwarae seiloffôn ar ei asennau a hongian mygia te ar ei asgwrn cefn. Bydda rhywun yn meddwl y byddai'n beryg i Anthracs eistadd ar lan môr rhag ofn i'r gwylanod ei gario i ffwrdd. Ond y gwir amdani oedd nad oedd gwylan yn y byd fydda'n codi Anthracs oddi ar y promenâd cyn unrhyw damad o grystyn fydda'n digwydd bod yn ymyl. Roedd 'na fwy o gig mewn samon pêst nag oedd 'na ar Anthracs.

Fel oedd Anthracs yn dod draw i ista, rhedodd giang o blant rhwng y cadeiria efo gynnau dŵr. Gwenodd Cled wrth weld Caio Llywelyn a Rhys Gethin am y tro cynta ers iddo landio. Roedd o wedi'u gweld nhw o bell cynt, efo'r plant erill ar y cae o flaen y tai, yn diflannu i bob cyfeiriad fel hadau dant y llew.

"Iawn hogia? Dowch i ddeud helô wrth eich tad!"

"Iawn Dad," oedd unig sylw Caio wrth basio. Roedd o'n un ar ddeg oed ac efo petha gwell i neud.

"Be da chi 'di bod yn neud 'ta?" gofynnodd Cled i Rhys, oedd yn ddeg.

"Dim byd," oedd ei atab parod. Ac i ffwrdd â fo ar ôl y lleill.

Yn ystod y dryswch achoswyd gan y plant roedd Ding wedi codi i symud ei focs poteli i le saff o dan gadar. Doedd ei din ond prin 'di gadael y sêt pan welodd Anthracs ei gyfla i feddiannu'r gadar ac ista arni fel lòrd.

"Sym' cyn i fi symud chdi'r twat!" gwaeddodd Ding.

"Fedra i'm symud, Ding, onest... " protestiodd Anthracs, ond cyn 'ddo orffan y frawddag roedd Ding wedi'i lusgo fo ar ei draed gerfydd ei freichia. Roedd Anthracs wedi trio gwrthsefyll, ac wedi rhoi ymdrech glodwiw ar wneud ei hun yn drwm. Ond yn anffodus roedd mwy o bwysa yn y gadair blastig ei hun nag oedd yn Anthracs. Wedi'i gael o ar ei draed gollyngodd Ding o, a'i adael i sefyll. Ond doedd Anthracs ddim yn gallu sefyll. Dechreuodd ddisgyn am yn ôl tuag at y barbeciw, ond daliodd Ding o mewn pryd. Ond ar yr eiliad honno rhedodd y gang o blant efo gynna dŵr yn eu hola fel stampîd drwy bob dim a hitio Anthracs drosodd ac ar ei ochr i mewn i'r barbeciw nes bod tsiarcol poeth a porc tsiops dros bob man.

"*Aaaaaaaa!*" sgrechiodd Anthracs wrth i dameidia o tsiarcol poeth losgi ei frest noeth a sinjio'i flewiach mewn cymylau o nwyon drewllyd. "Help! Dwi ar dân! *Aaaaaa!*"

"Ti ddim ar dân, y cont gwirion!" medda Ding.

"*Aaaaaaaa!* Ffacinel ffacinel ffacinel…" Roedd Anthracs yn hel tsiarcol oddi ar ei frest â'i freichia'n mynd fel dyn mewn pwll o pirhanas.

"Tyd â hwnna i mi!" medda Ding gan gipio un o'r gynna dŵr mawr pwerus o ddwylo un o'r plant. Pwmpiodd o i fyny a thanio fel terfysgwr tuag at Anthracs. Sgrechiodd hwnnw wrth i jets cry o ddŵr oer ei hitio. Daliodd Ding arni'n ddidrugaredd, yn saethu a pwmpio am yn ail wrth i Anthracs rowlio o gwmpas fel pry genwair mewn calch.

"'Yn ffwcin Chinese Porc Tsiops i, y basdad! " gwaeddodd Ding rhwng chwerthiadau sadistig. "Fuas i'n Somerfield yn nôl hinna'n sbesial, y cont!"

Rhuthrodd Anthracs ar ei draed a'i gluo hi am y tŷ, yn sgrechian am drugaradd wrth i Ding ei ddilyn gan wagio'r gwn dŵr drosto.

"Dim yn y ffwcin tŷ!" gwaeddodd Sian ar eu hola pan gafodd gyfla rhwng yr holl chwerthin. Daeth Ding yn ôl efo gwên ddieflig ar ei wynab ac aeth i dendio'r tsiops. Ond roedd o'n rhy hwyr. Roedd Dirty Sanchez 'di bod yno o'i flaen. A Wali a Dalglish.

"Ffwcio'r ffwcin barbi!" medda Ding. "Lle ma'r ffwcin gasgan 'ma, Cled?"

= 36 =

Mae 'na ddywediad, sy fwy na thebyg yn chwedl wedi ei seilio ar gnewyllyn o wirionedd, fod rhaid aros ac aros am fysus a pan ma' nhw'n cyrraedd ma' nhw'n cyrraedd i gyd efo'i gilydd. Ond y broblam fwya efo bysus, meddyliodd Tintin, oedd y bobol oedd yn teithio arnyn nhw. Yn enwedig y bobol hynny ddylia ddim mynd ar fysus am nad ydi bysus wedi cael eu cynllunio efo nhw mewn golwg. Bobol fel y ffatan Susnag mewn top a legins pinc oedd yn blocio stepan drws y bws Clipa fach, yn ffraeo efo'r dreifar. Roedd hi'n cega ers dau neu dri munud ac roedd pobol yn mynd yn anniddig wrth sefyll ar y pafin tu ôl iddi. Doedd y gwres llethol ddim yn helpu, na'r ffaith nad oedd posib osgoi golygfa erchyll rhych ei thin hi'n dod fwy a mwy i'r golwg wrth iddi fynd drwy'i phetha.

Roedd Tintin wedi mynd lawr i Port ar y bws wyth, wedi mynd heibio'i fêt i drefnu alibi am y noson gynt – jesd rhag ofn – ac wedi bod am beint yn rhai o'r pybs i wneud yn siŵr ei fod o'n cael ei weld gan gymaint o bobol â phosib. Roedd o 'di bod yn aros am fws ten-tw-tŵ yn ôl i Graig ers chwartar awr. Roedd y bws yn hwyr, wrth gwrs, a roedd yr haul yn taro a'r cwrw'n tynnu'i frêns o i lawr am ei stumog. Roedd o'n edrych mlaen at gael ista lawr a gorffwys ei goesa. Cwta dair awr o gwsg gafodd o'r noson gynt ar ôl cael *chase* o Walter Towers gan y cops. Roedd o angan siesta bach. A rŵan fod y bws wedi landio roedd 'na fuwch fawr binc yn ei atal o rhag mynd arni.

"Ai don't gif e fflai-ing ffyc. Iôr not cyming bac on mai bys!" gwichiodd Wili Wich y dreifar o ddiogelwch ei sêt tu ôl y cowntar talu. "Ffaiting on ddy bys mîns e ban... "

"*I bet you haven't banned them others, you fooking Welsh racist twat! And I bet you've had my shopping too…* "

"*C'mon Ambie luv, we'll get the next bus…* " dechreuodd ei gŵr oedd yn sefyll rhyngddi hi a Wili Wich.

"*Shut the fook oop, Charlie, this is out of order. I want this fooking bus and I ain't movin till Mickey Mouse here lets me on it… !*"

"Ffat tsians of ddat," gwichiodd Wili.

Ar ôl ei ffeit efo Delyth Dyn a Gayle Pêl ar bws deg y bora hwnnw roedd Amber, a Charlie ei gŵr, wedi dympio hynny oedd ar ôl o'u siopa yn eu tŷ yn Llech Pryderi, ochr arall Graig o Dre, ac wedi dal y bws nesa lawr i Port. Eu bwriad oedd mynd i'r cop shop i neud cwyn am ymosodiad hiliol, gwrth-Seisnig. Roedd Amber am fynd at y papurau a'r *whole hog* er mwyn dangos i'r byd sut fath o sgym oedd y '*fookin sheep-shagging bastards*'. Ond ar ôl cyrraedd Port penderfynodd Amber ei bod angan jin a tonic i setlo'i nerfa. A hitha wedi colli ei photal jin yn ystod y ffeit ar y bws.

Yn y pyb roedd Amber a Charlie wedi cwrdd â Saeson eraill a roeddan nhw wedi cael *group whinge* wrth ladd ar y Cymry a'r '*fooking nashies*' lleol. Roedd y jin a tonic wedi troi'n ddwblar, ac wedyn yn bedwar treblar o leia, a roedd Amber wedi dechra rantio y byddai'n sortio'r Cymry allan drwy ffonio'i brawd – '*the biggest gangster in Burnley*' – i ddod draw i dorri coesa'r cwbwl '*fookin lot of 'em*'! Erbyn diwadd roedd hi wedi argyhoeddi ei hun bod ganddi frawd go iawn, a'i *fod* o'n gangstar peryglus, ac wedi anghofio'n llwyr am fynd i le'r cops i neud datganiad. Cyn hir roedd y ffish a chips gafodd hi ar ôl cyrraedd Port, a'r chwech pacad crisps a dau pepperami gafodd hi ers hynny, yn crawcian am gwmpeini yn y dyfnderoedd tywyll, ac roedd hi wedi penderfynu dal bws deg munud i ddau am adra i gwcio *banquet* iddi hi'i hun.

"*My brother's a fooking gangster in Burnley,*" sgrechiodd y sguthan ar Wili Wich.

"Wot gang us ddat dden, ddy Ninja Tyrtyls or wat?"

Roedd hi'n stelmêt. Ac roedd Tintin 'di cael digon. Roedd hi'n amsar i rywun neud rwbath neu yma bysan nhw. Aeth i'w bocad i nôl y botal fach o ddŵr oedd o newydd ei phrynu o ffrij y siop eis crîm wrth ymyl y bys stop. Agorodd hi. Tolltodd ei hannar hi i lawr rhych tin y forfilas.

Pan sgrechiodd Amber caeodd Wili Wich ei lygid i ddisgwyl y slap. Pan agorodd nhw wedyn roedd Amber wedi bacio'i thin mawr gwlyb i ffwrdd o'r bws ac yn sgrechian ar y pafin.

"WHO THE FOOKIN HELL DONE THAT?!"

"Him over there," medda Tintin gan bwyntio dros ei ysgwydd am tu ôl iddo'n gyffredinol a chamu heibio'r dew-beth i ris cynta grisia'r bws.

Doedd Tintin heb sylwi bod Keith Bîff newydd ymuno â'r ciw yn y bys stop pan ruthrodd Amber i gefn y ciw. Ond mi welodd o'r sgyffyl pan edrychodd o drwy'r ffenast wrth i'r bws adael. Wnaeth o'm sbio'n hir. Trodd i ffwrdd a suddo chydig yn ei sêt. Roedd petha 'di mynd braidd yn flêr.

≈ *37* ≈

Dim ond saith o bobol oedd Cled wedi eu gwadd i'r fflat i yfad y gasgan, ac roeddan nhw wedi llwyddo i adael yr ardd yn Bryn Derwydd ar hyd llwybr cefn y tai heb i ormod o bobol sylwi. Ond erbyn diwadd y pnawn, ar ôl rhai oriau o yfad Stella fel tasa 'na'm fory, roedd Cled, Bic a Sban, Drwgi, Ding, Gai Ows ac Anthracs wedi llwyddo i droi'r fflat yn nesa peth i grownd zero.

Wrth ddownsio fel nytars oedd yn sownd i'r nenfwd efo lastigs i CD y Skatalites, roeddan nhw wedi bod yn colli cwrw dros bob man – dros y llawr, dros y walia a drostyn nhw'u hunain. Roedd y carpad yn socian o gwrw a mi oedd 'na shirwd o wydrau mân wedi malu drosto i gyd. Damwain oedd achos hynny. Roedd Drwgi wedi bod yn ista ar fraich yr hen gadar esmwyth oedd Cled wedi'i ffendio mewn sgip, tan i Ding godi oddi ar y gadar ac achosi iddi droi drosodd a gyrru Drwgi ar ei ben drwy'r silffoedd gwydr tew oedd Cled wedi'u cael gan nain Sian pan oedd hi'n lluchio petha allan rywbryd.

Roedd hi wedi troi pump o'r gloch bellach ac roedd Cled wedi ffendio tâp y Cynghorwyr a'i sdicio fo mlaen. Roedd Drwgi, Bic ac Anthracs yn morio canu "Mae rywun 'di dwyn berfa o Benygroes, oes, oes, a dwy botal o lefrith o'r drws," tra oedd Gai Ows, yn ddistaw fel arfar, yn ista ar y soffa'n sginio fyny efo'r scync oedd Drwgi wedi'i achub o wal Cled y noson gynt.

Roedd Cled, Sbanish a Ding drwodd yn y gegin yn ymosod ar y gasgan gwrw efo caib a mwrthwl lwmp. Roeddan nhw wedi yfad y rhan fwya o'i chynnwys ar ôl rhoi ffitings Ding yn sownd iddi – cyplar iawn efo peipan yn dod iddo i'r botal gas a pheipan gwrw yn mynd ohono i'r tap. Ond tri chwartar ffordd drwy'r gasgan roedd y gas wedi gorffan a doedd 'na'm digon o bwysedd yn y gasgan i yrru ei chynnwys hoffyffonig i fyny i'r tap. Yr unig ffordd rownd hynny oedd tynnu'r falf allan o dop y gasgan a thollti'r ffycar i mewn i'w gwydrau.

Dydi tynnu falf top casgan gwrw ddim yn beth call i'w wneud heb y twls a'r gofal iawn achos, hyd yn oed efo casgan wag, mae pwysadd yr aer tu mewn iddi'n gallu achosi i'r falf, a'r beipan *stainless steel*, chwythu allan fel miseil ac achosi niwed difrifol. Mae tynnu'r falf yn joban trici a pheryglus i grefftwr sobor, heb sôn am ynfytyns efo caib a mwrthwl lwmp ar ôl yfad deg peint o Stella yr un, smocio llwyth o scync, a llyncu pils ecstasi fel 'sa nhw'n smartis. Ond os nad oedd Mwhamad yn dod at y mynydd, roedd y mynydd yn gorfod mynd at Mwhamad. A'r gair am y pnawn, felly, oedd *improvisation*.

Doeddan nhw ddim yn cael llawar o lwc, chwaith. Prin

oeddan nhw'n gallu sefyll ar eu traed, heb sôn am ddal a hitio'r gaib yn y lle iawn i droi top y falf. A'r mwya oeddan nhw'n methu, y mwya oeddan nhw'n mynd i chwerthin – a'r mwya oeddan nhw'n chwerthin, y lleia oedd eu gobaith o allu hitio unrhyw beth o gwbl, heb sôn am agor y ffwcin falf. Pan ddechreuodd Ding fethu'r gaib yn gyfangwbl efo pob swing o'r mwrthwl, roedd petha wedi chwalu i'n gigyls afreolus.

Sbanish oedd yn comandîrio. "Hitia'r ffwcin thing, Ding!" medda fo pan gafodd o siawns rhwng chwerthin.

"Dwi'n trio," medda Ding, a'i wynab yn biws. "Cled sy'n symud y ffwcin gaib..."

"Nadw ffwcin 'im! Chdi sy'm yn gall, y cont gwirion!" medda Cled, yn trio cael rhywfaint o reolaeth ar ei hun.

"Cym di'r mwrthwl. Ddalia i'r gaib," medda Ding a trio gosod y gaib fel bod cornel ei thrwyn fflat yn bachu yn y taper ar y spring-ring ar dop y falf.

"Ti'n barod, Ding?" gofynnodd Cled, a'i fwrthwl yn yr awyr.

"Witsia'm bach... Go on ta. Hitia."

Cododd Cled y mwrthwl ac anelu. Tynnodd ei fraich yn ôl i swingio.

"Aros!" gwaeddodd Ding. "Ma'i 'di symud... "

Doedd yr hogia'n mynd i nunlla. Roeddan nhw wrthi fel hyn ers chwartar awr. Doedd 'na'm rhyfadd. Roeddan nhw newydd gymryd pilsan arall a newydd ddechra dod i fyny fflat owt. Roedd eu llygid nhw'n ffyd-dydio fel dwnimbe. Un o arwyddion llyncu ecstasi da ydi'r llygid yn ffyd-dydio – y golwg yn crynu fflat owt, fel llun ar y teledu efo signal cachu ar yr erial. Roedd o'n deimlad braf gan amla, i rywun oedd wedi arfar efo fo beth bynnag. Ond doedd o'm yn beth call i drio agor casgan gwrw efo mwrthwl lwmp a caib tra'r oedd o'n digwydd.

"Ffacin hel, dwi'm yn gweld!" medda Ding, yn piso chwerthin. "Ma'n llygid i'n mynd fyny a lawr...!"

"Ffyd-dydio wyt ti, Ding," medda Sbanish, yn dallt nad oedd Ding wedi gneud ecstasi mor amal â hynny o'r blaen.

"Ffy-be?!" gofynnodd Ding.

"Y ffyd-dyds. Dy lygid di'n cael woblar," medda Sbanish. "Tyd ŵan, dwi jesd â ca'l woblar yn aros am y cwrw 'ma."

Daliodd Ding y gaib yn erbyn y spring-ring eto.

"Barod?" gofynnodd Cled.

"Hang on... Ma'i 'di slipio eto... witsia!" Aeth Ding i lawr ar ei benna glinia i gael golwg gwell ar le oedd o'n rhoi'r gaib. Canolbwyntiodd, winciodd, craffodd. Rhegodd, chwerthodd, craffodd eto. "OK. Fire away!"

Wac! Daeth y mwrthwl i lawr ar drwyn tena'r gaib efo digon o rym i neud y job. Llwyddodd i ddechrau troi'r spring-ring, ond llithrodd i ffwrdd a chario mlaen efo'r momentwm. A gan fod Ding yn ffyd-dydio welodd o mohoni'n dod am ei wynab, a mi hitiodd hi o, reit ar dop ei drwyn.

Glywodd neb mo'r waedd drwodd yn y lownj. Roedd y miwsig a'r 'canu' aflafar yn rhy uchal. Ond fe glywodd gweddill y stryd hi, doedd 'na'm dwywaith am hynny. Bloedd neu beidio, ddaeth 'na'm llawar o gonsýrn o du Cled a Sban. Doeddan nhw heb weld rwbath mor ddigri ers blynyddoedd. Ond mi wnaeth eu chwerthin nhw i Ding deimlo'n well, mwy neu lai yn syth, a dechreuodd ynta chwerthin drwy ei boen.

"Sori am hynna, Ding," medda Cled yn diwadd. "Dal y gaib 'na eto. A gna'n siŵr bod y ffycin peth yn y lle iawn tro yma."

"Fydd o'n iawn rŵan, eniwê," medda Ding. "Ma 'di gweithio. Pasia'r fforcan 'na i mi, a'r mwrthwl. Fedra i fynd ati ŵan."

Roedd y spring-ring wedi troi digon i allu mynd at y slot efo fforcan, ac aeth Ding ati i'w thap-tapio efo'r mwrthwl. Hwn oedd y tamad peryg. Yr adag i neud yn siŵr bod neb yn sefyll uwchben y gasgan. Rhag ofn i'w wynab gael ei blastro dros y sîling.

"Ti isio gollwng y *pressure* allan, Ding?" gofynnodd Cled, yn cofio bod Ding 'di esbonio bod modd gneud hynny drwy wasgu'r *ball bearing* ynghanol y falf i lawr efo rwbath main, hir. Doedd Cled ddim yn hows-prowd, ond doedd o ddim ffansi cael casgan dan bwysa o dros 60psi yn blastio cwrw dros y gegin. Byddai'n gymint o bechod wastio'r cynnwys mewn ffordd mor anghyfrifol.

"Na, ffyc!" medda Ding wrth dapio'r ringsan rownd. 'Jesd cadwch yn glir. Ma'n well i fi golli 'mysidd nag i chi golli'ch gwyneba... "

Daeth y ring i ffwrdd a dyma'r falf yn dechra troi. Daeth blast o gwrw dan bwysa allan rownd cyrion y falf, a fel oedd Ding yn gweiddi "dyciwch" daeth y glec, a ffrwydrodd jet o gwrw allan a gyrru'r falf a'r beipan *stainless steel* i fyny am y sîling. Chwalodd y *strip lighting* yn racs, nes bod llafnau o wydr hannar crwn a powdwr ffosfforws yn tasgu dros bob man, cyn i'r falf ddod nôl i lawr – boinc – reit ar dop pen Ding druan.

"'Na ti ffwcin glec, y cont!" medda Sbanish ar ôl chydig eiliada.

"Ti'n iawn, Ding?" gofynnodd Cled wrth ei glwad o'n griddfan ar ei din ar lawr.

"Well fod 'na gwrw ar ôl yn y gont ar ôl hynna i gyd!" oedd atab Ding. Rhoddodd Cled sgwd i'r gasgan. Roedd galwyn neu ddwy yn dal ar ôl ynddi.

"Reit dda, hogia," medda Ding wrth godi ar ei draed, cyn troi i siarad efo'r wal. *"Mission accomplished."*

"Ding! Ti'n siŵr bod dy ben di'n iawn?" gofynnodd Sbanish.

"Na, ddim rili," medda Ding wrth y wal. "Ond ma'r ffydi-ffydy-ffyffs wedi mynd..."

≈ 38 ≈

Un o nodweddion ardal Graig oedd y ffaith bod gymaint o lynnoedd gwyllt yn llechu yn y mynyddoedd o'i chwmpas. Roeddan nhw fel cyfrinachau hyfryd, rhyw lefydd cysegredig mewn mannau cyfrin lle mai dim ond llygid y rhai oedd yn chwilio amdanyn nhw oedd yn gallu eu gweld. Ond mi oedd 'na un neu ddau lyn, hefyd, oedd yn bosib dreifio car reit at eu glannau. Un o'r rheiny oedd Llyn Bwbach.

Llyn rhyfadd oedd Bwbach. Roedd o'n rhyfeddol o fach, 'mond tua hannar seis cae ffwtbol, ond yn ddyfn ofnadwy. Roedd o'n gorwadd mewn mynydd agorad, ddim yn bell o'r ffordd fawr rhwng Graig a Caer Gwydion, ac yn lle hwylus i dadau fynd â'u plant efo'u genweiri cynta i ddysgu castio allan, neu i rywun fynd i ddysgu chwipio'r bluan.

Roedd Walter Sidney Finch yn ista'n sêt dreifar ei ffôr-bai-ffôr Turbo Diesel yn syllu ar wynab y llyn. Roedd o'n llonydd fel llefrith. Doedd 'na'm awel a doedd 'na'm naid. Deud y gwir, roedd rywun yn lwcus i weld naid yn Llyn Bwbach o gwbwl. Bron na fydda rhywun yn taeru nad oedd pysgod ynddo fo. Ond mi oedd 'na – a rheiny'n rhai mawr.

Roedd Finch wedi bod draw am ginio yn y Bala i drafod cynllun prynu hen blasdy ar y cyd efo cwpwl o ddynion busnas o'r Amwythig er mwyn ei droi'n fflatiau moethus. Ar y ffordd yn ôl roedd o wedi stopio i gael munud i feddwl efo sigâr fawr dew. Roedd o angan cnoi cil ar y cynlluniau diweddara, ond roedd o'n methu canolbwyntio'n iawn am fod lladrad ei bysgod yn dal i gnoi yng nghefn ei feddwl. A'r mwya oedd o'n meddwl am y peth, y mwya oedd o'n corddi. Roedd o'n mynd drwy restr o syspects yn ei ben, ac yn meddwl ei bod yn biti na fysa hi'n bosib hel *posse* at ei gilydd, fel mewn Westerns, a mynd allan a dal pob un o'r ffycars a curo cyfaddefiad allan o'u crwynau diwerth.

Torrwyd ar draws ei ffantaseiddio gan fan Transit las

dywyll yn troi i mewn i'r lle parcio wrth y llyn, cyn stopio'n sydyn a troi rownd a gadael. Rhywun ddim yn licio rhannu'r llonyddwch ma'n rhaid, meddyliodd Finch. Yna cofiodd be ddudodd Lawrence Croft. Fan Transit lliw tywyll oedd fan y potsiars. Pam oedd y fan wedi stopio a throi rownd? Oedd y dreifar wedi ei adnabod ac wedi cael traed oer? Daeth ias drosto. Cyflymodd ei galon. Tybad... ?

Eisteddodd yn llonydd am chydig eiliadau yn ystyriad mynd ar ôl y fan i drio cael ei rhif. Jesd rhag ofn. Neu oedd o'n bod yn wirion? Doedd o heb weld gwynab y dreifar ond ... Roedd 'na rwbath am y fan. Roedd o'n siŵr ei bod hi'n lleol. "Wel, ffyc mî!" medda Finch wrth ei hun. Taniodd y ffôr-bai-ffôr.

≈ 39 ≈

Roedd hi'n tynnu am hannar awr wedi chwech pan ddisgynnodd yr hogia i mewn i'r Trowt. Roedd y lle'n bŵming. Roedd hi'n edrych fel 'sa'r pentra i gyd ar y piss. Doedd hynny ddim yn syndod. Roedd hi'n ddiwrnod giro i rai, yn dywydd yfad i bawb, ac roedd 'na gwrw am ddim yn y Trowt.

Roedd Tiwlip a Tabitha'n fflio o gwmpas fel dau gacwn mewn pot jam tu ôl y bar, yn trio'u gora i fodloni'r goedwig o freichia a gwydra gwag oedd o'u blaena. Roedd Tiwlip yn chwysu, a golwg hollol stresd arno fo, ac roedd Tabitha'n edrych fel ei bod ar fin cael brêcdown arall.

Erbyn cyrraedd y bar roedd Cled wedi cyfarch gymaint o bobol nes bod ei ben o'n troi. Doedd hynny ddim yn syndod ar ôl yfad dwy alwyn o Stella. Roedd y gasgan wedi'i gwagio a phawb wedi cael siâr gweddol gyfartal. Heblaw Bic ac Anthracs, oedd wedi llyncu mwy o bils na phawb arall ac yn neidio i fyny ag i lawr fwy nag oeddan nhw'n yfad.

Ar ôl i bils Cled orffan roeddan nhw wedi comandîrio

rhai Anthracs. Roedd Cled newydd lyncu un cyn dod o'r fflat a roedd o'n dod i fyny'n gryf. Roedd 'na *rushes* pwerus yn sgubo drwy'i gorff a roedd o'n methu stopio ei hun rhag siglo i bob cyfeiriad. Roedd ei draed o'n sownd i'r llawr ond roedd gweddill ei gorff fel blodyn yn y gwynt. Roedd ganddo ddŵr poeth mwya uffernol ac angan chwydfa fach sydyn, a roedd ei lygaid yn ffyd-dydio fel na ffyd-dydiodd 'run pâr o lygid erioed.

Aeth y *rushes* yn waeth. Roedd o'n cyfogi, a'r dŵr 'na sy'n arwydd bod y chŵd ar y ffordd yn dechra hel yn ei geg. Ond doedd o ddim isio colli ei le yn y goedwig wrth y bar. Ystyriodd Cled. Peint ta mynd i chwydu? Chwydu ta peint? Doedd o'm yn mynd i allu handlo codi rownd, roedd hynny'n saff. Bosib fysa Sbanish, Drwgi a Ding ddim yn gallu yfad eu cwrw beth bynnag. Roeddan nhw wedi dropio tab o asid yr un rhyw dri chwartar awr yn ôl a roeddan nhw wedi hen ddechra dod fyny. Bu bron i Cled gymryd un hefyd ond roedd o wedi cael paranoias am y Dyn Sdici eto ac wedi penderfynu fod o ddim isio bod yn tripio petai rwbath drwg yn digwydd. Er, hei lwc, roedd petha'n edrych yn go lew ar y funud. Dim byd drwg wedi digwydd hyd yn hyn. Falla mai *delayed reaction* oedd y freuddwyd y tro yma. Falla mai ei ragrybuddio o'r sîn yn lle Seamus, a chael ei arestio a ballu, oedd y Dyn Sdici, ond am nad oedd Cled wedi cysgu y noson cynt doedd o heb allu dod drwodd mewn pryd.

Peint! Tasa fo ond yn cael peint rŵan a mynd allan i'r ardd, fysa fo'n iawn wedyn. Pan fysa'r chŵd yn dod, 'mond matar o agor ei geg ag anelu i le saff fysa hi. Edrychodd ar Tiwlip a Tabitha. Doeddan nhw heb ei weld, a doedd 'na'm golwg eu bod am ei weld o am chydig chwaith. A prin oedd Cled yn eu gweld nhwtha. Roedd o fel petai o'n sbio arnyn nhw drwy adenydd pry.

"Iawn, Cled?" gwaeddodd Dilwyn Lldi dros y bar o'r lownj.

Triodd Cled weld pwy oedd yno. Ond roedd yr interffîrans ar ei olwg a'r ffaith fod o'n methu codi'i ben i sbio'n syth o'i flaen yn gneud hynny bron yn amhosib. "Pwy sy 'na?"

Chwerthodd Dilwyn Lldi. "Y fi, Dilwyn Chdi!"

'Dilwyn fi?' meddyliodd Cledwyn, tan iddo gofio fod Dilwyn Lldi, boi lleol yn ei ugeiniau, wedi cael ei lysenw am fod o'n deud 'll' yn lle 'ch'. A'i fod o hefyd yn deud 'ch' yn lle 'll'.

"Dil! Ti'n iawn, mêt?"

"Yndw, Cled. A llditha?"

"Na. Dwi'n ffycd ar y funuuud… " Trodd geiriau Cled yn nonsans annealladwy wrth iddo drio rheoli'r *rushes* a'r awydd i chwydu.

"Iawn, Cled?" gwaeddodd Dyl Thyd, mêt Dilwyn Lldi, wedyn.

"Iawn, meyyy…" Doedd Cled methu gweld pwy ffwc oedd yno nac yn gallu siarad erbyn hyn. Llonydd oedd o isio. Ond roedd 'na lais arall yn dod o rwla hefyd, yn mynd 'Cledwyn! Cledwyn!' fel ffycin cwcw. Triodd Cled ei anwybyddu.

"Cledwyn! Cledwyn!" medda'r gwcw wedyn. Caeodd Cled un lygad a sbio – i'r cyfeiriad anghywir – a gweld Bibo Bach yn syllu arno fo o gornal y bar,

"Iaauawn Bibo Bach."

"Ffac off y cont!" Roedd Bibo mewn hwylia da.

Cronnodd mwy o ddŵr cyfog yng ngheg Cledwyn. Roedd ar fin rhoi fyny'r ymdrech i gael peint cyn chwydu pan sylwodd fod rhywun yn wêfio'n ffrantic arno o ochr y lownj i'r bar. Craffodd. Wedi ei wejio rhwng y bar a Dafydd Bwmerang ac Arwel Chicken Tonight oedd Sian. Ei Sian o, Sian Wyn, yn wên o glust i glust fel tylwythen yn y goedwig! "Haauuia bêbi! Ffwcinel, dwi'n ffwcin ffwcd… "

"Dwi'n gwbod. Dwi 'di bod yn gweiddi arnach chdi ers mitin."

"Edri di ga'l peint i fi, blodyn? Dwi angan chwdiad bach sỳd. Ryshis."

Ar hynny teimlodd Cled rwbath tamp ag oer yn rhwbio mewn i'w glust dde. Trodd i sbio a siglodd am yn ôl wrth weld pâr o lygid trist a difywyd trowtyn yn sbio arna fo. Jac Bach y Gwalch oedd yno, efo un o'r pysgod oedd Cled wedi eu gadael ar ôl yn gynharach yn y pnawn. Y pysgod gafodd o gan Sooty yn y Stag yn Dolgella. "Mae dy bysgod di genna i, *ha-haaargh!*" medda'r Gwalch.

"Feylly dwi'n gweweld," medda Cled, yn dal i gael traffarth siarad. "O'n i'n meddwl 'na Bic oedd yn llyfwu 'nghlustia fi... mae o'n debyg i Bic 'fyd... "

"Lle ma'n ffwcin maco i 'ta, Cled? Ah? Lle mae o? Ti 'di anghofio'n do!" medda'r sgodyn, reit yng ngwynab Cled, wrth i Jac wneud job sâl o fod yn fentrilocwist.

"Shit, sooyyri Jac... "

"Twat!" medda Jac, a rhoi slap i Cled ar draws ei wynab efo'r brithyllyn. "Dwi'n cadw'r pysgod 'ma fel fforfeit!"

"Ffwcin gei di'r ffwcin things, Jac. A sdicia nhw fyny dy din..."

Ond roedd y Gwalch wedi mynd am y toilets. Trodd Cledwyn yn ôl at Sian. Roedd hi'n dal i aros i gael ei syrfio. Ffwcio hyn, meddyliodd Cled a penderfynu mynd allan i gael gwarad o'r chŵd. A dyna pryd welodd Tiwlip o.

"*Cled!*" medda fo. "*Cled, you cheekey moonkey! I've got a bone to pick with yow!*"

"*Well give us a pint while you're picking it, then,*" medda Cled. Roedd o'n dechra dod at ei hun mwya sydyn, er bod ei lygid yn dal yn ffycd. Dechreuodd Tiwlip dollti peint iddo fo, gan ennyn dyrti lwcs gan y genod ifanc oedd yn aros o'i flaen.

"*What did you translate that sign to?*" gofynnodd Tiwlip. "*The sign outside the pub, the blackboard... *"

Roedd Cled wedi stopio gwrando. Roedd o'n sbio i weld oedd Sian isio peint. Ond roedd Tabitha wrthi'n ei syrfio hi. Aeth Tiwlip yn ei flaen wrth roi peint Cled ar y bar o'i flaen.

"There's been some confusion. It's not 'free beer all night', it's 'first two drinks free'. And there's no naked dancers neither, you bugger...!"

"Damn shame ... But the beer's free?" medda Cled, yn dal ddim callach be oedd Tiwlip yn fwydro amdano.

"Yes, that one is. And the next one. Then after that it's all half price until nine o clock, then that's it. I've had to improvise now, see... "

Gafaelodd Cled yn ei beint a chychwyn am yr ardd. Roedd yr awydd i chwydu yn ôl yn gryf. Daeth i gwfwr Sian ar ei ffordd o'r lownj, yn cario trê yn llawn o beintia. Rhoddodd o i lawr ar y bwrdd agosa a rhoi hyg mawr i Cled. Gwasgodd Cled hi'n ôl, a'i beint yn ei law yn diferu dros ei chefn. Cusanodd hi tu ôl ei chlustia, wedyn ar ei boch, yna'i gwefusau. "Ti'n iawn gorjys bach?" medda Cled. "Lle ma Caio a Rhys?"

"Yn yr ardd yn rhedag o gwmpas fel nytars. Yfoch chi'r baral i gyd?"

"Y cwbwl lot, blodyn."

"Aru chi'm chwythu pen neb i ffwrdd 'lly?"

"Do, del. Ni gyd. Ma'n penna ni i gyd yn racs."

"Ma dy lygid di'n rowlio yn dy ben di," medda Sian.

"Dwi'n gwbod, dwi'n ffyd-dydio fel ffwc, ac yn ryshio. Rhaid i fi fynd i chwydu, sdi. Lle ma'r plant?"

"Ti newydd ofyn hynna!" medda Sian gan ysgwyd ei phen a rhoi gwên twt-twt.

"Tyd ta," medda Cled, a throi a brasgamu drwy'r drws cefn i'r ardd. Yr eiliad y camodd i'r awyr iach agorodd ei geg a saethodd ffrwd o Stella sarrug drwy'r awyr a sblatro i'r llawr o'i flaen. Daliodd i gerddad. Roedd o'n gweld y criw i gyd ar y byrdda drwy'r ffyd-dyds a'r dagrau cyfog. Rhoddodd un jetsan arall o Stella stêl, y tro yma efo sŵn fel mul yn dod, ac erbyn iddo gyrraedd y criw roedd o'n teimlo'n llawar iawn gwell.

≈ 40 ≈

Roedd Sid Finch wedi methu dal i fyny efo'r fan Transit yn gynharach yn y dydd. Un ai ei bod hi wedi troi i ffwrdd o'r ffordd fawr neu ei bod hi'n gyrru fel diawl. Wrth feddwl am y peth roedd Finch yn sicr mai hon oedd y fan. Roedd o wedi bod i weld Lawrence Croft ac wedi holi os mai glas tywyll oedd y fan. Roedd hwnnw wedi deud ei bod yn dywyll, ond nad oedd hi'n ddu, er na allai fod yn gwbl siŵr. Roedd Finch wedi ffonio PC Pennylove wedyn i ddeud ei fod wedi gweld fan Transit dywyll yn lleol. Ond doedd hynny'n fawr o help i Pennylove gan fod synnwyr cyffredin yn deud fod y potsiars yn lleol. Roedd Sid Finch, fodd bynnag, yn dechra ffansïo'i hun fel dipyn o dditectif a roedd ganddo *hunch* y bydda fo'n gweld y fan eto petai o'n dreifio digon o gwmpas yr ardal.

Ar ôl archebu mwy o bysgod i Tyddyn Tatws Trout, penderfynodd Sid Finch fynd am sbin arall yn ei ffôr-bai-ffôr. Gwisgodd ei het Awstralaidd fflopi efo corcyns ar gortyns yn hongian o'i chantal ar ei ben, ei sbectols haul California Highway Patrol ar ei drwyn, a neidio i mewn i'w fashîn. Rhoddodd ei hoff CD cyntri and westyrn, *Send Out the Rangers* gan Duke McWancar, neu beth bynnag, yn y stereo ac i ffwrdd â 'Sgweiar' Finch, y posse-un-dyn, am Dre.

Wrth basio drwy Graig roedd o'n canu'n braf efo'r CD, *"fourteen kids, three cows and a dawg, and Pappy in a jail in Reno… oh oh oh send out the rangers, oh send out the boys… "* pan rowliodd pêl ffwtbol ar draws y ffordd tu allan i'r Brithyll Brown. Breciodd a slofi i stop. Roedd giang o blant ar y pafin tu allan i ddrws y dafarn, rhai ohonyn nhw ar feics.

Wrth sbio draw sylwodd fod gardd y Trowt yn llawn. Wrth fusnesu pwy oedd yno cafodd gip o ddrws cefn fan las dywyll yn y maes parcio rownd yr ochor. Baciodd yn ei ôl chydig i gael golwg gwell. Fan Transit las.

Parciodd ar y pafin tu allan i'r dafarn lle'r oedd y plant yn ei watsiad efo llygid dryw. Sbiodd arnyn nhw – bron i ugian ohonyn nhw, i gyd rhwng tua saith a deuddag oed. Winciodd ar yr agosa. Syllodd hwnnw'n ôl heb unrhyw ymateb. Caeodd Finch ffenast drydan drws y dreifar, yna'r ffenast yn y to. Diffoddodd yr injan ac aeth y miwsig i ffwrdd.

Tynnodd sigâr allan ac aeth i boced ei shorts i nôl ei leitar. Doedd o ddim yn y boced honno, nac yn y llall chwaith. Edrychodd ar y dash ac ar y llawr. *Damn it!* Roedd o wedi'i adael o yn y swyddfa. Taniodd y ffôr-bai-ffôr eto i gael tân o leitar y car. Daeth cytgan wefreiddiol Duke McTosar neu beth bynnag yn ôl i lenwi'r awyr efo'i *'send in the rangers… '*

Edrychodd Finch ar y plant eto. Roeddan nhw'n dal i'w wylio. "Ffycin hel," medda fo dan ei wynt. "*Children of the damned*, myn ffwc." Eisteddodd yno am tua hannar munud yn aros i'r leitar boethi. Meddyliodd am ei strategaeth – codi nymbyr y fan, neu fynd i mewn i'r pyb a cogio bach ei fod isio i berchennog y fan ei symud hi am ryw reswm, neu ffonio PC Pennylove? Aeth y miwsig yn ei flaen, *'we were all so hungry, we hadda eat sto–o–o–o–nes… '* Edrychodd Finch ar y plant eto. Roeddan nhw'n dal i sefyll yno'n gwylio.

Neidiodd Sid Finch pan bopiodd y leitar allan a thorri ar draws ei feddyliau. Taniodd ei sigâr a diffodd yr injan. Peidiodd y miwsig eto. Agorodd Finch y drws a camu allan i'r pafin. Gwasgodd fotwm y teclyn cloi a bi-bibiodd y ffôr-bai-ffôr a fflachio'i oleuadau oren. Safodd Finch fel Wyatt Earp, ond ei fod mewn shorts bermiwda amryliw, crys hawaiian a het fflopi efo corcyns ar gortyns.

"*G'day*," medda un o'r plant, boi bach tua deg i ddeuddag oed efo gwallt coch a llygid glas, glas.

"Su' mae," medda Finch. "A hogyn pwy wyt ti 'ta?"

"Bic Flanagan. Pam?"

"Dow! Ia 'fyd? O'n i'n rysgol efo dy yncl di, felly. Dei, brawd mawr dy dad. So be di dy enw di?"

"Paid â deud wrtha fo, Sweep! Pyrfyrt 'di o!" medda un o'r plant erill.

Chwerthodd Sid Finch. "Sweep, fysa chdi'n gallu deud wrtha i pwy bia'r fan fawr las 'na rownd y gornal?"

"Be ma'n werth?" gofynnodd hogyn arall o ganol y criw.

"Ia. A pwy ti eniwê?" medda un arall, pryd tywyll, tua'r un oed â'r lleill.

Adnabodd Finch nhw fel hogia Sbanish a Cledwyn. Roedd o wedi'u gweld nhw sawl tro yn nhafarn y Ring efo'u tadau. "'Da chi'n gwbod pwy ydw i, ta?" gofynnodd.

Bu tawelwch am eiliad. "Chdi 'di'r boi 'na sgin lot o ffish," medda Caio Llywelyn Bagîtha.

"Ia," medda hogyn arall eto. "Boi Tyddyn Tits wyt ti. Ma Dad yn deud bod chdi'n bric."

Newidiodd gwep Finch. Y basdad bach digwilydd, meddyliodd. "A pwy 'di dy dad, 'sgwn i?"

"Paid deud 'tha fo," medda Sbish, mab Sbanish.

"Wna i ddim siŵr. Geith o ffyc ôl allan o Drwgi Bach."

Chwerthodd Finch drwy'i ddannadd a gwenu'n slei. "Ydach chi'n gwbod pwy bia'r fan ta be?"

"Rhyw Sais," medda Sweep Flanagan.

"Sais? Be ti'n feddwl? Twrist?"

"Naci. Sais. Mae o'n byw 'ma'n rwla dwi'n meddwl."

"'Da chi'n siŵr?"

"Yndan!" medda côr o blant efo'i gilydd yn unfrydol.

"Aru ni weld o'n parcio fan'na," medda Sbish.

Cerddodd Finch rownd am y maes parcio. "Ro i ffwcin 'pric' i'r contyn Drwgi Ragarug 'na," medda fo dan ei wynt. Nesaodd am y fan a thynnu papur a beiro o'i bocad i gymryd y nymbyr. Edrychodd yn sydyn i mewn i'r cefn. Hen fatras, a rwbal adeiladu mewn bagia plastig cryfion, clir. Roedd bagiau eraill yno 'fyd. Rhai duon. Dechreuodd ei galon gyflymu. Falla mai'r pysgod oedd ynddyn nhw!

Aeth rownd y fan ac edrych i mewn drwy ffenestri'r ffrynt. Doedd 'na'm byd yno ond fflasg de a phâr o welintyns. Trodd Finch yn ôl am y dafarn, ac wrth neud clywodd larwm ei ffôr-bai-ffôr yn sgrechian. Rhedodd rownd y gornal i olwg y cerbyd. Doedd 'na'm sôn am 'run o'r plant. Roedd o fel 'sa'r ddaear wedi eu llyncu nhw. Gwasgodd Finch y botwm ar y teclyn cloi a stopiodd y larwm ganu. Cerddodd rownd ei preid-and-joi i weld oedd rwbath 'di malu. Roedd pob dim i'w weld yn iawn – y plant wedi trio agor drws ma'n siŵr, meddyliodd.

Blipiodd Finch ei ffôr-bai-ffôr yn agorad a neidio i mewn. Caeodd y drws a throi'r ignisiyn (a Duke McTwat) ymlaen am chydig eiliadau er mwyn agor y ffenast drydan i gael awyr iach. Roedd o angan ffonio PC Pennylove. Byseddodd ei ffôn a'i rhoi at ei glust. Doedd 'na'm atab. Penderfynodd ffonio'r stesion.

"Helô, Wynne...? *Oh, sorry. I'm trying to get hold of PC Pennylove...* " medda Finch wrth wylio tacsi'n tynnu fyny wrth ochr ei ffôr-bai-ffôr. "*Off duty? Oh I see. Right. Is there anybody there working on the Tyddyn Tatws case?... Tyddyn Tatws... No, not the tattoo shop. Tyddyn Tatws Caravan Park? By Abereryri? Tyddyn Tatws Trout... On the left after the bridge... no, there's no castle...!*" Blydi hel, roedd angan mynadd efo'r plismyn o ffwrdd 'ma! "*There was a robbery there last night and I've got some information for PC Pennylove or whoever may be work... What's that? Well can you take a message?... Yes, no problem... Me? I'm the owner, Finch, Sidney Finch... yes I'll hang on...* "

Gwyliodd Finch ffigwr tal efo gwallt brown blêr yn dod allan o'r tacsi reit wrth ei ochor. Tintin myn diawl! Tybad oedd o'n gwbod rwbath? Roedd o'n potsio, neu felly oeddan nhw'n deud...

Cerddodd Tintin rownd ffrynt y ffôr-bai-ffôr. Gwelodd Sid Finch yn ista tu mewn a slapiodd y bonat wrth basio. "Iawn, Sidney? Noson neis i sgota nos!" medda fo a neidio'r ddwy stepan tu allan y Trowt a diflannu i mewn drwy'r drws.

"Watsia'r ffwcin *paintwork* y cont!" gwaeddodd Finch ar ei ôl.

Ffycyrs, meddyliodd Finch. Roedd stori'r lladrad yn dew rownd y lle erbyn rŵan, ma'n siŵr. Pob cont yn chwerthin am ei ben o. Yn enwedig potsiars fel Tintin… *One up* ar y 'sgweiar' a ryw hysterics felly, meddyliodd. *Sad twats!* Cenfigen, dim byd arall, meddyliodd. Neu… a oedd Tintin yn… ? Hold-a-ffwcin-bôt! Oedd Tintin ei hun yn un o'r lladron, tybad? Dim ei steil o, chwaith, dwyn o danc stocio. Ond potsiar oedd potsiar wedi'r cwbwl. A be oedd o'n neud yn mynd i'r un pyb â rhywun efo fan debyg i fan y lladron pysgod? Roedd hyn yn ormod o gyd-ddigwyddiad i Finch, Sidney Finch, *Private Investigator*…

Daeth llais dros y ffôn i dorri ar draws ei feddyliau. Atebodd. "*Finch speaking…* yndw, dwi'n siarad Cymraeg, yndw… " Cymro. Dyna welliant. "… Ia, fi 'di'r *victim of the crime*, ia… Dwi tu allan y Trowt yn Graig, ynde, a dwi'n meddwl bod 'na rwbath ffishi'n mynd ymlaen… "

= 41 =

Roedd y criw yn yr ardd yn y Trowt 'di rhoi dau fwrdd picnic ben wrth ben i wneud un bwrdd hir. Wedi ploncio'u peintia i lawr eisteddodd Cled a Sian wrth ochor ei gilydd wrth ymyl Drwgi a Bic, a Carys. Roeddan nhw'n gwynebu Sbanish, Ding a Gai Ows, Fflur a Jenny Fach, a Sadie – pen chwilan leol – oedd â'i babi pedwar mis, Iolo, mewn *pushchair* wrth ei hymyl. Sychodd Cled y dagra cyfog o'i lygid, a'r slemps o'i geg.

"Glywis di am Keith Bîff, Cled?" gofynnodd Gai Ows.

"Naddo. Be?"

"'Di ca'l ei arestio'n Port."

"Pam?"

"Dwim'bo. Dei Maniana oedd yn deud yn y bar cynt. Oedd o 'di pasio yn y car pan oedd cops yn mynd â fo ffwrdd."

"Gas di'm rownd, y cont?" medda Sbanish wrth Cled ar draws bob dim.

"Fi gath gwrw iddo fo, so cau dy ffwcin ceg a cer i nôl peth dy hun," medda Sian, yn amddiffyn ei dyn.

Trodd Sbanish at Carys. "Hei, Car! Cer i nôl cwrw i fi."

"Ffyc off y twat!"

"Mae Sian 'di nôl un i Cled!"

"Mae Sian 'di nôl un i fi 'fyd. Ac i Fflur a Jen. So twll dy din di mêt!"

Chwerthodd pawb. Ddim jesd ar be ddudodd Carys, ond hefyd ar yr olwg ar wynab Sbanish. Roedd o newydd ddechra tripio fflat owt ond heb ffendio 'lefal' i setlo arni eto, a tra oedd ei feddwl ar ganol morffio i realaeth newydd doedd o'm yn siŵr sut i gymryd sylwadau fel yr un dwytha. Yn enwedig pan oedd pawb yn chwerthin. Cododd ar ei draed a hysbysu'r byd ei fod yn mynd i'r bar.

"Tyd â peint i fi 'fyd," medda Drwgi.

"A fi fyd," medda Gai Ows.

"Ffycinel!"

"Ty'laen y cont!" gwaeddodd Bic.

"Iawn, iawn, ddo i â ffycin rownd! Cadwch eich tatws dan y pridd y ffycars!" medda Sbanish wedyn a bownsio am ddrws cefn y bar fel pêl tennis efo twll ynddi.

"Sban!" gwaeddodd Bic ar ei ôl.

"Be?"

"Paid bo'n hir."

"Bic," medda Sban yn ôl.

"Be?"

"Ffac off!"

Ar ôl ei chwdiad roedd Cled yn teimlo'n lot gwell.

Roedd y ryshis wedi stopio ac roedd o bellach off ei ben yn gyfforddus braf. Fydda hi'm yn hir cyn bydda fo'n downsio ar ben byrdda...

Edrychodd ar y merchaid o'i gwmpas. Roeddan nhw i gyd yn secsi. Carys Sbanish. Roedd hi'n edrych yn dda heno efo'i hesgyrn bochau uchal a llwyth o fêc-yp llygid du. A'i gwallt tywyll syth yn cusanu'i gwddw a'i sgwydda noeth. A Fflur Drwgi. Ei llygid duon a'r lliw afal coch-tywyll yn ei gwallt yn denu ei lygid tuag ati bob munud. Ond bod *cleavage* 38DD Jenny Fach uwchben ei chrys cwta yn ei ddenu hyd yn oed fwy. Ffwcinel, roedd o'n licio tits, meddyliodd. A ffwcinel roedd o'n horni ar y pils 'ma! Trodd i sbio ar Sian. Roedd hi'n stynning heb unrhyw fêc-yp. Ac yn secsi yn ei thop bach a sgert gwta. Roedd o'n mynd i rafisho hi heno, meddyliodd. Siawns cynta gâi o. Gwenodd yn braf. Merchaid Cymraeg. Ffycin gorjys...

"Lle aeth Anthracs?" medda Bic. "Sgenno fo fwy o bils?"

"Oes," medda Gai.

"Lle mae o 'ta?"

"Wedi pwdu a mynd."

"Pwdu?"

"Ia. Fel'na mae o, ynde, Bic. Ond mae'i bils o gan Drwgi."

Roedd Anthracs a Drwgi wedi bod yn dadlau faint o beintia oedd yn y gasgan gwrw yn fflat Cled gynt. Roedd un yn deud wyth deg wyth a'r llall yn deud cant ac ugian. Roedd y ddadl 'di rhygnu mlaen am dros awr, ac wedi troi'n chwerw. Yn diwadd bu rhaid i Bic a Cled ddod rhwng y ddau, neu bysan nhw 'di colbio'i gilydd.

"So be 'nath o, mynd off mewn hyff?" gofynnodd Cled.

"Na, jysd diflannu. Ti'n gwbo fel mae o, fel Will o' the Wisp," medda Gai.

"Mae o'n ca'l ei abdyctio gan aliens yn amal, sdi," medda Cled.

"Ffyc, dim ca'l ei abdyctio mae o, siŵr," medda Drwgi. "Fo sy'n trio mynd *nôl* at yr aliens, a'r aliens yn gwrthod 'i gymryd o. Alien *ydi o* siŵr!"

"Pwy sy'n ffwcin alien?" medda Bic ar draws bob peth.

"Tony Blair," medda Cled. Y peth cynta ddaeth i'w ben. Oedd yn sgêri.

"Tony Blair? Twat 'di Tony Blair, dim alien!"

"Ia, twat o owtyr sbês," medda Gai Ows, jesd i ddrysu petha fwy.

"'Di Tony Blair ddim yn dod o owtyr sbês," dechreuodd Ding, oedd newydd hitio *full-on Tripville* ar yr asid. "Ma'n dod o... " Stopiodd Ding i feddwl...

"Wel?" gofynnodd Bic. "Lle ma'n ffwcin dod o ta?"

"O'r lle 'na..."

"Pa le?" medda Drwgi wedyn.

"Ti'n gwbod... y ffwcin lle 'na, yn y ffilm... "

"Ffwcin hel, Ding, ti'n siŵr bod y glec 'na ar dy ben heb neud permanent damej?" medda Bic, ei lygid fel soseri a'i geg yn twistio i bob siâp.

"Dim y GBH o'r gasgan nath y damej, yr LSD o'r trip ... " atebodd Ding.

"Ond pa ffilm oedd Tony Blair yn'i hi, Ding?" gofynnodd Drwgi, yn gwenu fel giât. "Ti am ddeud 'tha ni, ta be? Cos ma'n bwysig bod ni'n gwbod y petha 'ma, sdi."

"Yr un efo dorks a hobbits, a petha hyllach fyth... " medda Ding.

"Lord of the Rings?"

"Shot, Drwgi! Middle Earth! O fa'na mae Tony Blair yn dod!"

"Pam 'Middle Earth', Ding?" gofynnodd Cled.

"Achos fo *ydi'r* Dark Lord Sauron."

Aeth y bwrdd yn ddistaw am eiliad, heblaw am y pen arall iddo lle'r oedd y merchaid yn cynnal pump sgwrs ar unwaith tra'n cŵian ar Iolo'r babi, oedd newydd ddeffro.

"Y Dark Lord Sauron ydi Tony Blair?" gofynnodd Drwgi, a'i lygid yn serennu uwchben y plastars oedd erbyn hyn yn hongian oddi ar ei drwyn.

"Ia," cadarnhaodd Ding, i eiliad arall o ddistawrwydd.

"Ffwcinel," medda Bic. "Ydi MI5 yn gwbod?"

Craciodd pawb i fyny, a chafwyd arwyddion pendant nad oedd Drwgi'n bell o gael ymosodiad o'i gigyls enwog. Cliciodd Cled fod hwn yn amsar da i chwarae efo'i ben o a'i gracio fo i fyny. Roedd o wrth ei fodd yn gneud hynny i Drwgi. Dim jesd fod gigyls Drwgi'n hilêriys ac yn heintus, ond hefyd am fod ganddo set o ddannadd fel cerrig beddi a pan oedd o'n chwerthin roedd o'n debyg i Godzilla. "So, Drwgi," medda Cled, "ti'n meddwl bod Anthracs yn alien?"

Dechreuodd sgwyddau Drwgi fynd fyny ac i lawr wrth drio rheoli pwl o chwerthin. "Dim meddwl, Cled. Gwbod. Ffyc, sbia arna fo tro nesa!"

"Be ti'n feddwl?"

"Be, heblaw bod o'n debyg i lisard, felly?" Roedd Drwgi wedi clicio bod Cled yn trio'i chwalu o. Ond roedd Cled yn cael digon o drafferth cadw gwynab syth ei hun erbyn hyn,

"A be sy'n neud i ti feddwl fod aliens yn fadfallod?"

"Achos bod nhw. Ma pawb yn gwbod hynny, siŵr!" Roedd gwynab Drwgi'n gneud pob math o stumia wrth drio peidio cracio.

"OK, heblaw fod o'n debyg i fadfall – a mae o, ti'n iawn – ar wahân i hynny 'de, be sy'n gneud i chdi feddwl, sori, gwbod, bod Anthracs yn alien?"

"Wel, ti 'di weld o'n cysgu erioed?"

"Naddo, ond mae hynna i neud efo'r holl sbîd mae o'n rawio lawr ei gorn cwac, dim oherwydd 'i fod o'n alien."

"So! Mae 'na ormod o *coincidences*..."

"Be? Bod o'n debyg i fadfall a byth yn cysgu?"

"Mae 'na betha erill… "

"Fel be?"

"Fedra i'm cofio rŵan." Roedd Drwgi bron â cracio.

"So, be sy'n neud i ti feddwl bod aliens ddim yn cysgu 'ta?"

"'Dyn nhw ddim angan cwsg, nadyn?"

"Pam?"

"*Intergalactic space-hoppers* 'dyn nhw, siŵr! *Time-travellers. Shape-shifters … dimension tarts…*"

"*Dimension* be?" Roedd Cled bron â cracio rŵan.

"*Tarts…*"

"*Dimension tarts*?! Honna'n un newydd! Be, slags ta tartan afals?"

"Yli," medda Drwgi, yn gorfod stopio bob hyn a hyn lle bod ei eiriau'n chwalu'n chwerthin. "Ma aliens yn mynd a dod fel lician nhw drwy *worm-holes* a *stargates* a petha … Ti'm yn gallu gneud petha fel'na os ti angan cwsg 'sdi. Pan mae'r wyrm-hôl yn agor ti'n goro mynd y munud hwnnw, dwyt. 'Di wyrm-hôls ddim yn gallu hongian o gwmpas, t'bo. Ti'm yn gallu troi rownd a deud, '*iooaaaaww*, dwi 'di blino braidd, o's 'na jans o neud hyn wsos nesa, dwi'n mynd am nap'! Trystia fi, dwi'n gwbod y petha 'ma."

Rhoddodd Drwgi ei beint i'w geg i'w helpu i beidio chwerthin – roedd o'n benderfynol o beidio gadael i Cled ennill. Roedd Cled, fodd bynnag, yr un mor benderfynol o lwyddo.

"Ond mae mam a tad Anthracs yn byw yn Gellilydan, Drwgi."

Honna oedd hi. Chwalodd Drwgi. Disintigrêtiodd. A ffrwydrodd llond ceg o'i gwrw dros y bwrdd a dros pawb oedd yn ymyl. Disgynnodd y plastars oddi ar ei drwyn ac ildiodd i'r gigyls. Roedd o awê. Ond chwalodd Cled hefyd, a cyn hir roedd y lleill yn ymuno fesul un. Roedd gwynab Drwgi'n biws a dagra'n powlio lawr ei focha. Cododd ar ei draed, yn trio deud rwbath fel 'ti'm yn gall y cont', a baglu ei ffordd am y bar, wedi'i cholli hi'n llwyr.

"Aliens," medda Ding wrth godi. "Dwi'n mynd i weld lle mae Sbanish efo'r cwrw. Gneud yn siŵr 'i fod o dal efo ni..."

Cododd Gai Ows a mynd ar ôl Drwgi a Ding i jecio Sbanish. "Stad sy ar y tri yna, gawn ni'm cwrw heddiw."

Dau funud wedyn cododd Bic i fynd i biso a gadael Cled yn chwerthin ar ei ben ei hun. Ond doedd stumog Cled heb orffan clirio allan. Roedd o'n dechra cyfogi eto. Doedd ganddo neb i sgwrsio efo, i gadw'i feddwl i ffwrdd o'r cyfog. Roedd y merchaid i gyd yn cael cymanfa siarad yn ei ymyl, pump o'nyn nhw'n cynnal pump sgwrs yr un, ar yr un pryd. Sŵn dau ddeg pump o genod oedd Cled yn glywad, ac yn y stad oedd o ynddo ar y funud roedd hynny fel *white noise torture*. Rhoddodd ei ben ar ei freichiau ar y bwrdd fel bod ei geg yn union uwchben y bwlch rhwng ei goesau islaw, yn barod at pan ddeuai'r chwdiad.

A dyna pryd y dewisodd Sadie ddechrau ei fwydro. "Ti 'di gweld prifio mae babi tlws fi, Cled?"

Wnaeth Cled ddim atab. Roedd o'n rhy brysur yn paratoi am y chwdiad. Roedd y dŵr yn ei geg o eto. Doedd hi ond yn fatar o eiliada.

"Ma'n hogyn mawr, dydi? Sbia Iolo Bach! Dy yncl Cledi-weds yn fancw? Dydi o'n edrach yn sili-bili-wili! Off ei ben, yndydi-wydi-wwws?"

Ffycin hel, sbîa adra'r gont wirion, meddyliodd Cled! Doedd ganddo ddim mynadd efo Sadie pan oedd o'n sobor, heb sôn am pan oedd o'n clinging on ffor dîar leiff. Roedd Cled mewn *standby mode*. Ond roedd Sadie'n amlwg mewn môd mwydro. A roedd Sadie rhyw bilsan neu gant yn brin o jar o Prozac. "Ti'n meddwl bo fi'n fam sâl, Cled?"

"Hyh... !??!" Y mwya oedd Sadie'n siarad, y sala oedd Cled

yn teimlo. Roedd o'n trio'i orau i'w hanwybyddu, ond roedd hi'n gorffan pob brawddag efo cwestiwn, ac os nad oedd Cled yn atab roedd hi'n cymryd hynny fel yr atab anghywir ac yn troi'n paranoid ac ymosodol.

"Mae bobol yn deud dylsa fi roi jab MMR i Iolo ond dwi'n poeni am yr holl *side effect thing*. Ti'n meddwl bo fi'n sdiwpid? ... Paid â deud bo fi'n sdiwpid, Cled, achos dwi ddim yn ffycin sdiwpid, reit!"

Ffyc mî pinc, cer i roi cningan yn sosban rywun, y ffycin cracpot, meddyliodd Cled. Ti'n gneud 'yn ffycin mhen i fewn, y sgitso!

"O, Iolo Bach, dwi ddim yn meddwl fod yncl Cledi-wedi yn gallu clwad mami-wami'n iawn. Tyd, awn ni draw i ista wrth ei ochor o, ia... ?"

"Na... !" Cafodd Cled nerth o rwla i godi ei ben. Ac ar yr union eiliad honno penderfynodd ei stumog bwmpio cyflenwad helaeth o lager sur i fyny'i beipan fwyd ac allan yn un ffrwd nerthol ar draws y bwrdd. "BLOAAARGH!!"

Mewn un go, llwyddodd Cled i hitio tri o'r 'top ten' o Bethau i Beidio Chwydu Arnynt. Plentyn, ei fam, a'i pheint. Sblatrodd ei chŵd fel dŵr o hôspeip i mewn i beint Sadie, dros Sadie ei hun, a dros Iolo Bach.

Panic? Debyg bod hynny'n air chydig bach yn gamarweiniol. Woblar? Gorymateb? Krakatoa? Wel...

Roedd Sadie mewn sioc i ddechra ac am hannar eiliad roedd hi'n ddistaw. Ond o fewn eiliad roedd hi wedi hitio *freakout mode*. "A- A- A - A - A - A - A - A - A - A - H!" hir a dychrynllyd gafwyd gynta. Wedyn "O mai god! O mai god! O mai god..!" a "*Babywipes! Babywipes!* B - A - B - Y - W - I - P - E – S!"

Sgrialodd y genod fel un i nôl y weips o'r *pushchair* tra oedd Sadie'n torri pob record am sgrechian.

"Ffyc, sori!" medda Cled. "Ddoth o jesd allan! Sori! Tisio fi nôl dŵr poeth?... Peint?"

"Ffwcia hi o'ma am funud, Cled!" chwyrnodd Jenny Fach.

"Oes 'na jans i fachu un o'r weips 'na cyn mynd, ta?" gofynnodd Cled. "Jesd i sychu 'ngheg?"

Wnaeth o'm aros i gael yr atab.

= 42 =

Roedd Sid Finch yn dal i ista'n ei ffôr-bai-ffôr tu allan y Trowt. Roedd o newydd orffan siarad efo'r plisman Cymraeg ar y ffôn ac roedd o chydig bach yn siomedig efo'r ymateb gafodd o i'r wybodaeth roddodd o iddo fo. "Fedran ni ddim mynd allan a thynnu pob Transit Van i mewn jesd am ei bod hi'n lliw tywyll 'chi!" Er, roedd ganddo ddiddordeb mawr pan ddudodd Finch wrtho fod y Brithyll Brown yn llawn dop. "Wnawn ni gadw golwg ar fan'na heno," medda fo. Gwenodd Finch wrth ddychmygu'r lle'n cael ei rêdio ar ganol lock-in. Syrfio pawb yn iawn am chwerthin ar ei ben o. Ond biti na fysa'r cops yn dod rŵan i jecio'r fan drosodd! Tynnodd Finch ar ei sigâr. Roedd o wedi cael enw a rhif y plisman wrthododd ddod draw. Câi air efo Brian – Inspector Williams – yn y Lodge wsos nesa, meddyliodd.

Wrth i Finch gynllunio ei gam nesa daeth dieithryn allan o'r Trowt. Roedd golwg gwaith arno fo, ei ddillad a'i wallt blêr yn llwch i gyd, ond doedd o'm i'w weld yn foi lleol o gwbwl. Gwyliodd Finch o'n cerddad rownd talcan y pyb i'r lle parcio. 'Tybad?' meddyliodd Finch. Neidiodd allan a dilyn y dyn. Cynhyrfodd Finch wrth weld y boi'n agor drws dreifar y fan. Heb feddwl am be oedd o'n mynd i neud na deud, brasgamodd Finch ar ei ôl. "*'Scuse me mate!*" gwaeddodd.

Roedd y dieithryn yn ista yn sêt y dreifar erbyn hyn, ond heb gau'r drws. Edrychodd yn hurt ar y boi tew mewn het cyrcs-ar-gyrts yn wadlo'i gwfwr mewn shorts bermiwda a crys o Hawaii, fel Crocodile Dundee mewn bad trip. "*Can I help you, mate?*" gofynnodd.

"*Yes, I don't mean to pry, but is this your van?*" medda Finch yn ei Susnag crandia.

"*Yeah,*" medda'r boi, yn ddryslyd a difynadd. Edrychodd fyny a lawr ar Finch. "*Why? Who are you, Miami Vice?*"

"*I'm Sidney Finch of Tyddyn Tatws Trout…* " Arhosodd Finch i weld ei ymateb. Ond wnaeth y boi ddim byd ond sbio'n hurt arno fo. Aeth Finch yn ei flaen. "*Where are you from, then?*"

"*Shropshire,*" atebodd y boi, efo rhybudd yn ei lais.

"*Oh, right! Nice place. So you down here on holiday?*"

"*Sorry, I'm in a rush!*" medda'r boi yn siort, a cau drws y fan. Cnociodd Finch y ffenast. Agorodd y boi hi.

"*I'm sorry,*" medda Finch. "*But were you down here last night? A van like this was seen at my place last night…* "

"*So… ?*" Roedd y boi'n mynd yn pisd off.

"*Nothing… probably… I don't know, I mean…* " Roedd Finch yn blabio.

"*Listen, mate,*" medda'r Sais. "*I'm from Shropshire. I just got down here this morning. I've got a bit of property in the area. You really are barking up the wrong tree, mate.*"

"*Oh right, OK,*" medda Finch. Newidiodd ei diwn. Roedd y dyn yn ddyn busnas fel fo. "*So sorry about the misunderstanding. You see, I was by Llyn Bwbach earlier on today, and you turned in…* "

"*Where?!*" medda'r Sais yn sur.

"*The small lake by the road…*"

"*Awh, yeah mate. The pond. What do ya call it?*"

"*Llyn Bwbach.*"

"*Whatever.*"

"*I thought you turned round because you saw me parked…*"

"*Aah! You were in the 4x4 jeep? Well I did, cos I was gonna dump all this shite there!*" medda'r Sais dan bwyntio at gefn y fan efo'i fawd.

"*Fly-tipping? That's illegal...* " Stopiodd Finch ei hun. Roedd o'n dechra swnio fel plismon eto.

"*Only if you're caught!*" medda'r Sais, a dreifio i ffwrdd.

⹀ *43* ⹀

Roedd Cled wedi ffendio Sbanish yn siarad efo sosej yn y bar. Duw a ŵyr sosej pwy oedd o, nag o lle y daeth o, ond roedd Sbanish wedi'i ffendio fo, ac wedi'i weld o'n debyg i ryw bypet oedd ar y teledu ers talwm nad oedd neb arall erioed wedi clywad amdano. A rŵan roedd o 'di dechra siarad efo fo. Roedd Drwgi yno hefyd, yn chwerthin nes bod ei wynab o'n fflamgoch.

"Be ti'n neud, Sbanish?" medda Cled.

"Siarad 'fo Cornelius."

"Pwy?"

"Cornelius. Deud helô, Cornelius. *Helô Cledwyn, ti'n edrych yn dda.*" Doedd Sbanish ddim yn dda am neud impresiyns.

"Be 'di Cornelius, *gay German sausage*? Lle mae Ding?"

"A'th o allan. Methu handlo'r lle," medda Sbanish, yn ei lais ei hun, ond yn dal i ddal y sosej yn yr awyr.

"Dwi'm yn synnu. Clec ar dop ei drwyn efo caib, lwmp ar dop ei ben gan falf casgan gwrw, a tab o asid. Dim cweit yr iwsiwal *day at the office...* "

Ar hynny daeth Tintin drwodd o'r lownj efo peint yn diferu dros bob man. "Iawn 'ogia. Sut mae'n mynd?"

"Iawn, Tint," medda Cled. "Drïas i ffonio chdi neithiwr..."

"Do, y cont! Welis i dy *missed call* di."

"Lle o'ch di, yn dy wely?"

"Ffwcin hel, naci'r cont! Yn ffwcin… cadwch eich lleisia'n dawal, cos ma'r cont jysd tu allan yn fan'na… o'n i'n lle Sid Finch… "

"Ha!" medda Drwgi. "O'n i'n gwbod! Welis i chi."

"Eh? Sut?" medda Tintin.

"Guthoch chi *chase* gan cops 'yndo, drwy Graig?"

"Sut ti'n gwbod hynna?"

"Stori hir, Tint… "

"Eniwê, pan aru chdi ffonio ni, Cled, oeddan ni'n cuddio o'th rhyw foi'n mynd â'i gi am dro. Rhyw Sais o'r carafáns. Ac aru'r ffwcin ffôn ddechra canu dros bob man – ma hi'n *real tone* 'sdi – a wel, a'th petha braidd yn flêr."

"O ffyc! Shit, sori Tint… "

"Duw, ma'n iawn. Dwi'n meddwl byddan ni'n OK. Gathon nhw'm nymbyr y fan. A doedd hi'm yn rejistyrd yn yr enw iawn eniwê. Ac oedd hi wedi'i gwerthu, wel, sort of… "

"Be ti'n feddwl?" gofynnodd Cled. Dim ond y fo a Drwgi oedd yn gwrando erbyn hyn; roedd Sbanish wedi mynd i ofyn i griw o ferchaid oedd yn bwyta têcawê os mai nhw oedd bia Cornelius.

"Fuodd y fan ar werth ar ebay. Fuodd 'na foi o Shropshire draw i'w gweld hi ganol wsos. A'th Wmffra – fan Wmffra oedd hi – i Bala i gwrdd â fo. Eniwê, roedd yr ocsiwn ar ebay'n gorffan ddoe, a'r boi o Shropshire gafodd hi. Trefnodd Wmffra i'r boi ddod i Bala eto bora 'ma, i'w nôl hi. Eidîal 'de. Y fan allan o'r ffordd yn Shropshire, wedi cael ei gwerthu gan 'foi o Bala'! Yr hogia in ddy cliar."

"So be ffwc ma hi'n da tu allan y Trowt, 'ta?" gofynnodd Cled.

"Ia, wel, gwranda ar hon ta. Ffycin troi allan, de, bod y ffwcin boi wedi prynu Tŷ Cipar, Llyn Caergwyds, a'i fod o'n byw yn Shropshire yn ystod yr wythnos ac yn dod i fyny ar wicends i neud y lle i fyny!"

"Ffyc! No wê!"

"Ia'r cont! So ma'r ffwcin fan yn dal rownd y lle 'ma!"

"Ond 'dyn nhw heb ga'l y nymbyr, ddudasd di?"

"Na, dwi'm yn meddwl, achos oedd Wmffra 'di lluchio sbectols y boi welodd ni... "

"Ffwcin hel! Oedd hi'n *close quarters* felly?"

"*Close quarters*? Bron i Wmffra'i foddi fo!"

"Ffwcin hel... " medda Cled.

Dechreuodd Drwgi bwffian chwerthin.

"Ac aru ni ladd 'i gi fo... " ychwanegodd Tintin. Chwalodd Drwgi i *Godzilla mode*. "Ond damwain oedd hynny... " medda Tintin wedyn. "A ffwcin Iorci bach oedd o eniwê. Ci rhech."

"Ddylsa chi fod yn iawn. Oedd y fan ddim yn rejistyrd i Wmffra eniwê, ddudasd di?"

"Na. Oedd hi'n dal yn rejistyrd i foi o Ellesmere Port!"

"Wel, 'na fo ta."

"Ia, ond ma Wmffra'n poeni neith y cops stopio Sais Tŷ Cipar... "

"Ond neith hwnnw ddeud 'na boi o Bala werthodd hi..."

"Ia, ond be os 'di'r Sais yn gweld Wmffra o gwmpàs y lle 'ma a'i nabod o?"

"Neith o ddim. Hyd'noed os bysa fo, fysa hi'n ddigon hawdd cau ei geg o. Ma genna fo dŷ'n ganol nunlla fyny fan'na a dio'm isio i rwbath ddigwydd iddo fo, nacdi?"

"Na, ti'n iawn, Cled."

"A 'mond yn y nos oedd Wmffra'n iwsio'r fan eniwê, ia?"

"Ia."

"Ac roedd hi genna fo ers faint? Tair wsos? Cops heb ga'l tsians i'w weld o'n ei dreifio hi, 'sdi."

"Ti'n iawn, Cled," medda Tintin, yn sbriwsio fyny i gyd. "Ac oedd hi'n dywyll. 'Dyn nhw'm hyd yn oed yn gwbod ei lliw hi'n iawn. Ffyc it, pam ffwc dwi'n poeni, dwad?" Chwerthodd Tintin. "So be oeddat tisio pan ffonisd di fi?"

"Ffycin stori hir arall, Tint," medda Cled, a bownsio i ffwrdd am y bar.

≈ *44* ≈

Doedd Ding heb wneud asid ers blynyddoedd. Roedd o yn ei bedwardegau bellach ac roedd o wedi gwrando ar ei ben yn deud 'dim mwy' tua deng mlynadd yn ôl. Roedd o wedi ildio i ganol oed, magu bol, prynu slipars, a setlo ar fywyd tadol o DVDs, sbliffs a hôm brŵ. Y tro dwytha iddo wneud LSD oedd yn Glastonbury pan gafodd o'i dramplo gan fand o ddrymwyr batala pan oedd o'n gorwadd ar ganol y ffordd yn trio cofio be oedd y syniad gwych oedd o wedi'i gael ddau funud ynghynt pan ddisgynnodd ar ei gefn yn yr union 'run lle. Ac erbyn i'r band, a'i ddilynwyr, gerddad drosto roedd o wedi anghofio be oedd o fod i drio cofio.

Hwnnw oedd yr asid cryfa iddo rioed ei gymryd. Ac am fod cymaint o amsar wedi pasio ers ei drip dwytha roedd y tab gafodd o gan Cledwyn yn gynharach wedi ei hitio fo mewn ffordd debyg. Roedd o'n cerddad am ddrws ffrynt y Trowt, oedd fel ceg twnnal yn y pellter, a'r bobol o'i gwmpas yn toddi i mewn i'w gilydd ac yn agor fel Môr Coch i wneud llwybr i'w adael o drwodd.

Cyrhaeddodd Ding y drws ac allan â fo i'r haul coch fin nos. Stopiodd ar sdepan y drws ac edrych. Waw! Roedd hi'n neis tu allan! Roedd o fel camu o ogof dywyll i fyd lliwgar, coch, melyn, glas a gwyrdd a piws! Roedd o'n brofiad mor braf roedd rhaid ei brofi eto, a camodd am yn ôl drwy'r drws i'r pasej, ac ymlaen eto am allan. "*Waw!*" medda fo. "*Wa-ha-ha-ha-aw!*"

Ar ôl gneud hyn tua deg o weithia sylwodd Ding ar y ffôr-bai-ffôr du wedi parcio ar y pafin. "*Wo-hooo!*" medda fo, wedi ecseitio, a neidio lawr y steps i'r stryd. "*Ffw-iii!*" medda fo wedyn wrth redag ei ddwylo dros y drws a'r wing, wedyn y bonat, a sefyll o flaen y mashîn a'i lygid fel peli golff. Roedd o i gyd yn sgleinio fel newydd, a'r haul isel yn bownsio oddi arno a troi'r lampa, a'r gril, a'r trim crôm, a'r olwynion aloi yn sêr a deimonds. *"Ffwwwwwww-cin wwwa-ha-hawww!"*

Wrth gwrs, dim *jeep* ffôr-bai-ffôr oedd Ding yn ei weld, ond Batmobile. A roedd o wedi bod isio sbin yn y Batmobile ers pan oedd o'n ddim o beth. Aeth rownd at ddrws y dreifar. Roedd y ffenast ar agor, a'r goriada yn yr ignisiyn. Heb sylweddoli fod y drws heb ei gloi, triodd godi ei hun, pen gynta, i mewn drwy'r ffenast. Aeth yn sownd hannar ffordd i mewn cyn sylwi ar handlan y drws. Tynnodd arni. Agorodd y drws a fynta'n swingio yn y ffenast, ei fol a'i freichia yn yr awyr un ochor a'i din a'i goesa'r ochor arall. Collodd ei falans ac aeth am ymlaen ac ar i lawr, pen gynta, am y pafin ochr fewn i'r drws. Pan gyrhaeddodd ei ddwylo'r llawr llwyddodd i roi ei bwysa arnyn nhw a thrio tynnu gweddill ei gorff drwy'r ffenast. Wrth wneud, gwasgodd nobyn cloi'r drws a cloiodd y sentral locing bob drws ar y cerbyd. Fflachiodd y goleuadau oren ac aeth y larwm *'blyb-blyb'*.

Roedd Sid Finch yn rhythu ar y boi yn y fan Transit las yn gadael efo'i fys yn yr awyr pan glywodd ei ffôr-bai-ffôr yn blipio. Y ffycin plant 'na, meddyliodd wrth gofio bod y goriadau yn y cerbyd. Rhedodd rownd talcan y dafarn, a'r hyn welodd o oedd boi reit dew yn gneud handstand efo'i goesau drwy ffenast drws dreifar agorad y jîp.

"Hoi, y basdad!" gwaeddodd Finch. Ond roedd y boi'n ei anwybyddu. Er mawr banig i Finch tynnodd y boi ei goesau i lawr a neidio i mewn i'r cerbyd a cau'r drws ar ei ôl. Rhedodd Sid Finch amdano, ond cŵliodd i lawr rywfaint pan welodd nad lleidar oedd yno ond Ding. Doedd o'm yn ffrindia efo Ding ond o leia roedd o'n ei nabod o.

"Tyd ffwcin allan o fa'na, Ding Bob Dim!" gwaeddodd Finch.

"Na 'naf," medda Ding. "Fi welodd o gynta!"

"Tyd allan munud 'ma!"

"Ffac off y cont digwilydd! Cer i nôl un dy hun!"

"Ding! Dydi hyn ddim yn ffyni. Tyd allan o'n ffwcin jîp i'r munud ma!"

Gymrodd Ding ddim sylw. "*To the Batcave!*" medda fo, a gafael yn y goriad yn yr ignisiyn.

Neidiodd Sid Finch am Ding drwy'r ffenast agorad a gafal yn ei grys-t efo un llaw, ac yn y goriad efo'r llall. Ond roedd Ding yn barod amdano fo a daliodd yn dynn yn y goriad. Bu'r ddau'n reslo am chydig eiliada a throdd yr ignisiyn ymlaen yn y strygyl. Gwelodd Ding oleuadau'r dash yn dod ymlaen ac estynnodd am y botwm cau ffenast a gwasgu. Ond roedd Sid Finch yn dal ei afael yn Ding a'r goriada ac roedd ei freichia'n codi'n uwch ac yn uwch wrth i'r ffenast gau.

"Y ffycar! Ffonia i'r cops 'sdi!" gwaeddodd, ond boddwyd ei eiriau ola gan Duke McFfycwit yn gweiddi canu o'r stereo. Gollyngodd Sid Finch ei afael a caeodd y ffenast i'r top. Switsiodd Ding yr ignisiyn i ffwrdd. Roedd y Duke wedi dechra iôdlan ac wedi ei ddychryn, braidd.

Bang, bang, bang! Roedd Finch yn dyrnu'r ffenast fel dyn o'i go. "Ding Bob Dim, dwi'n warnio chdi! Agor y ffycin drws 'ma!" Ond roedd Ding yn rhy brysur yn sbio ar yr holl fotymau a thechnoleg oedd ar hyd y dash, yn trio sysio lle oedd contrôls y bat-jetburner.

"Ding! 'Sgenna i'm amsar i hyn!" gwaeddodd Finch. "Dwi'n ffonio'r cops!" Ond sylweddolodd fod ei ffôn ym mhocad tu fewn drws y cerbyd. "Basdad!" Bangiodd y ffenast eto a chafodd sylw Ding y tro yma. Gwelwodd Finch pan welodd lygid Ding. Roedd o ar blaned hollol wahanol i bawb arall.

"O ffyc! Ding! Be bynnag nei di, paid â tanio'r injan!"

"Pam?"

"Jysd paid, plîs!"

Taniodd Ding yr injan.

"Ding!"

Trodd Ding yr injan i ffwrdd, jesd cyn i'r Duke ddechra canu eto.

"Ma'n gweithio'n iawn, Sid Finch. Be'san ti?"

"Ding! Ffor ffyc's sêcs, tyd allan. Ma'r blydi thing yn werth ffortiwn!"

Tynnodd Ding y goriad allan a gwasgu'r botwm ar y teclyn cloi. 'Blyb–blyb' medda'r car. Rhuthrodd Finch am handlan y drws, ond cyn iddo allu'i agor o, 'blyb–blyb', roedd Ding wedi gwasgu'r botwm eto a roedd y Batmobîl yn ôl dan glo.

"*Not so fast, Joker!*" medda Ding a chwerthin fel ffŵl.

"Gei di 'not so blydi ffast' pan ga i afal yna chdi'r ffycar!" gwaeddodd Finch.

Ond roedd Ding mewn sterics tu mewn. Stopiodd Finch yn ei unfan a sbio mewn syndod llwyr ar yr olwg oedd ar y jolpyn tu mewn i'w jîp. Roedd hyn yn mynd i gymryd amsar ac amynadd, meddyliodd.

Tu mewn y ffôr-bai-ffôr roedd Ding yn pwyso botyma a throi deialau fel gremlin gwallgo. Ond doedd dim byd yn digwydd. Roedd o'n dechra diflasu ar y Batmobîl pan gofiodd am y goriad yn ei law a rhoddodd o'n ôl i mewn yn yr ignisiyn a'i droi. Daeth y stereo ymlaen eto, fel oedd Duke McPuke yn gorffan ei *repertoire*. Ffidlodd Ding efo pob matha o nobs a switshys wedyn, a'r unig beth y gallai Sid Finch ei wneud oedd rhoi ei ben yn ei ddwylo wrth i'r weipars a'r goleuada, a'r ffan a'r golchwr windscrîn, ddod ymlaen bob yn ail. Fel oedd Finch am ddechra gweiddi eto, ailddechreuodd CD Duke McTug, neu be bynnag ffwc oedd ei enw fo, o'r dechrau eto.

Neidiodd Ding pan flastiodd yr '*yeehaa*' cynta o'r stereo. Mwya sydyn roedd yr awyrgylch yn y Batmobîl wedi newid. Roedd 'na fiwsig cowbois yn chwara, ac roedd Ding yn teimlo fel Indian. Roedd rhaid iddo fynd allan. Triodd agor y drws. Methodd. Heb feddwl am godi'r nobyn cloi pwysodd y botwm agor ffenast. Hymiodd honno'n agorad, a cyn i Sid Finch neidio amdano roedd Ding wedi dechra dringo allan drwyddi. Roedd o hannar ffordd drwodd pan afaelodd Sid Finch yn ei sgwydda a'i lusgo fo allan dan weiddi. "Tynn dy ffwcin draed off y *leather seats,* y cotsyn!"

O fewn eiliadau roedd Ding yn cael ei dagu ar fonet y jîp gan Finch, a hwnnw'n bytheirio a rhegi yn ei wynab. "Os ti 'di malu rwbath i mewn yn fan'na, Ding Bob Dim, mi mala i chdi!"

Ond doedd Ding ddim yn sbio ar wynab Finch. Roedd o'n sbio ar y corcyns yn hongian o'i het o. "Sid! Mae gin ti *things* yn hongian o dy het!"

"Fydda i'n dy hongian di o'r ffwcin polyn lamp 'na yn y munud!"

"Bŵbis!" gwaeddodd Ding yn ôl, a dechra chwerthin.

Stopiodd Sid Finch yn ei dracs. "Be 'dast di?" Roedd botyma crys Sid Finch wedi popio, a roedd ei fol a'i dits mawr tew yn y golwg.

"Bŵbis! " gwaeddodd Ding eto, a gafael yn nhits Finch a gwasgu, a chwerthin fel ynfytyn llwyr. Mewn sioc, gollyngodd Finch ei afael a dechreuodd Ding neidio o gwmpas y lle'n chwerthin a gweiddi 'bŵbis' dros bob man. "Bŵbis! *Waha hahahahahahahahaha!* B - Ŵ - B - I - S! *Wahaha!* Bŵbis, bŵbis, bŵbis..!"

Safodd Sid Finch yn gegagorad ar y pafin. Ysgydwodd ei ben mewn anobaith llwyr. Neidiodd i mewn i'w fashîn ac edrych o gwmpas. Doedd y ffŵl heb falu dim byd, o be welai. Taniodd y ffôr-bai-ffôr a rifyrsiodd rownd talcan y dafarn. Edrychodd unwaith eto ar Ding. Roedd o'n dal i weiddi 'bŵbis' ac yn neidio o gwmpas fel Rudolph Nuryev ynghanol y ffordd. Cleciodd y ffôr-bai-ffôr i ffyrst, gwasgodd y pedal i'r llawr a sbiniodd i lawr y rhiw am Tyddyn Tatws.

≈ 45 ≈

Gorffennodd y cwrw hannar pris yn y Brithyll Brown am naw o'r gloch ar y dot. Roedd hi wedi dechra gwagio cyn hynny wrth i'r criw ifanc fynd yn eu blaena i lawr i Port i achosi hafoc. Roedd rhai o'r bobol hŷn wedi hel am adra hefyd, eu llygaid wedi bod yn rhy fawr i'w brêns nhw ac wedi cael un bach yn ormod rhyw awr yn rhy fuan. Ond roedd 'na griw bach go lew ar ôl hefyd, pawb wedi prynu o leia tri pheint neu dair potal yr un cyn i'r cloc hitio naw.

Yng nghhornal bella'r sdafall pŵl roedd Sbanish yn ista'n syllu ar y wal. Roedd o wedi bod yn tripio ers dros ddwyawr bellach ac yn gweld pob mathau o batryma yn y lluniau blodau brown afiach ar y papur wal melyn nicotîn. Roedd Drwgi hefyd yn dal i dripio'n gryf ac yn chwerthin ar bob peth oedd yn symud – oedd yn gneud chwarae pŵl efo Gai Ows chydig bach yn anodd.

Allan yn yr ardd roedd Bic a Cled yn ista'n smocio sbliffs efo'r genod. Roeddan nhw'u dau'n dal i bopio'r pils oedd Anthracs wedi'u gadael efo Drwgi, a'r ddau'n dal i fflio mynd. Roedd Tabitha wedi piciad rownd y byrddau tu allan rhyw awr ynghynt yn gadael canhwyllau tewion arnyn nhw. Roedd hi 'di dallt fod pobol yn smocio dôp yn yr ardd ac roedd rhoi canhwyllau ar y byrdda'n ffordd o'u cadw nhw yn yr ardd i smocio yn hytrach na'u cael nhw i mewn yn y dafarn.

Roedd y genod yn mynd mlaen am y plant – gymaint o hasyl oedd eu cael nhw i fynd i'r ysgol, ac i wrando, ac i beidio smocio, a bod y mamau'n methu ymlacio'n iawn tra'u bod nhw o gwmpas. A'r ffaith fod y tadau'n annog y diawliad bach i fod yn ddrwg.

Roedd Bic a Cled yn cwffio cornal yr hogia. Doedd 'na'm byd yn bod ar ddysgu triciau'r byd i'r plantos. Roedd y byd yn newid yn sydyn ar y diawl ac roedd gofyn bod *on the ball*. Gwyn eu byd y rhai addfwyn, canys hwy a gymerant holl gachu'r ddaear. Roedd rhaid i blant fod yn hyderus o oed cynnar. A ffordd dda o feithrin hyder oedd eu hannog i fynegi eu teimladau a'u creadigedd, deud be oedd ar eu meddyliau a gneud be oeddan nhw'n teimlo fel neud – o fewn rheswm. Dyna'r unig ffordd i'w dysgu nhw i feddwl dros eu hunain, i beidio derbyn celwyddau cymdeithas, ac i herio gosodiadau a rheolau'r Drefn. Rhaid iddyn nhw ddysgu'r egwyddorion pwysig, parch a gonestrwydd, hefyd wrth gwrs. Ond na, doedd rhoi chydig o benrhyddid i blant yn gneud dim drwg.

Roedd y genod am fynd adra beth bynnag, meddan nhw. Mynd â'u peintia a'u poteli efo nhw, dympio'r plant o flaen Playstation, ac ymlacio. Ac ar ôl deg munud o weiddi a ffraeo efo'r plant, i ffwrdd â nhw, y bedair ohonyn nhw – Sian, Carys, Fflur Drwgi a Jenny Fach – efo'u fflyd o ddiafoliaid anystywallt. Dim ond Bic a Cled oedd ar ôl yn yr ardd wedyn. Roeddan nhw'n ista efo sbliffsan yn edmygu'r patryma roedd cŵyr y dair cannwyll ar y bwrdd wedi'i neud. Roedd hi'n hannar awr wedi naw ac wedi twllu.

Daeth Tabitha allan o'r drws cefn fel pry copan ar ôl pry, a'i gwallt anhygoel o hir yn llifo ar ei hôl fel clogyn du. Cododd chydig o wydra o'r bwrdd nesa a dod draw at fwrdd yr hogia. Roedd hi'n amlwg wedi bod yn hitio'r top shelff wrth syrfio tu ôl y bar.

"*Awrite, Cled*?"

"Haia, ym, Tethiby... " Roedd Cled yn hoples efo enwa.

"Tabs," medda hi.

Chwerthodd Bic.

"*Sorry, can't remember your name*?" medda Tabitha wrtho.

"*Me*?" gofynnodd Bic, fel 'sa fo 'di cael ei sbŵcio gan rwbath. "Bic, ia."

"*Well Bickya, you gonna pass me that spliff before I die gagging*?"

Eisteddodd i lawr rhwng y ddau ffrind ar sêt y bwrdd

picnic, efo'i chefn at y bwrdd ei hun, yn gwynebu Bic ac yn siarad dros ei hysgwydd dde efo Cled. Pasiodd Bic y joint iddi. Tynnodd yn galad arni a dal y mwg i mewn am rai eiliadau cyn ei ollwng allan yn ara bach.

"*Mmmmm, it's nice to have something to suck! Huh-huh-huh!*" Roedd hi'n chwerthin fel Beavis o Beavis and Butthead. "*First bloodey break I've had all night,*" medda hi.

"*Tiwlip behind the bar?*" gofynnodd Cled.

"*Phillip? God no!*" medda hi'n syrffedig. "*He's gone off with Mister Blah-dee-bloodey-blah somewhere. 'Urgent business' or summat. Probley sneaked down to the Gorse for a sly pint!*"

Cododd ei choesau dros y sêt a throi i ista'r un ffordd â'r hogia. Tra oedd hi'n sbinio rownd ar ei phen-ôl efo'i phenaglinia a'i sodla yn yr awyr, dychmygodd Bic sut bydda hi'n edrych efo'i choesau yn yr awyr wrth gael ei ffwcio. Be bynnag ddigwyddodd i'w lwcs hi, roedd 'na siâp da arni mewn jîns tyn gola, chwara teg. Wedi gwasgu i mewn rhwng yr hogia a setlo'n gwynebu'r bwrdd yn gyfforddus, croesodd ei choesau'n dwt i gyd. Crwydrodd llygid Bic a Cled i lawr. Oedd, roedd 'na siâp da arni, chwara teg.

"*Who's Mr Blah-dee-blah?*" gofynnodd Cled.

"*Oh, a fackin friend of his from back home. Fackin twat.*" Roedd acen Tabitha'n fwy o cocni pan oedd hi 'di meddwi.

"*So who's behind the bar?*" gofynnodd Bic.

"*Oh, your mate, wotsis name… Gaeeh? Gay?*"

"*Gai?!*" gofynnodd Cled a Bic efo'i gilydd.

"*Yeah, that's it. He said he's sick of playing pool with himself, huh-huh, huh-huh.*"

Roedd Bic a Cled yn methu coelio bod Gai wedi cael mynd tu ôl i'r bar! Roeddan nhw isio chwerthin ond cadwodd y ddau eu cŵl. "*He used to work in Portmeirion, you know?*" medda Cled, yn siarad trwy'i din.

"*Really?*"

"*Head barman!*" medda Bic.

"*That's cool. Maybe Phill will give him a job here, part time. But he's off his fooking face at the mowment though, so I'll have to gow back in a minute, huh-huh-huh.*" Roedd hi'n tynnu'n egar ar y sbliff. "*Not that I give a fuck…* "

Chwerthodd Cled. "Da iawn ŵan," medda fo.

"*What's that? Daa eeawn? Does that mean 'good' does it?*"

"*Very good.*"

"*Fack me, I'll never get the hang of the Welsh malarkey…*"

"*Patience you need,*" medda Bic.

"*What's the point?*"

"*What do you mean, what's the point?*"

"*Well, you all speak English…* "

"*Oi! Stop it right there a minute…* " dechreuodd Cled. "*We all speak Welsh. So if you wanna know what we're saying about you, you're gonna have to try and learn it aren't you?*"

"*Yeah, yeah, OK, I suppose that's a good point, huh-huh-huh… Do you wanna blowback, Cled?*"

"*Sorry?*"

"*A blowback!*" medda hi dan wenu a rhoi slap fach chwareus ar ei goes.

"*Go on then,*" medda Cled. Rhoddodd Tabitha y sbliff yn ei cheg, tân gynta, a gadael ei gwaelod yn sdicio allan. Rhoddodd ei cheg reit fyny at un Cled, nes bod gwaelod y sbliff tua modfadd i ffwrdd o'i wefusa, a chwythu. Ffwcin hel roedd ei gwynt hi'n drewi, ond caeodd Cled ei ffroenau a sugnodd y mwg allan o waelod y sbliff fel ffrwd o rym cyfrin o ffon hud wrth i Tabitha chwythu.

Wrth wneud, teimlodd Cled law Tabitha ar ei goes. Feddyliodd o ddim byd i ddechra, jesd meddwl ei bod hi'n trio cadw balans wrth blygu drosodd i roi blo-bac, neu bod hi jesd yn hogan *touchy-feely*. Edrychodd i'w llygid sgwint tu ôl y sbectols mawr ffrâm du. Na, doedd y llaw ar ei goes ddim yn ddiniwad. Roedd Tabitha'n gêm. Daliodd Cled i sugno'r mwg. Aeth llaw Tabitha ychydig i fyny tu mewn ei goes. Sugnodd fwy ar y mwg. Roedd o'n caledu. Aeth ei llaw i fyny am ei fôls a rhwbio'i goc drwy ei drwsus. Caledodd fwy eto. Rhoddodd Tabitha ochenaid fach sydyn, a chwythodd yr olaf o'i hanadl drwy'r sbliff. Tynnodd ei phen yn ôl. Ond cadwodd ei llaw ar ei goc, oedd bellach ar semi go lew.

"Do you like that, Cled?"

"Hits the spot," medda fo, a gollwng y mwg allan o'i ysgyfaint.

Gwenodd Tabitha'n ddrwg a tynnu'i llaw i ffwrdd. "Bickya. You want a blowback, babe?"

"Go on then," medda Bic, heb ddallt be oedd newydd ddigwydd.

Chwerthodd Cled wrth weld yr olwg ar lygid drwg Bic wrth iddo deimlo'i llaw hi ar ei goc. Closiodd Cled i fyny at Tabitha a rhoi ei law rownd ei chanol wrth iddi chwarae efo Bic. Rhwbiodd dop tu mewn ei chlun. Ymatebodd hitha drwy estyn ei llaw dde am yn ôl a rhwbio'i godiad eto. Roedd o'n galad rŵan, ac yn nesu at y pwynt na lle mae pob dim yn mynd allan drwy'r ffenast. Be oedd o am neud? Doedd o rioed wedi bod yn anffyddlon i Sian, a nefar fysa fo'n risgio'i cholli hi a'r plantos dros ffwc gwyllt. A hynny reit ar stepan drws. Yn enwedig efo sgragan fel hon. A hitha'n Susnas 'fyd. Ond dydi secs ddim yn cyfri os ti'm yn cusanu'r hogan. Mae o jesd fel mynd efo prostan, siŵr. Dim swsus. Dim lyf. Secs a dim byd arall. Ffyc it. Fysa blow-job sydyn yn mynd i lawr yn dda.

Gymrodd hi'm mwy nag eiliad i Bic neud ei feddwl i fyny beth bynnag. Cyn gyntad ag y teimlodd ei llaw hi'n rhwbio roedd o wedi tynnu'i goc allan yn y fan a'r lle. 'Jisys Craist, Bic!' meddyliodd Cled.

"Mmmmmm, nice cock," medda Tabitha, a heb wastio dim amser tynnodd y sbliffsan o'i cheg ac aeth i lawr ar Bic mor sydyn â hebog ar lygodan y maes. Edrychodd Bic a

Cled ar ei gilydd, yn methu coelio'u lwc ac yn trio'u gora i beidio chwerthin. Yna caeodd Bic ei lygid mewn plesar pur. "Ffwcinel!" medda fo mewn llais oedd yn deud pob dim.

Tynnodd Cled ei goc ynta allan er mwyn i Tabitha gael chwara'n iawn tra oedd hi wrthi'n pleseru Bic. Neidiodd chydig wrth i'w llaw oer lapio rownd ei bolyn a dechra'i wancio fo off. Jisys Craist! Doedd 'na'm byd gwell na hogan fudur. Ac roedd hon yn fudur mewn mwy nag un ffordd, yn ôl yr olwg ar ei dannadd hi. Ond be oedd bwys am hynny cyn bellad â'i bod hi'n cadw'i cheg yn y lle iawn? Roedd hi'n sugno coc Bic yn ffasdiach ac yn ffasdiach, a'i phen hi'n mynd i fyny ac i lawr fel cnocell y coed, a'i gwallt hir fel blancad du dros goesa Bic, dros y sêt a dros hannar y bwrdd. Roedd hi hefyd yn wancio Cled yn gynt ac yn gynt, ac yn galetach a chaletach. Gorfod i Cled ei slofi hi lawr achos roedd hi bron a rhigo'i fforscin o. Dechreuodd Bic ar y siarad budur.

"Iŵ laic mai coc or wat?" medda fo mewn acen Gymraeg cefn gwlad.

"*Mmmmm*," medda hi wrth slyrpio fel anifail gwyllt.

"Syc it, iŵ bitsh. Syc it hârd, iŵ dyrti slyt!"

Byrstiodd Cled allan i chwerthin. Doedd o rioed wedi gneud hyn efo Bic o'r blaen ac roedd ei glwad o'n dod allan efo'r petha 'ma'n hilariws. Wrth iddo chwerthin tynnwyd ei sylw gan symudiad wrth ddrws cefn y pyb. Edrychodd draw. Doedd 'na neb i weld yno, ond penderfynodd gadw golwg jesd rhag ofn. Estynnodd ei ddwylo dan grys-t Tabitha a'u sleidio i fyny i'w bronnau. Ochneidiodd honno mewn plesar. Doedd ganddi ddim bra ac roedd ei thits hi'n teimlo'n hyfryd. Roedd ei nipyls hi'n sticio allan digon i hongian cotia arnyn nhw. Mwythodd nhw rhwng ei fysidd. Haliodd Tabitha fo'n gynt eto. Edrychodd ar Bic. Roedd hwnnw 'di agor ei lygid. Winciodd ar Cled a chwerthodd y ddau fel hogia drwg yn rysgol.

Roedd Cled bron â cholli pob rheolaeth erbyn hyn. Roedd awch yn ymrafael efo'i gydwybod ac roedd synnwyr cyffredin yn diodda o'r herwydd. Ond roedd hi'n anodd ymlacio'n iawn wrth edrych tuag at y drws bob munud. Ac roedd ei gydwybod yn cwffio'n ôl. Ond roedd o'n horni-as-ffyc rŵan a doedd y cyfla i ffwcio hogan tra oedd hi'n sugno coc dy fêt ddim yn dod rownd mor amal â hynny. Ond difaru fysa fo. A byw efo paranoias yn ei ben am flynyddoedd. Penderfynodd, unwaith eto, y bysa fo'n setlo am *blow-job*. Roedd Bic yn dechra griddfan ac roedd Tabitha'n gneud synau bach benywaidd a barus bob yn ail wrth sugno'n ffasdiach fyth. Gwelodd Cled fod Bic yn dechra crynu.

"Ffyc, dwi'n dod cont!" gwaeddodd Bic. "Iŵ want it in iôr mawth or wat?"

Daliodd Tabitha i sugno, felly cymerodd Bic hynny fel 'yes'. Ffrwydrodd ei lwyth i mewn i'w cheg hi, gan ochneidio mewn spasms fel dyn... wel, fel dyn yn dod. Cymerodd Tabitha'r cwbwl, cyn ei boeri allan yn broffesiynol ar y llawr. Wedyn trodd at Cled, ac aeth yn syth i lawr ar ei bolyn calad heb yngan gair, a bwrw ati fel tasa 'na ddim fory. Jîsys, roedd hon yn ecspert! Caledodd pob moleciwl yn ei braff-bren dan ei sugniadau nwydus. Sbiodd Cled ar ei gwallt, hannar ar ben y bwrdd a'r hannar arall dros ei goesa fo. Sbiodd drosodd ar Bic. Roedd hwnnw'n wên o glust i glust ac yn meimio pethau anweddus am Tabitha wrth Cled. Gwenodd Cled yn ôl, a rhoi ei law tu ôl pen Tabitha i'w hannog i fynd yn ffastiach gan gymryd swig o'i beint efo'r llaw arall. Estynnodd Bic am y sbliff oedd yn dal yn llaw rydd Tabitha. Taniodd hi a chymryd drag dda, a'i phasio i Cled. Rhoddodd hwnnw'r sbliff yn ei geg, a clinciodd y ddau eu gwydrau efo'i gilydd, cymryd swig, a chwerthin eto.

"Awn ni â hi i'r fflat a'i ffwcio hi'n racs, Cled?" medda Bic.

"Ffyc, dwi'm yn twtsiad yn'i hi, y cont! Does wbod lle ma hi 'di bod! Cer di â hi i'r bwshis 'na os ti isio... dwi jysd â... gorffan efo hi... "

"Be di'r hogla llosgi 'na?" gofynnodd Bic, yn ffroeni'r awyr.
"Ffyc!" medda fo wedyn, wrth edrych ar y bwrdd. Ffwcin hel!
Roedd llodra gwallt Tabitha ar y bwrdd ar dân! Roedd o'n
gorwadd dros un o'r ffwcin canhwylla!

"Gad o!" gwaeddodd Cled. "Dwi'n dod! Ffastyr, Tabitha,
ffastyr lyf!"

Roedd gwallt Tabitha'n dechra cydio go iawn. Roedd 'na
damad maint *beermat* yn dechra fflamio. Ond roedd Cled ar fin
dod... "Cwcing on gas bêb ... ai'm gonna cym... " Edrychodd
eto, roedd 'na damad maint llyfr ar dân, a'r fflama'n rhai
modfeddi bellach, a mwg yn codi...

"... *o yes... go on... o yes*... o ies-u bach!" Taflodd Cled ei
beint dros y fflamau nes bod sŵn ffrio a mwg yn codi dros
y bwrdd, a curodd Bic y fflamau bach oedd ar ôl allan efo'i
law. Yna ffrwydrodd Cled yng ngheg eiddgar Tabitha. Un...
dau... tri... ochneidiodd... pedwar... pump... griddfanodd...
ffacinel... gwenodd.

Cododd Tabitha i fyny. Doedd hi'm callach ei bod wedi
bod ar dân. Roedd hi'n meddwl mai ei chrefft hi achosodd
yr holl gomosiwn. *"Feeling better, boys?"* gofynnodd yn syth
wrth sychu'i gwefla efo tu mewn colar ei chrys-t.

"Yes," medda'r ddau.

"Good. Now where's that sbliff?" Snatsiodd y joint o law
Cled, cymrodd un tôc ddofn nes bod y tân yn cochi yr holl
ffordd lawr i'r rôtsh, a chwythu'r mwg allan i wynab Cled
mewn un pwff sydyn. *"I better get back to the bar. See if Gaeeh's
allright. See ya later."* Cododd ar ei thraed a dechra camu dros
y sêt. Stopiodd. *"What's that smell?"*

"What smell?" medda Cled.

"Is something burning?"

"It's my chewing gum on the candle," medda Bic fel
bwlad.

Gafaelodd Tabitha ym mheint Bic a chymryd joch. Rinsiodd
y lager rownd ei cheg a'i boeri allan. A ffwrdd â hi am y bar,

a'i gwallt anhygoel o hir yn llifo tu ôl iddi fel clogyn du. Efo twll mawr yn ei waelod.

"*Thanks!*" gwaeddodd Bic ar ei hôl yn gwenu fel giât. Doedd o'm yn gwbod be arall i ddeud. Gwyliodd y ddau hi'n mynd am y drws. Wnaeth hi ddim hyd yn oed sbio'n ôl. Edrychodd yr hogia ar ei gilydd yn gegagorad. Oedd hynna newydd ddigwydd, ta be?

"Ffwcin hel!" medda Cledwyn.

"Ti'n deud 'tha fi, y cont!" medda Bic.

"Hogan ddrwg," medda Cled.

"Hogan annwyl," gwenodd Bic.

"Hogan fudur!" medda Cled wedyn.

"Hogan handi," medda Bic.

"Hogan boeth!" medda'r ddau.

= *46* =

Pan oedd Gai Ows yn mynd i ysgol Dre, treuliodd fwy o ddyddia i fyny yn y mynyddoedd yn pysgota, crwydro a nofio nag a dreuliodd mewn unrhyw ddosbarth. Doedd ganddo'm owns o ddiddordab mewn unrhyw beth oeddan nhw'n ddysgu yn y lle. I'r chwaral oedd o am fynd i weithio, fel ei dad a'i frodyr. Ond erbyn iddo adael rysgol bum mlynadd ar hugian yn ôl roedd 'na ddau beth wedi digwydd fyddai'n newid cwrs ei fywyd. Roedd Thatcher newydd ddod i rym a gneud 'joban am oes' yn 'joban mewn oes a fu' ac, fel llu o hogia eraill o'i flaen o ac ar ei ôl o, roedd o wedi ffendio ganja. Neu, yn hytrach, roedd ganja wedi'i ffendio fo.

Owtlwc Gai ar fywyd byth ers hynny oedd mai *bum deal* oedd y werin wastad yn mynd i'w gael drwy weithio i dalu trethi ac i gynnal y wlad. Roedd Gai newydd gael ei benblwydd yn bedwar deg un a doedd o heb gael job iawn ers ugian mlynadd. Gweithio mewn *pet shop* oedd ei 'joban iawn' ola, ac mi gafodd sac ar ôl tri diwrnod am ddwyn pysgod tropical a mynd â nhw adra i'w frawd. Roedd o wedi ei jobio hi ddigon wedyn am *cash-in-hand*, yn labro i frici, i blastrwr, i saer maen, plymar ac electrisian, ac wedi dysgu dipyn am bob crefft wrth wneud.

Doedd o rioed wedi croesi ei feddwl o i ddilyn un o'r crefftau'n llawn amsar. Bysa hynny'n cyfyngu gormod ar ei ryddid. A dyn rhydd oedd o. Er, roedd o'n hapus i dderbyn giro bob pythefnos, ond roedd o'n gweld hynny fel *rebate* am be oedd y llywodraeth yn ei gymryd oddi arno fo mewn trethi ar faco a chwrw ac ati. Er mai baco *duty free* gan Cled oedd o'n ei smocio ers blynyddoedd bellach 'fyd. Ond roedd o'n sbio ar ei giro fel ailgylchu'r pres roedd y wlad wedi'i ddwyn oddi arno i ddechra cychwyn.

Doedd gan Gai ddim cariad stedi, na phlant chwaith. Roedd ganddo fo ddynas roedd o'n ei gweld weithia ac roedd hynny'n ddigon iddo. Roedd y syniad o gael ei glymu i lawr yn ei ddychryn. Roedd o'r boi ffeindia fyw ac roedd plant yr hogia i gyd wrth eu boddau efo fo, ond er ei fod o'n 'wncl' da iddyn nhw roedd Gai yn gwbod ynddo'i hun na fydda fo'n gneud tad da. Roedd Gai'n rhy hapus yn ei fyd bach ei hun. Dyna pam oedd o mor dawal o hyd. Chwerthodd wrtho'i hun. Roedd o'n gneud hynny'n amal. 'Fi? Gai Ows? Tu ôl i'r bar? Ar ben fy hun?!'

Wedi'r holl flynyddoedd o stydio barmêds yn tollti cwrw roedd o'n gallu tynnu peintia'n iawn. Ond jocian oedd o pan gynigiodd i Tabitha, pan ddudodd honno ei bod angan brêc, y bydda fo'n cyfro drosti iddi gael mynd am smôc. Doedd o'n bendant ddim wedi disgwyl iddi gytuno, beth bynnag. Ond cyn iddo droi rownd roedd o'n sefyll tu ôl y bar yn sbio ar dros ddeg o ffycars chwil gachu yn clecio'u peintia ac yn gofyn am lenwad. Ac erbyn iddo syrfio'r ola o'nyn nhw roedd y gwydr cynta'n wag eto ac yn gweiddi am fwy.

Daeth Sbanish drwodd o'r sdafall pŵl a'i lygid glas yn fawr ac yn ddu. "Lle mae Cled a Bic?"

"Allan, dwi'n meddwl," medda Gai.

Trodd Sbanish ar ei sodla a mynd am y cefn. Fel roedd o'n cyrraedd y drws dyma fo'n stopio, troi, a cerddad nôl am y bar. "Gai? Be ffwc ti'n neud y tu ôl y bar?"

"Sgenna i'm ffwcin syniad, Sban!"

Pasiodd Drwgi a Tintin am y toilets. Aeth Sbanish ar eu holau, yn pwyntio at ei drwyn wrth sbio ar Gai Ows. Roedd gan Tintin chydig o cocên a roedd yr hogia'n mynd am lein.

"Basdads!" gwaeddodd Gai. "Lle ffwc ma'r ddynas 'ma... o ffyc it... " Trodd at y barbariaid wrth y bar. "Rhaid i chi aros. Dwi'n mynd i biso."

Pan ddaeth Tabitha'n ôl i mewn o'r ardd roedd Jac Bach y Gwalch yn siglo tu ôl y bar, yn tynnu peint iddo fo a Tomi Shytyl a rhegi ar y bytheigs ochor arall y bar. "Na, ffwcio chi i gyd, y basdads! Rownd i Tomi a fi 'di hon. Dim ffwcin barman ydw i!" Neidiodd wrth weld Tabitha'n ymddangos wrth ei ochor fel ysbryd. *"Just getting a pint, Tabîtha."* Roedd Jac yn mynnu deud Tabîtha, efo acen ar yr 'i' fel Bagîtha. *"Tomi's paying."*

"OK, Jack. Where's Gaeeh gone?"

"Who?"

"Never mind. You leave that to me and get back to your seat before you fall over, huh-huh-huh... " Dechreuodd ffroeni'r awyr. *"Do you smell burning or is it me?"*

Doedd Tabitha ddim yn poeni pryd adawodd Gai y bar. Doedd hi'm yn poeni am y cwrw. Tiwlip – blydi hel, roedd yr enw 'na'n *catching* – oedd yn gorfod poeni am y busnas. Jesd ei henw uwchben y drws oedd ganddi hi. Rhyw fath o bŵer absoliwt heb y boen ariannol. Pres Phillip oedd yn y dafarn. Wel, ei phres hi hefyd achos hi oedd bia'i hannar o. Ond fo oedd bia'r *guesthouse* werthon nhw nôl yn Wolverhampton. Dyna pam roedd hi wedi priodi'r llipryn yn y lle cynta. Ac ar ôl i'r diawl gwirion golli popeth ar ôl y 'traffarth', roedd hi wedi pacio'i bagia a gadael. Doedd hi ddim isio mynd yn ôl ato fo chwaith, ond roedd hi angan help, a doedd ganddi neb arall.

Ond problam Phillip oedd y Brithyll Brown. Fo oedd isio prynu tafarn yn "North Way-uls". Doedd hi rioed 'di bod yn bellach i'r gorllewin na'r Drenewydd cyn hynny, ac roedd 'pawb' yn fano yn Brymis felly doedd hi'm callach ei bod hi wedi gadael Lloegar. Doedd hi ddim mor siŵr am fynd i fyw i gefn gwlad, chwaith, heb sôn am wlad arall. Ac er i Phillip fod o help iddi ddod dros ei nyrfys brêcdown, roedd hi'n gwbod hefyd mai fo oedd yn gyfrifol am roi'r brêcdown iddi yn y lle cynta. Roedd Tabitha'n gwbod hefyd mai'r unig beth oedd Phillip isio oedd cael ei bres yn ôl a'i henw hi ar y leisans. Ond cytuno i ddod yma wnaeth hi, er gwaetha'i amheuon a'i hansicrwydd. Roedd Phillip yn dwat. Ond doedd ganddi'm twat arall...

A dyma hi. Yn "Graeeig, north Way-uls", yn byw ar bres Phillip eto. Ac yn sugno cocia'r locals am y crac! O diar, meddyliodd! Siŵr bod Cled a 'Bickya' yn meddwl ei bod hi'n rêl slag. Ond doedd Phillip heb ei thwtsiad hi ers y ganrif ddwytha. Be oedd dynas fod i neud?

Rhoddodd beintia Jac Bach y Gwlach a Tomi Shytyl i lawr ar y bar. "*On the house, boys,*" medda hi. Roedd Tabs mewn hwylia da. Ond roedd hi'n dal yn siŵr fod 'na rwbath yn llosgi'n rwla...

= 47 =

Chwartar miliwn o filltiroedd uwchben Graig roedd y lleuad yn hebrwng y sêr i'w seti yn y galeri pell ar gyfar perfformiad arall o sioe 'gwagio'r Brithyll Brown'. Roedd lot o sêr 'di troi allan heno 'fyd. Y gair wedi mynd o gwmpas y llwybr llaethog fod 'na sioe dda i'w chael y nosweithia hyn. Roedd swpernôfas, a phlanedau'n cael eu hitio efo comets, ar draws y bydysawd yn sioeau astronomig sbectaciwlar a gwerth eu gwylio. Ond wedi gweld un ffrwydriad thermoniwclear ti 'di'u gweld nhw i gyd. Roedd hiwman bîngs wedi meddwi, ar y llaw arall, yn rwbath gwahanol. Roedd hi'n sioe uffernol o lo-tec, ond o leia roedd hi'n sioe ddifyr a gwreiddiol. A lo-tec neu beidio, mi roedd yna fydoedd gwahanol yn taro i mewn i'w gilydd yn y Brithyll Brown, ac yn Graig yn gyffredinol, y dyddia hyn. A matar o amsar oedd hi cyn y 'Big Bang'.

Roedd hi'n nesu at un o'r gloch y bora. Roedd cyrtans y Trowt wedi cau, ond tu mewn roedd y cymysgadd arferol o bissheads yn mynd drwy'u petha. Roedd 'na chydig o gwrw blin wedi bod o gwmpas, rwbath i'w neud efo'r ffaith fod pawb wedi bod yn yfad rhy sydyn pan oedd y cwrw am hannar pris, ac roedd rhywfaint o'r chwara wedi troi'n chwerw.

Doedd hi ddim cyfrinach fod Jac Bach y Gwalch yn licio pysgod – a ddim jesd yn licio'u bwyta. Roedd o wedi bod yn y Trowt drwy'r dydd a'r fin nos ac wedi anghofio rhoi'r pysgod oedd o wedi'u conffiscêtio gan Cledwyn yn y ffrij. Roeddan nhw wedi bod yn y bag plastig o dan stôl gornal y bar am oriau, efo Pympcin (cath y Trowt) yn sniffian o'u cwmpas, tan i'r Gwalch gofio amdanyn nhw ac, yn driw i'w enw, dechra haslo pawb efo nhw.

Roedd o wedi mynd ar nerfa Megi Parri hyd yn oed, pan roddodd o sgodyn seis pwys yn ei hambag heb iddi sylwi. A phan welodd honno Pympcin y gath â'i thrwyn yn ei bag, ac estyn i lawr i roi swadan iddi, cafodd wopar o sioc. Roedd Megi'n licio hwyl, ond mi ddychrynodd gymaint pan welodd hi bâr o lygid llonydd yn sbio allan o'i bag, fel iddi godi o'i chadar a hitio'i pheint dros Lynn Coesa Ffyn ac Eira Mai. Roedd hi 'di gwylltio wedyn a 'di ymosod ar Jac efo'r sgodyn, ac wedi llwyddo i roi'r trowtyn i lawr blaen ei drowsus. "Y peth mwya fuodd yn dy drôns di erioed, Jac Bach y Gwalch!

Ac eith 'na 'run pwsi'n agos ato fo lawr yn fan'na!"

Drwodd yn y sdafall pŵl roedd Dilwyn Lldi yn edrych ar ôl Dyl Thyd, oedd newydd gael woblar a 'di lluchio'i fobail ffôn yn erbyn y wal a'i malu'n racs wrth siarad efo'i gariad. Roedd Dilwyn Lldi'n trio'i ddarbwyllo nad oedd merllaid yn werth y draffarth. "Fel 'na ma nhw, Dyl. Llwarae lldi o gwmpas a gneud i lldi wychtio. Ma nhw'n chawn o gallu."

Roedd Bibo Bach yn ista fel crinc yn y bar, yn rhythu a brathu, â'i wallt gwyn blêr fel drain yn tyfu drwy dyllau yn ei het wlân goch. Roedd o wedi ffraeo efo Wil Bach Côr am fod hwnnw 'di'i alw fo'n Santa. Roedd Dafydd Bwmerang, a gafodd ei enw am ei fod o wastad yn mynd i ffwrdd i weithio ond yn dod adra, wedi jacio'i waith, mewn wythnos, yn pwyso ar y bar wedi pwdu efo Bibo Bach am ddeud 'Duwcs, Bwmerang, ti'n ôl!' bob tro'r oedd o'n dod nôl o'r toilets. Ac roedd Arwel Chicken Tonight yn berwi am fod Jac Bach y Gwalch a Tomi Shytyl wedi bod yn gneud sŵn ieir bob tro oedd o'n pasio. Petha bach fel hyn oedd yn dechra rhyfeloedd yn Graig. A roedd dyfroedd yn corddi heno yn y Trowt.

A fel petrol ar dân, roedd Cimosapi yno, yn ei het, yn canu'r un hen linell o'r un hen ffwcin gân.

Frank Siop oedd y calla, yn ista wrth ei fwrdd arferol efo Glyn Mynd-a-dod a John Sais, yn chwara cardia efo'r efeilliaid Gwyndaf a Gwynedd Dybyl-Bybyl. Hannar ffarmwrs o gwmpas eu deugain oed oedd y Dybyl-Bybyls, y ddau'n byw efo'u tad yn Nant-y-fagddu ym mhen ucha Cwm Derwyddon. Roeddan nhw'r hogia clenia fyw. Ond fiw i neb eu croesi. Ar y funud roeddan nhw ar *Pubwatch* am roi crys Lloegar rhyw Sais ar dân lawr ym mar y Gors un noson, ond gan fod 'na landlord newydd yn y Trowt, un oedd heb weld y rhestr *Pubwatch* am fod Cledwyn wedi'i guddio fo, roeddan nhw wedi bod yn taro mewn am gwpwl o beints yn ystod yr wythnos.

'Wynff' a 'Wynff' oedd yr efeilliaid yn galw'i gilydd, yn hytrach na 'Gwyn' a 'Gwyn' fel pawb arall. A roedd Wynff a

Wynff yn edrych yn union 'run fath â'i gilydd, yn eirth dros eu chwe troedfadd a'r ddau efo gwallt du a locsyn coch. Roedd ganddyn nhw hyd yn oed yr un tatŵs. Yr unig ffordd i ddeud y gwahaniaeth rhyngddyn nhw oedd bod Gwynedd Dybyl-Bybyl yn siarad efo lithp.

Ac yn y gornal wrth y drws roedd Bryn Bach a'i 'ffycin gŵn'; Bryn yn sipian ei Guinness wrth watsiad pawb a phopeth, a'r 'ffycin cŵn' yn gwylio Drwgi drwy lygid cul.

Roedd Drwgi yn y gornal arall, dan y teledu, efo Cled, Sbanish a Bic, Gai Ows a Tintin. Ers ei *sexual encounter of the flame-grilled kind* yn yr ardd, roedd Cled wedi bod yn cael pylia o euogrwydd. Euogrwydd ac ofn. Ofn fod rhywun wedi eu gweld nhw wrthi ac i Sian ddod i glywad. Ond roedd Bic wedi bod fel plentyn bach ecseitud, yn cracio jôcs preifat wrth Cledwyn bob tro'r oedd Tabitha'n pasio. Petha corni fel, 'pa mor boeth wyt ti'n licio dy genod – well done' a 'cum home to a real fire' a ballu. Doedd gweddill y criw'n dallt dim am be oedd o'n fwydro.

Roedd criw y gornal dan y teledu i gyd yn gwylio Tiwlip. Roedd o tu ôl y bar yn ista ar ben stôl yn tanio'i getyn ac yn siarad efo boi oedd 'di bod yn yfad ar ei ben ei hun yn y lownj drwy'r nos. Pwy bynnag oedd o, roedd o wedi landio efo Tiwlip tua hannar awr wedi deg, ac wedi mynd yn syth i'r lownj i ista wrth y bar. Boi canol oed hwyr, efo gwallt 'di gwynnu a sbectol.

Roedd Jac Bach y Gwalch wedi trio denu sgwrs efo fo cynt, yn ei ffordd *'subtle'* arferol. *"Who are you?"*

"A friend of Phillip's."

"What you doing round here?"

"Holidaying. And looking for some property, actually."

"Why? Have you lost it?"

Doedd Tiwlip heb gymysgu gymaint ag oedd o'n arfar heno, chwaith. Roedd Tabitha wedi mynd yn syth i'w gwely unwaith daeth o a'r dieithryn i mewn, a rhwng syrfio cwrw i'r alcs roedd o wedi bod yn ista ar y stôl yn siarad efo'i fêt.

Roedd yr hogia'n gwatsiad Tiwlip am eu bod nhw wedi rhoi bydsan o sgync yn ei getyn rhyw ddeg munud ynghynt tra oedd o yn y pŵl rŵm yn hel gwydra. Roedd o newydd lenwi'i getyn efo baco, ond heb ei danio, felly cododd yr hogia beth o'r baco i fyny a rhoi bydsan fawr, gwerth jointan dda, o scync yn y canol a rhoi'r baco nôl ar ei ben o. Wedi iddo danio, roeddan nhw'n aros yn eiddgar am y canlyniadau. Roedd cwmwl o fwg yn amgylchynu Tiwlip tu ôl y bar erbyn hyn, ond doedd dim datblygiadau gweledol eraill. Cododd Gai Ows a mynd at y bar. Roedd o'n hogleuo'r scync yn syth wrth nesu. Cododd Tiwlip o'i stôl a dod amdano. "*Last one now. I've got to get to bed, I'm absolutely shattered.*"

Gofynnodd Gai am ddau beint o lager, gan gogio bod un i rywun arall. Edrychodd drosodd ar y boi wrth y bar yn y lownj. Roedd o'n gneud stumia wrth ffroeni'r awyr ac yn chwifio cwmwl mwg cetyn Tiwlip i ffwrdd efo'i law. Daeth Tiwlip a rhoi'r ddau beint o flaen Gai. "*Four-forty please... sorry, what's your name?*"

"Gai."

"*Gai. That's right. Do yow know the fish yow sold me this morning? Where did yow get them?*"

"*I caught them.*"

"*Oh! Where?*"

Gwelodd Gai y dieithryn yn gwylio a gwrando. Pwyntiodd at ei drwyn a cario mlaen i gyfri pres mân yn ei ddwylo. Ond doedd o'm yn gallu. Roedd o'n colli nhw ar hyd y bar bob munud. Gafaelodd yn y cwbwl lot yn diwadd a'u dympio'n llaw Tiwlip. "*Work that one out,*" medda fo a cherddad yn ôl am y bwrdd dan y teledu efo'i ddau beint yn diferu fel glaw tranna ar hyd y llawr pren wrth y bar. Eisteddodd yn ôl i lawr efo'r lleill a dechra gwylio Tiwlip eto.

"Sut oedd o'n edrych, Gai?"

"Gawn ni weld ŵan pan fydd o'n cyfri'r pres mân 'na i gyd."

Roedd Tiwlip yn sefyll yno efo'i getyn yn sdicio allan o gornal ei geg, fel Popeye, a chwmwl o fwg glas yn lapio amdano fel niwl dros Glogwyn y Wrach. Rhoddodd y gorau i gyfri a cerddodd at y til. Stopiodd hannar ffordd, troi rownd a cerddad nôl at y bar, edrych o'i gwmpas a throi rownd i ddechrau stydio'r rhestr prisiau cwrw ar y wal. Roedd o'n tynnu fel diawl ar ei getyn nes bod y bar yn drewi o hogla scync. Doedd Tiwlip ddim yn gwbod be oedd o'n neud, ac roedd yr hogia'n gwbod pam.

Ar ôl sefyll yn sbio ar y prisiau cwrw am tua pum munud, snapiodd Tiwlip allan o'i *trance* a mynd yn ôl at ei fêt yr ochor arall. Roedd golwg bell arna fo, a'i lygid yn hannar cau, ac roedd y boi'n gorfod egluro drosodd a drosodd iddo fo be oedd o'n trio'i ddeud. Gwyliodd yr hogia fo'n pwyntio fel peth gwyllt tuag at y cetyn, wedyn Tiwlip yn sbio ar y cetyn a'i godi at ei geg. Gafaelodd y boi ym mraich Tiwlip a'i stopio fo. Ond rhoddodd Tiwlip y cetyn yn ei geg efo'i law arall. Doedd o'm yn edrych yn saff ar ben y stôl o gwbwl. Aeth o bocad i bocad i chwilio am ei leitar. Estynnodd am y bocsys matsys ar y silff wrth ymyl y rizlas a'r poteli Breezers. Doedd o'm cweit yn gallu cyrraedd. Estynnodd yn bellach, gan falansio ar ei stôl. Stretsiodd. Stretsiodd fwy, a mwy, a… plonc! Roedd o wedi mynd. Wedi disgyn o'r golwg tu ôl y bar, a'i fêt yn y lownj yn sbio i lawr arno gan ysgwyd ei ben.

Cododd Tiwlip ar ei draed, heb ei sbectols ond efo'r cetyn yn dal yn ei geg, ar ben i lawr. Gwaeddodd pawb 'hwrê' fawr a chlapio. Bowiodd Tiwlip fel arweinydd y Proms. "*Thanks, ladies and gentlemen…* " Roedd o'n slyrio. "*If anybodey wants another pipe… I mean pint… please order now cause I'm going to bed…* " O fewn eiliad roedd tri gwydr gwag 'di ploncio ar y bar o'i flaen o. Newidiodd ei feddwl. Aeth yn ôl am ei stôl. Roedd o angan ista lawr.

Ar hynny daeth bangio uchal, awdurdodol ar y drws.

"Cops!" medda rhywun, gair a agorodd y llifddorau i'r côr o *shshshsh's* sy'n draddodiadol ar achlysuron o'r fath. Dan amgylchiadau normal mae pobol yn gallu cau eu cegau mewn nano-meicro-eiliad, ond pan mae cops yn cnocio drws tafarn adag loc-in mae pawb yn gorfod shwshian am tua dau ffwcin funud cyn bod yn dawal. Daeth y bangio ar y drws unwaith eto. Ac er ei bod hi'n hollol ddistaw tu mewn y bar dechreuodd y shwshian eto hefyd.

"Tiwlip!" sibrydodd Jac Bach y Gwalch. Ond roedd Tiwlip yn ista ar ei stôl yn siglo fel coedan yn y gwynt ac yn brysur droi'n wyn. "Tiwlip!" 'gwaeddodd' Jac eto. Ond roedd Tiwlip yn ffycd. "Cled, ti'n gallu gweld wbath drw'r cyrtans 'na?"

Roedd 'na fwlch bach rhwng y ddwy gyrtan reit yn nhop y ffenast. Neidiodd Cled i ben y sêt ac edrych yn slei drwyddo. Roedd dau gopar yn sefyll wrth y drws tu allan. Un tal ac un bach. Doedd 'run o'nyn nhw i weld yn locals.

"Rywun 'dan ni'n nabod?" gofynnodd Jac.

"Na, oni bai bod ti'n nabod y Krankies?" medda Cled.

Trodd Jac at ffrind Tiwlip yn y lownj. *"You'll have to be Tiwlip."*

"What? I can't do that!"

"You'll have to if you don't want to be fined!"

"I won't be fined! I'm a resident!"

"But Tiwlip's your friend!" medda Jac. *"He'll get fined **and** lose his licence!"*

Newidiodd hyn dôn y surbwch. Ond roedd o'n dal yn gyndyn o gymryd arno 'na fo oedd Tiwlip. Yn lle hynny daeth rownd i du ôl y bar a gafal yn Tiwlip a'i godi oddi ar y stôl. Daeth y bangio ar y drws unwaith eto, yn uwch, â llais yn gweiddi, *"Police! Open up!"*

Llwyddodd y dyn i gael Tiwlip ar ei draed a'i helpu i gerddad at y drws. Roedd o'n siarad yn ei glust o wrth wneud. *"It's the police, Phillip, yow have to talk to them or you'll lose your licence! C'mon, yow can do this!"* Ond roedd Tiwlip wedi troi'n wyrdd, ei lygid coch wedi cau â'i sbectols yn gam ar ei drwyn, yn mymblan rhyw sdwff oedd ddim yn gneud sens,

"*No, mummy... not the cornflakes monsters...*"

Daeth y bangio ar y drws eto. "*Coming!*" gwaeddodd ffrind Tiwlip. "*Phillip! Pull yourself together, man!*"

"*Is that you, Elsie?*"

"*Yes Phillip, it's me...*"

"*You're a naughty boy, Elsie...*"

"*Never mind that. The police are at the door! Phillip!*"

Agorodd 'Elsie' y drws. Roedd dau blisman yn sefyll yno mewn cotia melyn. Doeddan nhw'm yn edrych yn hapus. "*Hello officers,*" medda Elsie efo Tiwlip yn hongian ar ei ysgwydd.

"Gymis di dy amsar, do cont?" medda'r byrraf o'r ddau gopar, boi tua ffaif-ffwt-sics. Cofi. Yn sefyll o flaen ei bardnar sics-ffwt-sefn.

"*Sorry, I don't...*" medda Elsie.

"*Couldn't you hear us knocking, cont?*"

"*No, no... sorry...*"

"*Why was that, sir?*" gofynnodd y cawr tu ôl y llall, mewn acen dyn o ben mynydd. "*Noisy in here was it?*"

"*No, yes... no. Yes I did hear you, but I was trying to get him out of the... er... freezer...*"

"*Cooling down was he, sir?*" gofynnodd y cofi bach.

"*Feeling a bit hot?*" medda'r yeti.

"*He fell and banged his head. He was after some frozen chips.*" Rhoddodd Elsie wên wan i'r plismyn. Ond daeth dim cydnabyddiaeth o wynebau sythion y ddau heddwas. Dechreuodd Tiwlip fymblo eto, a rhoi ei ben ar ysgwydd ei fêt a'i ddwy fraich rownd ei ganol. "*Can I have Smarties now please daddy...*"

"*Do you know this muppet, then, sir?*" gofynnodd y bach.

"*Erm... well, actually he's the...*" Ailfeddyliodd Elsie. "*He's a friend of mine. He's staying for a few days… "*

"*And you are, sir?*" gofynnodd mast Nebo.

"*The licensee. Phillip Tadcaster.*"

"*Yes, daddy?*" mymblodd Tiwlip wrth neud ei hun yn gyfforddus ar ysgwydd ei ffrind.

"*Is the muppet allright, sir?*" gofynnodd y bychan.

"*Do we need an ambulance, sir?*" gofynnodd y mawr.

"*No, he's fine. Had one too many, that's all… "*

"*Whoooo's there, mummy, is it the cornflakes monsters?*" Roedd Tiwlip yn styrian.

"*No, just some bobbies, nothing to worry about.*"

"*Boobies…*" medda Tiwlip, a rhwbio'i hun ar ei frest. "*I've got nice boobies, heh-heh … do you want to see my boobies…?*" Teimlodd Elsie ei hun yn cochi wrth i eiliad anghyfforddus basio heibio yn y nos.

"*Anyone else with you, sir?*"

"*No, no! Just the wife of course! Gosh! It's bedtime!*"

"*Not for us it isn't, sir,*" medda'r bychan.

"*We'll be around all night,*" medda'r mast.

"Ar hyd y nos!" medda'r bychan wedyn, yn sbio i fyw llygid Elsie.

"*All through the night!*" medda'r tal.

"*Well,*" gwenodd Elsie'n nerfus a llyncu'i boer. "*That's good to hear… "*

Treiddiodd llygid y ddau heddwas i mewn i lygid Elsie eto. "*Just a passing check, that's all,*" medda'r mawr, yn sbio ar Tiwlip yn driblan dros ei ysgwydd. "*You have a three month provisional licence, so we'll be popping by from time to time. You can go and put the muppet to bed now.*"

"*Before he eats the 'pillow',*" medda'r bychan. Ac i ffwrdd â'r ddau am y car.

Llusgodd Elsie Tiwlip yn ôl mewn i'r pyb, "*Phillip! Phillip! Wake up!*"

"Eeeyyh? I luv yow… "

Camodd Elsie am yn ôl a disgynnodd Tiwlip yn fflat ar ei gefn i mewn drwy ddrws y bar. Trodd ar ei ochor ar lawr a chyrlio i fyny fel pêl. Rhoddodd ei fawd yn ei geg ac aeth i gysgu. Plonciodd Elsie ei din i lawr ar stôl gyfagos mewn anobaith.

Roedd Bic ar ben sêt yn sbio drwy'r crac yn y cyrtans. "'Dyn nhw'n mynd, Bic?" gofynnodd Cled.

"Na."

"Be 'ma nhw'n neud?"

"Dwi'mbo. Dwi methu gweld." Roedd y car yr heddlu wedi'i barcio'n slei o flaen y tŷ drws nesa i fyny o'r Brithyll a doedd 'na'm posib ei weld o ffenast y bar.

"Neis gweld plismyn Cymraeg," medda Wil Bach Côr. "Ti'm yn gweld hynny'n amal dyddia yma. Petha Colwyn Bay sy'n bobman ŵan. A Saeson."

"Copar 'di ffycin copar lle bynnag ffwc ma'n dod o," medda Bibo Bach, i gôr arall o shwshian a ddilynwyd gan ddistawrwydd. Nes i Cimosapi gael llond bol. Roedd y tawelwch yn sgrechian am gael ei chwalu efo nodau pêr Pavarotti Graig. Doedd o'n gallu dal dim mwy. Cymerodd ei wynt i mewn yn ddwfn ac agor ei geg, "I ba be… *mmmmmhmhh…* "

Achubwyd y byd gan Gwyndaf Dybyl-Bybyl yn rhoi ei law rhaw dros ei geg o.

"'Dyn nhw 'di mynd, Bic?" gofynnodd Cled am y cops eto.

"Na."

"'A' i i ffenast bog i weld be ffwc ma' nhw'n neud. Ddo i'n ôl pan ma nhw 'di mynd, OK? Peidiwch neud smic tan ddo i'n ôl. A paid â gollwng hwnna, Gwyn!" medda fo wrth Gwyndaf Dybyl-Bybyl.

Roedd hi'n bosib gweld car y cops yn hawdd o ffenast fach toilets y dynion. Ista yn y car oeddan nhw. Aros i weld oedd 'na rywun am ddod allan o'r pyb. Hen dric. Cnocio drws, deud helô, wedyn aros yn car tra oedd y landlord yn panicio a hel pawb allan. 'Blaw mai aros fysa nhw heno. Roedd y landlord yn cysgu fel babi ar lawr y bar wedi ei nocio allan gan getyn o scync. Gwyliodd Cled nhw am funud. 'Dowch laen, y basdads! Ffwciwch o'ma!'

Roedd Cled bron â marw isio piso. Agorodd y ffenast fach yn ddistaw er mwyn gallu clywad car y cops yn tanio, a neidiodd i lawr i biso yn y sinc. Ochneidiodd efo rhyddhad wrth i'r falfiau agor. Roedd hon am fod yn bisiad hir. Roedd o wedi dal am oesoedd wrth watsiad Tiwlip yn smocio'i getyn.

Clywodd gar yr heddlu'n tanio a dreifio i ffwrdd. Meddyliodd y bysa'n syniad i ffonio rhywun yn y bar i ddeud bod y ffordd yn glir. Tynnodd ei ffôn o'i bocad tra'n piso. Er mwyn hwylustod, gwasgodd y botwm gwyrdd. Daeth rhestr o bobl oedd o 'di ffonio'n ddiweddar i fyny. Drwgi. Na, roedd hwnnw'n cwyno bod ei fatri fo'n fflat, gynt. Rywun arall, felly … Aha! Gwasgodd *select* a'r botwm gwyrdd eto.

Drwodd yn y bar roedd Cimosapi'n dal i drio hymian ei gân y tu ôl i fysidd bananas llaw fawr Gwyndaf, ac roedd Elsie wedi penderfynu rhoi cais arall ar ddeffro Tiwlip. Ar wahân i hynny roedd pawb yn llonydd, a pawb yn siarad yn ddistaw, ddistaw bach. Ar hynny dyma ffôn Tintin yn canu,

'It's time to play the music, it's time to hit the lights, it's time to meet the Muppets on the Muppet Show tonight… pom-pom-pom… '

Dechreuodd y corws o "shshshsh" unwaith eto wrth i Tintin sgrialu drwy'i bocedi. Ond doedd y ffôn ddim yno. Roedd hi ar y silff ben tân efo'i faco, tu ôl i'r trowtyn pwys fu yn hambag Megi Parri a lawr trowsus Jac Bach y Gwalch rhyw awr neu ddwy ynghynt.

Roedd Elsie wedi llwyddo i godi Tiwlip hannar ffordd oddi ar y llawr pan glywodd gân y mypets. Gollyngodd o'n syth nôl ar y llawr efo clec. Edrychodd o'i gwmpas fel ci yn clwad wisl. Roedd o'n dechra corddi, a phan gododd Tintin i fynd am y ffôn newidiodd gwynab Elsie fel yr Incredible Hulk, blaw fod o'n goch yn lle gwyrdd. Caeodd ei ddyrna a dechra crynu mewn tempar. Gwnaeth sŵn chwyrnu oedd yn codi'n uwch ac yn uwch fel Yosemite Sam yng nghartŵns Bugs Bunny. Ac o fewn eiliadau roedd Mitsi a Sam, 'ffycin cŵn' Bryn Bach, wedi joinio mewn.

"*Yoooooooooou!*" gwaeddodd y Sais wrth bwyntio at Tintin. "*You, you, yoooou! Murderer!!*" Roedd pawb yn rhy gegagorad i shwshian.

"Ffwcin hel," medda Tintin. "Be ffwc sy ar hwn, dwad?"

"*You killed my Howie!*"

Shit! Roedd Tintin yn meddwl ei fod o wedi clywad y llais o'r blaen.

Aeth cân y mypets yn ei blaen wrth i Tintin a'r cyn-Uwch Arolygydd Lawrence Croft sefyll yn gwynebu ei gilydd.

'… *It's time to put on make-up, It's time to dress up right, It's time to raise the curtain on the Muppet Show tonight… pom-pom-pom…* '

Croft symudodd gynta. Rhuthrodd am Tintin â'i ddwylo allan o'i flaen. "M – U – R – D – E – R – E – R! *AAAAAAAAARGH!*"

Roedd o'n lloerig, ac yn amlwg â'i fryd ar wasgu'r anadl ola allan o'r dyn oedd o'n amau o droi ei hoff gi bach yn grempog. Doedd hynny ddim yn beth call. Roedd Tintin yn foi tal, dros ei chwe troedfadd, yn ei dridega cynnar, ac yn sgyrnog a gwydn, a calad fel ci ffarm. Ar y llaw arall roedd Lawrence Croft wedi troi ei chwedeg oed ac yn ddeuddag stôn o floneg bywyd braf. Roedd hi'n chydig bach o *mis-match* a deud y lleia. Ond cyn i Croft gyrraedd gwddw Tintin, a chyn i Tintin rwygo pen Croft i ffwrdd a'i hyrddio fo fyny'i din, roedd Tomi Shytyl wedi neidio rhyngddyn nhw. "*Wei wei wei wei wei!*"

O fewn eiliad roedd Croft fel dyn wedi'i lapio mewn cling-ffilm, yn methu symud ei freichiau o gwbwl tra bo breichia cyhyrog Tomi amdano fo'n dynn. 'Blaw bod ei goesa fo'n dal i fod yn niwsans, ac roedd Tomi'n cael traffarth ei gadw rhag symud am Tintin. Tan i Gwynedd Dybyl-Bybyl ddod draw i sefyll o flaen Croft fel wal frics. "Thdop it biffôr iw get thiriythli hyrt!"

Ond doedd 'na'm stopio ar y dyn. Roedd cân y mypets yn ei gorddi fo ormod. Roedd Tomi'n cael traffarth efo fo.

"Let me go, I do Taikwondo!"

"I do Typhoo too, so fuck you!"

Aeth y ddau tuag yn ôl i gyfeiriad y drws a baglu dros gorffyn anymwybodol Tiwlip a dechra reslo fel dau bry copyn ar lawr. Roedd hynny'n ormod i Mitsi a Sam allu ei gymryd. Neidiodd y ddau derriar ar y ddau bry copyn a dechra cnoi.

Erbyn i gân y mypets gyrraedd ei chleimacs, *'on the most sensational, inspirational, celebrational, Muppetational, this is what we call the Muppet...* ' a stopio – eiliad neu ddwy'n rhy fuan eto – roedd Mitsi a Sam wedi cael y gorau ar Tomi Shytyl a'r dyn gwallgo, ac roedd Bryn Bach wedi cael y gorau ar y ddau gi. Cododd y 'reslwyr' oddi ar y llawr, allan o wynt yn lân. Roedd Tiwlip yn dal i gysgu.

"I'm... I'm... arresting you..." chwythodd y Sais wrth Tintin, *"... for aggravated robbery... assault... criminal damage... dangerous driving and cruelty... to animals..."*

"Ffacinel!" medda Tintin. "Hŵ ddy ffyc dw iw thinc iŵ âr – Pwarot?

"I'm Chief Inspector Lawrence Croft... West Midlands police..."

"Ffyc off, man! Iôr Elsi ffrom Tiwlip's wet drîms..."

"Lawrence Croft, L.C. – 'Elsie.' Get it?"

Aeth y lle'n ddistaw am eiliad neu ddwy. Roedd pawb yn sbio ar Tintin. Gafaelodd hwnnw yn Croft, oedd yn rhy nacyrd i gwffio'n ôl, gerfydd ei wddw. "Wel, Mister Lorens Crofft El-sî Elsi Gê Tit," medda fo wrth dynnu sbectols Croft oddi ar ei drwyn a'u gosod yn daclus ar drwyn y pysgodyn ar y silff ben tân. "Ai'm Tintin and ai don't hit e man with sbectols."

"*I've got a heart condition... .*" gwaeddodd Croft wrth gau ei lygid i ddisgwyl y blacowt. Gollyngodd Tintin ei afael. Ond y funud y gwnaeth, cafodd Croft ail wynt o rwla a gafaelodd ym mraich Tintin a trio'i thwistio fyny tu ôl ei gefn o. "*I'm making a citizen's arrest. Somebody call the police...* "

"I thôt iŵ sed iŵ wyr ddy polîs?" medda Tintin, oedd jysd yn sefyll yno, ei fraich yn rhy gry i Croft, er gwaetha'i chwythu a stryffaglio, allu ei symud fodfadd.

"*I'm retired,*" medda Croft.

"Wel ffyc mî!" medda Tintin. "At ddy moment iw haf thri seconds tw let go of mai arm or iŵ'l bi retairing ffrom ddus wyrld ol-tw-geddyr!"

"*No chance. I'm taking you in, you and your accomplice over there!*" Pwyntiodd Croft at Gai Ows, oedd wedi bod yn gwylio'r pantomeim o'r gornal o dan y teledu.

Poerodd Gai Ows ei gwrw'n ôl i'w beint. "Ffwcin be?!"

"*Handling stolen goods at the very least for you, boy!*"

Am eiliad roedd Gai Ows yn poeni. Roedd o, heb yn wybod iddo, wedi derbyn pysgod wedi'u dwyn. A 'di'u gwerthu nhw hefyd. Ond cofiodd wedyn fod 'na'm tsians o brofi dim byd. A beth bynnag, sut oedd ffwcin 'Bruce Willis' fan hyn yn mynd i arestio neb? "*Fuck! You're on drugs or something you silly twat!*"

Hyd yn hyn roedd Jac Bach y Gwalch wedi bod rhy chwil i symud. Ac ar ôl gwatsiad yr *action* o'i sêt ar gornal y bar, roedd o wedi mynd i deimlo ei fod o'n colli allan. Heb ddeud dim wrth neb, cododd ar ei draed a gafael yn y pysgodyn oddi ar y silff ben tân. A heb air o rybudd slapiodd y pysgodyn ar draws gwynab Croft, yn galad, dair neu bedar o weithia. "*Let him go, you English basdad!*"

Gollyngodd Croft ei afael ym mraich Tintin ac wrth drio osgoi'r pysgodyn disgynnodd yn erbyn Megi Parri. Dwynodd hithau'r sgodyn o ddwylo Jac cyn iddo neud damej, a neidiodd Gwynedd Dybyl-Bybyl rhyngddo fo a Croft. "Aroth di'n fan'na, Jac. Daflwn ni'r ath-hôl yma allan. Wynff! Gafal di'n ei getheila fo, gyma i ei goetha fo."

Gafaelodd y Dybyl-Bybyls yn Croft, oedd yn dechra stryffaglio fel cath eto. Rhoddodd Gwyndaf ei law ar ei geg o, i'w fyfflo fo. "Be 'nawn ni efo'r cont, Wynff? Ma'r cops tu allan... "

"Rhowch o ar lawr yn fan'na, hogia," medda Megi Parri. "Eistedda i arno fo nes gŵlith o lawr."

Doedd Croft ddim yn dallt gair o Gymraeg. Ond roedd o'n gallu deall o dôn llais Megi bod 'na rwbath erchyll yn mynd i ddigwydd. *"No, please... you don't understand! Please... no... !"*

"Watsia rhag ofn 'ddo fygu!" medda Wil Bach Côr, yn consyrnd am ei yrfa fel cynghorydd petai o'n dyst i *manslaughter*.

"'Dio ffwc o bwyth," medda Gwynedd Dybyl-Bybyl. "Thaith 'di o."

≈ 48 ≈

Eu siomi gafodd y sêr. Roedd petha wedi edrych yn addawol pan dynnodd car yr heddlu i fyny tu allan y Trowt. A phan ddechreuodd sŵn gweiddi roeddan nhw'n disgwyl i'r drysa agor ac i sgrym o feddwyns ddisgyn allan yn dyrnu a cicio. Ond heblaw am Wil Bach Côr, a sleifiodd adra ar hyd y strydoedd cefn tua hannar awr wedi un – yn dianc cyn i'r rhestr o gyhuddiadau posib gynnwys herwgipio a gwaeth – welson nhw ddim byd gwerth sôn amdano. Gadael yn dawal wnaeth pawb rhyw ddeg munud wedyn, wel pawb heblaw am Cimosapi, fu'n bloeddio canu'r holl ffordd adra. Ond roedd y sêr wedi gweld hynny ganwaith o'r blaen. Dim jesd selogion y Trowt oedd wedi cael llond bol ar ei diwn gron.

Roedd y cyffyffyl yn y Trowt wedi dod i ben pan ddaeth Tabitha i lawr grisia yn ei choban a ffrîcio a hel pawb allan, a lluchio jwg o ddŵr dros Tiwlip a'i hel o, a Lawrence Croft, i fyny grisia efo'u cynffonna rhwng eu coesa.

Gwpwl o funudau cyn hynny roedd Cledwyn wedi dod nôl o'i bisiad braf yn y toilets ac wedi ffendio Megi Parri'n ista ar ben ffrind Tiwlip, yn dal pysgodyn o flaen ei wynab ac yn canu miwsig y ffilm *Jaws* mewn ffordd fygythiol, tra bod y "boi demented ar-drygs-efo-Tiwlip oedd yn meddwl fod o'n blisman ac isio arestio pawb" yn troi'n biws wrth drio cael ei wynt.

Bu trafodaeth wedyn i benderfynu be i neud efo Croft. Cafwyd sawl syniad, pob un yn amrywio o rai gwirion i rai dieflig, ac i gyd yn anghyfreithlon. Roedd Bibo Bach isio'i losgi fo, a Jac Bach y Gwalch isio mynd â fo a'i foddi fo yn Llyn Cŵn. Ond siarad nonsans yn eu cwrw oeddan nhw'u dau, fel arfar. Roedd y Dybyl-Bybyls, fodd bynnag, o ddifri pan ddudon nhw eu bod nhw isio'i glymu fo i fyny a'i interogêtio fo. Ac er dychryn i bawb roedd Dafydd Bwmerang o ddifri hefyd, er ei fod o'n gwadu hynny wedyn, pan gynigiodd ei baentio fo'n wyrdd a'i ffwcio fo'n ei din "am y crac". Ond pan ddechreuodd Dyl Thyd sôn am ei gytio fo fel pysgodyn a'i dorri fo fyny'n stêcs a'i roi o yn y ffrîsar, penderfynwyd mai'r peth calla fyddai newid y sgwrs a mynd i ddeffro Tabitha. Roedd Dyl Thyd yn gwatsiad gormod o ffilmia horror Japanîs.

Roedd Tabitha wedi cael ei deffro'n barod, fodd bynnag. A doedd hi ddim yn hapus. Pan sgubodd i mewn i'r bar â'i gwallt anhygoel o hir fel cwmwl du tu ôl iddi, y peth cynta welodd hi oedd ei gŵr *out for the count* ar lawr, a Megi Parri'n ista ar ei ffrind o, yn dal trowtyn o flaen ei drwyn ac yn gneud 'sŵn' pysgodyn "bob... bob... bob" wrth drio'i 'hypnoteiddio' fo i fihafio. *"Look into my eyes... bob... you are feeling very sleepy... bob... !"*

Megi Parri gafodd yr *onslaught* cynta, wrth reswm, wedyn

Jac Bach y Gwalch, oedd *"obviously something to do with it!"* Roedd hi wedi codi dychryn ar Bibo Bach am nad oedd hi'n gwisgo'i sbectol ac roedd o wedi meddwl ei bod hi'n sgrechian arno fo efo'i llygid sgwint.

Eiliadau wedyn roedd pawb yn rhoi clec i'w diodydd ac yn diflannu drwy'r drws fesul un a dau. Welodd neb, gan gynnwys y sêr, y Brithyll Brown yn gwagio mor sydyn a didraffarth erioed. Fuodd neb yn siarad tu allan, nac yn disgyn i mewn i dyllau ar ochor ffordd a downsio efo goleuadau traffig. Gwasgarodd pawb i wahanol gyfeiriadau fel plant wedi malu ffenast efo pêl.

Ochneidiodd y sêr. Doedd 'na'm mwy i'w weld heno.

≈ *49* ≈

Roedd 'na swig yn nhŷ Sian pan gyrhaeddodd yr hogia'n ôl. Roedd y genod wedi cymryd hannar pilsan ecstasi yr un ac roeddan nhw awê ar y gwin coch, gwin gwyn, vodka, jin a lager. A sbliffs.

Cled gerddodd i mewn gynta, drwy'r drws cefn, a'i lygid yn grwn fel llygid brithyll yn serennu yn ei ben. Fan'no oedd y genod, wrth y bwrdd yn gegin gefn, yn mylti-sgwrsio a morio canu "lluchia dy fflach-llwch drosta i" efo Ffa Coffi Pawb ar y stereo. Roeddan nhw mewn hwylia peryglus. Hwyliau ben byrdda. "'Di'n saff 'ma?" gofynnodd Cled.

"Dwi'm yn gwbod wir," medda Sian. "Pam? Sgin ti rwbath i guddio?"

Chwerthodd Cled. Ond chwerthin gwag oedd o...

"Lle mae'r rest o'r Anthill Mob?" gofynnodd Jenny Fach.

"Ia. Lle mae'r dynion 'ma?" medda Fflur Drwgi. "Be ma dynas fod i neud i gael coc yn y lle 'ma?" Chwalodd y bedair i chwerthin fel gwydda.

Oedodd Cledwyn eiliad cyn atab. "Menthyg rhyw twenti grand a mynd am opyrêsiyn, 'swn i'n meddwl. Oes 'na gwrw yn y ffrij, ta be?"

"Watsia'r treiffl!" gwaeddodd Sian. "A paid ti meiddio'i fyta fo! Ma hwnna i de parti Anarawd!"

Mab ienga Drwgi a Fflur oedd Anarawd. Roedd o'n bump oed ddydd Llun.

Ar silff isa'r ffrij roedd 'na boteli Grolsch. Dyna sy'n dda am gael barbeciws yn yr ardd. Mae rhywun wastad yn gadael cwrw ar ôl. Agorodd Cled botal ac aeth i ista wrth ochor Sian.

"So, lle maen nhw 'ta?" gofynnodd Carys Sbanish, yn methu dallt pam bod Cled ar ei ben ei hun.

"Oeddan nhw tu ôl i fi funud nôl, Car. Ond mae Drwgi a Sbanish newydd lyncu tripsan arall a... "

"O wel! Mwy o gyrff mewn *wheelie-bins*, felly!" medda Sian ar ei draws.

Roedd y genod wedi dod o hyd i Ding mewn *wheelie-bin* ar eu ffordd o'r Trowt. Roeddan nhw'n cyrraedd cornal Bryn Derwydd a 'di clywad sŵn rhywun yn canu '*ny-ny-ny-ny-ny-ny Batman!*' Pan ddaethon nhw rownd y gornal be welson nhw ond Ding, a'i goesau yn yr awyr, yn mynd ar ei ben i mewn i *wheelie-bin* Ned Normal. Trodd y bin drosodd ar ei ochor efo clec, nes bod Ding yn gorwadd ar ei fol tu mewn, efo'i ben yng ngwaelod y bin, yn gweiddi '*kapow*' a '*zap*' a '*holy acoustics, Batman!*'

"Ac oedd y jolpyn gwirion yn gwrthod dod allan," medda Jenny Fach.

"So be neuthoch chi?"

"Ei ffycin adal o, 'de!" medda Fflur. "Os oedd o isio gorwadd mewn *wheelie-bin* yn chwara Batman, *fine!*"

"A chdi, Cledwyn Bagîtha, 'di'r bai. Am roi asid iddo fo!" medda Jenny.

"Ia! A rŵan bydd fy annwyl ŵr i yn yr un stad!" medda Fflur.

"A'n un inna hefyd!" medda Carys.

Sylweddolodd Cled fod y genod mewn mŵd i haslo heno. A tan fydda'r reinfforsments yn cyrraedd roedd o ar ei ben ei hun.

"Fydd 'na'm sens i gael heno, 'lly," medda Carys.

"Na coc chwaith!" medda Fflur, gan achosi ton arall o chwerthin cras.

Aeth Cled i deimlo'n annifyr i gyd. Roedd o'n trio peidio teimlo'n euog am gael blo-job gan Tabitha. Roedd o'n ista'n ymyl ei gariad, mam ei blant, y ferch oedd o'n ei charu mwy na dim yn y byd, ei garreg wastad, ei angor. Roedd o'n ista yn eu cartref nhw a'u plant, canhwyllau ei fywyd, yn cael y crac efo cariadon ei ffrindia gorau. Ac roedd o newydd ddod yng ngheg rhyw slwt mewn moment wan pan oedd o off ei ben ar ecstasi. Roedd Sian yn bopeth iddo fo. Roedd hi'n gynnas, yn joli, yn ddigri ac yn secsi. Ac roedd o mor hapus, a lwcus, ei chael hi. Doedd o'm angan mwy mewn bywyd. Yn bendant doedd o'm angan blo-job gan ddynas wallgo â'i gwallt ar dân. Pam risgio colli'r cwbwl? Cont gwirion, meddyliodd.

Snapiodd allan o'r paranoias. Roedd o angan pilsan arall i ddod nôl i fyny ac anghofio pob dim am gwpwl o oria. Ond roedd y ddwy bilsan ola gan Drwgi. "Sgenna chi bils ar ôl, genod?" gofynnodd.

"Be ti'n feddwl?" medda Sian.

"Nag oes, 'lly?"

"Correctomwndo!"

Ar hynny daeth sŵn aflafar Bic, Sban, Drwgi a Gai Ows yn canu wrth ddod fyny'r llwybr hyd gefnau'r tai. I mewn â nhw yn garnifal o ganu a chwerthin a sefyll fel côr o bysgod yn canu nerth esgyrn eu penna. Ymunodd Cled yn y gân yn syth:

"Mae rhywun 'di dwyn berfa o Benygroes, oes oes,
A dwy botal o lefrith o'r drws,
Mae o'n deud yn y Caernarfon and Denbigh,
Y papur sy'n dweud y gwir… "

Eisteddodd y genod yn sbio ar ei gilydd ac ysgwyd eu penna. Roeddan nhw'n trio cadw gwynab syth. Roedd yr hogia'n hongian. Ac yn afreolus. A pan orffennon nhw fwrdro'r clasur o gân, yn disgwyl clap neu hwrê, trodd y genod i ffwrdd a mynd nôl i fylti-sgwrsio.

"'Da chi 'di bod yn y Trowt tan rŵan?" medda Fflur Drwgi cyn hir.

"Correcto-ffwcin-mwndo," medda Cled.

"Ffacin hel, ma' hi jesd yn ddau."

"Fysa ni'n dal yna 'fyd, 'sa Insbectyr Gadget heb ga'l fflip," medda Sbanish.

"Pwy?"

"Mêt ffwcin Tiwlip," medda Sban. "Ex-copar, medda fo. Aru o'i cholli hi'n racs efo Tintin. Aeth hi'n chydig bach o sîn."

Hoeliwyd sylw'r genod yn syth. Roedd 'na glecs i'w hel.

"Yndwch, hogia," medda Sian, yn tynnu cadeiria a stolion at y bwrdd o gorneli'r sdafall. "Mae 'na gwrw yn y ffrij. Ond watsiwch y treiffl… "

≈ 50 ≈

"Y fi a Wil, y Wil a fi, y fi a Wil Goes Bren (BANG BANG) y ni ein dau, yr unig ddau, y fi a Wil Goes Bren (oi! oi!)… "

Hannar awr yn ddiweddarach roedd y parti'n fflio mynd yn gegin gefn Sian a Cled. Roedd Bic wedi nôl gitâr Seren, ei ferch, ac wedi perswadio Sbanish i roi perfformiad iddyn nhw. Ond doedd Sbanish heb bara mwy na dwy gân cyn i'r ail drip o asid yrru ei ben filltiroedd i ffwrdd o'i ddwylo. Roedd

Steffan, mab hyna Bic, wedi dod draw wedyn ac wedi cymryd drosodd. Am hogyn un ar bymthag roedd o'n chwaraewr gitâr ffantastig. Fel ei chwaer fawr, oedd yn chwara gitâr yn un o'r llwyth o fandiau ifanc yn yr ardal, roedd Steff yn gallu chwara bron unrhyw gân. Roedd Sian 'di dod â'r bongos allan ac roedd Bic yn fflio mynd ar rheiny wrth i Cled ddod allan efo geiria cân ar ôl cân. Ar ôl petha fel y 'Bing Bong Be' mwya ffiaidd erioed a dau bennill o 'Santiana' drosodd a throsodd, cafwyd rhyw fath o ddehongliadau meddw-anghofio-geiriau o glasuron fel 'Ethiopia Newydd', 'Rheswm i Fyw', 'Dic Penderyn', 'Byw Mewn Gwlad', 'Tafarn yn Dolrhedyn', 'Poeni Dim', 'Rhedeg i Baris', 'Cymru Lloegar a Llanrwst', wedyn 'Wish You Were Here', 'Buffalo Soldier' a 'No Woman No Cry'... *Perfect piss-up material!* Ac ar ôl mwrdro clasur ar ôl clasur, tro 'Wil Goes Bren' oedd hi i gael ei goes arall wedi'i chwythu ffwrdd...

Roedd meddylia Drwgi a Sbanish, y ddau'n tripio fflat owt eto, wedi bod yn crwydro oddi ar y caneuon ers amsar a roeddan nhw wedi bod yn sleifio allan i'r ardd gefn bob hyn a hyn i sbio ar y sêr. Roeddan nhw'n mynd allan, gweld petha, chwerthin, a dod yn ôl i mewn. Ond rhyw ddwy gân yn ôl roeddan nhw wedi mynd allan a heb ddod yn ôl. Cofiodd Bic a Cled eu bod nhw isio'r ddwy bilsan gan Drwgi. Unwaith stopiodd y canu mi hitiodd y sbliffs a'r cwrw nhw fel gordd.

"Drwgi! " gwaeddodd Bic. Ond ddaeth dim smic o'r ardd tu allan. Cododd a mynd i chwilio. Doedd 'na'm golwg o Drwgi na Sbanish. Aliens wrth eu gwaith eto, meddyliodd. Aeth heibio talcan y tŷ ac i'r ardd ffrynt. Dim sôn amdanyn nhw. Ond roedd hi'n noson neis.

Eisteddodd ar wal yr ardd am funud. Tynnodd ffag o du ôl i'w glust a'i thanio. Tynnodd yn ddwfn. Sbiodd ar yr awyr. Sêr. Miliynau ohonyn nhw. 'Dan ni mor lwcus yn byw'n lle ydan ni, meddyliodd. Allan yn y wlad, yn gallu gweld y sêr. Mae pobol mewn dinasoedd yn methu gweld sêr oherwydd smog a gola strydoedd. Mae hynny'n deud y cyfan am y lle. Mynd, mynd, mynd. Pawb yn brysio, brysio, brysio. Miliynau o betha i'w gweld a'u clywad a'u gneud. Ar y chwith ac ar y dde. Ond neb yn sbio i fyny...

Doedd 'na'm munud i feddwl mewn dinas. Dim rhyfadd fod mwy o werthoedd ysbrydol a synnwyr o berthyn yng nghefn gwlad. Mae pobol y wlad yn gallu gweld y sêr. Y llwybr llaethog. Y bydysawd. A mae hynny'n dangos i rywun be mae'n rhan ohono, a'i le fo mewn llun llawer iawn mwy. Roedd mwy i fodolaeth na ti dy hun, meddyliodd Bic. Rhan o rwbath wyt ti. A ti'n gwerthfawrogi hynny pan ti'n sbio ar y sêr.

Roedd Cledwyn wastad yn deud mai deall eu lle yn y bydysawd sydd yn gneud i bobol werthfawrogi pob dim arall. Rhinweddau. Ystyron. Etifeddiaeth. Fod mwy i'r funud hon na heddiw. A mwy i'r dydd na sŵn ein traed. A diolch i'r sêr, mor bell uwchben, am gadw'n traed ni ar y ddaear.

Y sêr yn agos, eto'n bell, gorwadd o danyn nhw, be oedd well? Gwenodd Bic. Roedd honna'n odli! Rwtsh llwyr, ella, ond yn odli. A doedd o'm yn rwtsh chwaith. Barddoniaeth y werin oedd o. Telynegion syml efo ystyron dyfnach. Rhywun wedi gweld rwbath cyffredin a theimlo ias o ysbrydoliaeth. Mae 'na ddiarhebion o'n cwmpas ni'n bob man, a lot i'w ddysgu os 'dan ni isio gwrando.

Mae 'na lawar mwy i resymeg y werin na mae'r sgolars yn ei ddallt, mae hynna'n saff. Fel oedd Cledwyn yn ddeud, mae angan telynegion gymaint ag sydd angan cywyddau ac awdlau. A roedd sgolars ac academics yn byw ym myd yr awdlau. Sut oeddan nhw'n mynd i weld y telynegion o fan'no? Y werin sy'n gyfrifol am weld rheiny. A mae pob un seran wedi chwarae'i rhan mewn telyneg, myfyriodd Bic. Faint o feirdd safodd o danyn nhw mewn cymundeb efo Arianrhod? Roedd hitha, duwies yr awen medda Cled, yn gwenu'n bêr heno. A'i golau glas yn atab cwestiynau'r rhai oedd yn chwilio.

Ond ar y funud, chwilio am ddrygs oedd Bic. Dwy bilsan

ecstasi, digwydd bod. Ac roedd o angan dod o hyd i Drwgi a Sbanish i'w cael nhw. Mwy na thebyg bod y ddau yng Nghoed Bryn Derwydd, ochor arall y cae o flaen y tai. Roedd coedwig yn lle da i dripio ynddo fo. Ond doedd wbod lle oeddan nhw. Roeddan nhw off eu penna. Allan nhw fod yn rwla. Gorffennodd Bic ei ffag a'i fflicio hi drwy'r awyr fel seren wib. Aeth yn ôl am y tŷ.

Roedd Cledwyn yn mynd drwy'i betha. Roedd y merchaid wedi bod yn tynnu arno am chwydu dros Iolo, babi bach Sadie, yng ngardd y Trowt yn gynharach. Roeddan nhw'n chwara efo'i ben o, yn trio'i chwalu o, yn synhwyro'i wendid wrth iddo ddod i lawr.

"Be os fysa fo'n cael *disease*, Cledwyn?" medda Jenny Fach.

"Ia," medda Carys. "Jyrms dy stumog di!"

"Dal pob matha o betha, a'r peth bach ond yn bedwar mis oed!" medda Fflur.

"Falla fod o ar 'i ffordd i'r sbyty rŵan, Cled!" medda Sian.

"Sgena i'm ffwcin *disease*, nag oes? Be da chi'n feddwl ydw i, llygodan fawr?"

"Ella bo' gen ti *Hepatitis* neu rwbath," medda Fflur.

"Ffwcin hel!" medda Cled.

"Ti'm yn edrach yn iach," dechreuodd Sian eto. Roedd Cled mor hawdd i'w weindio fyny.

"A be sy'n neud ti feddwl 'fod ti'n ddoctor, Siani? Gwatsiad *Holby City*?"

Roedd Cled wrth ei fodd efo'r gêm haslo 'ma. Roedd o'n licio'r ffaith fod pobol yn weindio fo i fyny, ac yn hapus i fynd efo'r lli. Roedd o'n beth da i roi trydan yn yr awyr. I gadw'r meddwl yn finiog, yn sbarc i danio'r eiliadau. Roedd pawb yn effro wedyn, ac yn barod am y crac...

"Eniwê, mae'r babi'n cael fwy o jyrms pan ma'n cael sws gan ei fam!" medda Cled.

Chwerthodd y genod wrth i'r cathod tu mewn iddyn nhw

ddod allan i groesawu'r datganiad dwytha. Roedd o wedi plesio. Doedd 'run o'nyn nhw'n cîn ar Sadie Ffycwit, fel oeddan nhw'n ei galw hi ymysg ei gilydd. Roedd hi'n neidio i'r gwely efo unrhyw ddyn neu ddynas oedd yn digwydd bod agosa. Ac roedd digon o hogia a merchaid yn cymryd mantais o'i thueddiadau llac. Dim am ei bod hi'n hogan ddel, ond am ei bod hi ar gael.

Dechreuodd y genod fylti-sgwrsio ymysg ei gilydd eto. Cymrodd Cled swig o'i botal Grolsch. *Yyyaach!* Roedd hi'n troi arno. Trodd at Gai Ows, ond roedd hwnnw'n cysgu â'i ben ar y bwrdd. Roedd Bic wedi mynd drwodd i'r lownj i slejio mewn cadar. Aeth pen Cled i deimlo'n drwm hefyd. O leia roedd y genod yn gadael llonydd iddo fo rŵan. Ond barodd yr amnest ddim yn hir. Roedd y genod yn synhwyro gwaed a dechreuon nhw roi eu crafangau i mewn iddo eto.

Fflur Drwgi oedd ar flaen y gad. "Dio'm yn beth neis i ddeud, *though*, yn nacdi?"

"Be?"

"Bod Iolo Bach yn cael fwy o jyrms gan ei fam!"

"Wel ma'n ffwcin wir, dydi?" Roedd pen Cled yn troi fel *twin tub* ond roedd raid iddo fo ddal ei dir.

"Sut wyt *ti'n* gwbod? Wedi dal rwbath ganddi dy hun?" gofynnodd Sian.

"Ffyc off! Ma' sbio arni'n ddigon i neud i fi gosi!"

"Dw inna'n cosi pan dwi'n gweld chdi 'fyd," medda Jenny Fach fel blast o'r hefi artileri.

"O ho-ho! A 'dan ni'm isio gwbod yn lle *ti'n* cosi, nag oes Jenny Fach!"

"Wel 'dan ni'n gwbod lle wyt *ti'n* cosi beth bynnag, Cledwyn Bagîtha!"

"Yn lle 'lly?"

"Lle ma pob ci'n cosi!"

"A dim ond gast fysa'n gwbod hynny!"

Bingo! meddyliodd. *One fucking nil!* Gwenodd yn sarcastic ar Jenny Fach. Ond dechreuodd y sdafall fynd rownd a rownd...

"Wwwwwwwwwwww!" medda'r genod i gyd efo'i gilydd.

"Bilô ddy belt honna, doedd?" medda Sian.

"Ffwcin chi ddechreuodd, y ffycars," medda Cled.

"Naci ddim! Chdi aru chwydu ar y babi!" medda Carys.

"O? 'Dan ni'n ôl yn fan'na eto, yndan?" Sna'm rhyfadd fod ei ben o'n troi, meddyliodd...

"'Dan ni heb adal, mêt!" medda Sian.

"A 'dan ni ddim am adal chdi gal getawê efo hi chwaith, Cledwyn Bagîtha!" medda Jenny Fach. "'Nas di'm hyd'nod aros i weld oedd y babi'n iawn!"

"O'n i'n trio helpu, ffor ffêc's sycs... " Roedd Cled yn ei chael hi'n anodd siarad yn iawn rŵan. Wrth i'r cemicals redag allan o stêm roedd effaith yr alcohol yn cicio i mewn. A gan fod Cled wedi yfad yn agos at dri deg peint yn ystod y dydd, roedd yr effaith yn rwbath tebyg i effaith *tranquiliser* ar hipopotamws.

"'Nas di'm trio llawar, naddo?" Roedd Fflur yn symud i mewn am y *kill*.

"Do tad! Ond oeddach chi gyd yn deud 'tha fi am ffwcio'i o'na."

"Adag hynny oedd hynny 'nde?" medda Sian. "Rŵan 'dan ni'n recno dylsat ti 'di aros."

"Be 'swn i 'di gallu'i neud, eniwê? Efo chi'ch pedar a Sadie'n fflapian uwch ei ben o? Siŵr bod y peth bach wedi dychryn am ei fywyd! *Traumatised* am weddill ei oes, garantîd. *Bitches* creulon!"

"O leia oeddan ni'n helpu," medda Carys. "Yn trio llnau chŵd rhyw *disease-ridden alcoholic* i ffwrdd o wynab babi bach diniwad."

"Rhag ofn iddo fo gael jyrms... " Roedd Jenny Fach yn

amlwg yn mwynhau bod ar yr *heavy guns*.

"Ffycin hel, be am jyrms o'ch gwynt chi i gyd?" Roedd Cled yn slyrian rŵan, ac yn cael traffarth codi'i ben i sbio ar y genod. "Heb... sôn am... fod yn tagu am ei wynt... efo chi'n awadlu *methane* drosto fo. Lwcus fod o'm yn smocio neu fysa 'na ffwc o glec... "

"Awadlu?" medda Jenny Fach.

"Y?"

"Awadlu ddudasd di?"

"Be ti'n malu... *Methane*. Gas ydi o, Jen. Ma'n cael ei greu pan mae merchaid yn siarad ... " Roedd llygid Cled yn dechra cau.

"*Wwwwwwwwwwww!*" medda'r bedair eto.

"Ti ar dir peryg ŵan, Cledwyn Bagîtha!" medda Sian. "Dod allan efo stereoteips fel'na am genod."

"Be ydach chi? Syrffjacets? Wedi bachu lastig eich nicyrs yn neintîn twenti?"

"Syrffjacets?" gofynnodd Sian.

"Eh?"

"Chdi ddudodd, 'be ydach chi, syrffjacets'!"

"Syyyyrffjacets...? " Roedd llais Cled yn mynd yn dawelach.

"Ia."

" ... Dyna ddudas i, ia?"

"Ia."

"Damio...! "

≈ *51* ≈

Roedd Sbanish a Drwgi ar ben coed yng Nghoed Bryn Derwydd. Roeddan nhw'n tripio off eu bocsys ac wedi bod yn gneud sŵn adar. Roedd Sbanish ar ben coedan dderwen fawr yn gneud sŵn deryn jyngyl a Drwgi mewn derwen arall, rhyw ugain llath i ffwrdd, yn gneud sŵn gwdihŵ. Ddim yn dda iawn. Mwy o dwit na 'twi-tw-hŵ'.

Roeddan nhw hefyd wedi bod yn canu cân Mim Twm Llai, *"swn i'n licio gallu hedfan fel aderyn... hedfan dros y byd a'i berlau mân... '*, ac wedi cael gigyls gwirion am fod Drwgi wedi deud 'awyren' yn lle aderyn mewn mistêc. Ar ôl hynny roedd rhyw dawelwch wedi disgyn dros y ddau wrth iddyn nhw ddechra sylwi ar be oedd o'u cwmpas.

O'i goedan o roedd Sbanish yn gallu gweld dros dopia tai Bryn Derwydd draw am y Trowt. Roedd y pentra'n dlws yn y lleuad, a phob man i'w weld mor dawal. Gwrandawodd. Dim byd... Edrychodd ar y sêr rhwng cangau'r dderwen. Roedd o 'di treulio gymaint o amser o dan y sêr, yn sgota efo'r hogia neu'n campio efo'r criw. Doedd o erioed wedi gweld UFO, chwaith. Roedd o'n gwirioni efo'r gofod a *science fiction* ers pan oedd o'n fach. Fo a Cledwyn. Roedd o'n dal i wirioni 'fyd, fel oedd ei gasgliad o fideos a DVDs yn tystio. Sci-fi oedd ei bethau fo, a 'ffilms sbês' oedd ei betha pan oedd o'n fach. A ffwtbol, wrth gwrs.

Roedd o wedi dilyn hynt a helynt *flying saucers* am flynyddoedd ac wedi darllan lot amdanyn nhw. Roedd o'n gwbod pob dim am achosion fel Roswell a mynydd Llandrillo, ac oedd, mi oedd o, unwaith, 'yn credu'. Ond erbyn hyn, a fynta wedi treulio gymaint o amser dan y sêr heb weld dim byd mwy amheus na carrag, a daflwyd gan Cledwyn, yn fflio'n syth am dop ei drwyn, roedd o wedi penderfynu mai bolycs oedd y cwbwl. Heblaw am sêrs gwib ac amball loeren yn brysio heibio ar ei chylch rownd y byd, a'r Irish Mail yn cwyno'n undonog dan bwysa post yr Ynys Werdd, welodd Sban erioed ddim byd yn symud yn awyr y nos.

Daeth llais Drwgi drwy'r cangau o'r twllwch. "Hei, Sban..."

"Be?"

"Dwi'n mynd i baentio sîling tŷ ni yn sêrsus."

"Be ti'n feddwl?"

"Ca'l paent glas, glas, glas a neud llun y Milci Wê ar y to. Cŵl ta be?"

"Amêsing. Go ffor ut, mêt. Ond sut fysach chdi'n gneud y sêr?"

"Paent aur a silfyr, ynde, a sort of pebyl-dashio fo mlaen efo brwsh. Sblatro fo, ti'bo."

"Fel Jackson Pollock?"

"Pwy?"

"Jackson Pollock. Ti'n cofio Bic yn disgyn dros y wal tu allan y Ring a landio ar y gwydr peint 'na?"

"Ia."

"A'i fys o'n gwaedu?"

"Ia."

"Ac 'aru o ddechra sblatro gwaed dros y wal wen tu allan a gneud y *masterpiece* 'na, ti'n cofio? Jysd sblatyrs o waed ar hyd y wal? Wel dyna fo. Jackson Pollock!"

Bu tawelwch am eiliad neu ddwy. "So pwy 'di Jackson Pollock eto? Gneud horror ffilms mae o, ia?"

"Na, man! Y steil... artist 'di Jackson Pollock. Dyna ydi ei steil o. Sblatro paent dros bob man ar y canfas."

"Cŵl, cŵl... Ti'n meddwl fod 'na baent i'w gael efo sersus ynddo fo?"

Chwerthodd Sbanish. "Dwi'mbo, Drwgi! Tria Huws Gray fory. Dwi'n gwbod 'u bod nhw'n gwerthu paent efo wood-chip yn'o fo."

"Yndyn?"

"Yndyn!"

"Mae 'na jans 'lly... "

Aeth pob man yn ddistaw eto. Roedd y nos yn dawnsio rhwng y brigau deiliog, a'r canghennau fel llwybrau defaid duon yn nofio drwy fôr o sêr. Ac wrth i Sbanish syllu rhyngddyn nhw roedd y sêr yn dod yn nes ac yn nes ato. A'r mwya oedd o'n sbio ar y sêr, y mwya i gyd oedd y canghennau o'i gwmpas yn newid o ddu i biws. Ond bob tro'r oedd o'n sbio ar y canghennau eu hunain roeddan nhw'n troi'n ôl yn ddu. Edrychodd yn ôl a mlaen fel hyn dipyn o weithia, nes bod y canghennau yn y diwadd yn troi'n goch, piws a gwyrdd, dibynnu pa rai oedd o'n edrych arnyn nhw. Cyn hir roeddan nhw wedi troi nôl yn ddu, ond efo gwawr arian rownd eu hymylon. Canolbwyntiodd Sbanish arnyn nhw, ac ymhen rhyw funud roedd y goedan yn 'eira' i gyd drosti. Eira oedd yn sgleinio fel arian. Arian y sêr…

Daeth llais Drwgi'n dynwarad Woody Woodpecker drwy'r gwyll. Un da oedd Drwgi, meddyliodd Sbanish. Ddim hannar ffwcin call, ond roedd o'n un da. Sâl iawn am ddynwarad gwdihŵs a Woody Woodpeckers 'fyd, ond un da. Roedd o'r boi mwya triw yn y byd. Ffrind da, ffwl stop.

Daeth gigyls Drwgi dros yr aer. Dechreuon nhw mewn sbyrts. Rhyw *hi-hi* i ddechra, wedyn *hi-hi-hi* mewn eiliad neu ddwy wedyn. A doedd hi'm yn hir cyn iddo golli rheolaeth ar ben y goedan. Roedd o'n chwerthin dros y coed i gyd, a'i lais yn bownsio o goedan i goedan yn y gwyll. Roedd Sbanish yn siŵr ei fod o'n clywad anifeiliaid bach yn rhedag i guddio lawr yn y gwair a'r dreiniach islaw.

"Sban." Daeth llais Drwgi o'r gwyll eto.

"Be mêt?"

"Dwi'n cael ffwc o *light show* fan hyn 'de!"

"*Ti* yn? Dwi mewn kaleidoscope yn fan hyn!"

"Ma petha'n symud 'fyd, y cont!"

"Ti'n deu 'tha fi!" Roedd coedan Sbanish yn dechra troi rownd a rownd. Gafaelodd yn dynn yn y gangen. "Drwgi! Mae 'nghoedan i'n troi rownd!"

"Cŵl! Majic rowndabowt, Sban. Mae un fi'n rhyw fath o drio troi 'fyd."

"Na, dydio ddim yn cŵl!" Doedd Sbanish ddim yn teimlo'n

saff mwya sydyn. "Drwgi?" Ond roedd Drwgi wedi dechra canu miwsig y *Magic Roundabout* ar dop ei lais. A doedd hynny ddim yn helpu o gwbl. Y mwya roedd Drwgi'n canu, y cyflyma oedd coedan Sbanish yn troi. A'r cyflyma oedd y goedan yn troi, y tynna'r oedd Sbanish yn gafael yn ei changhennau. Lapiodd ei goesa'n dynn o bobtu'r gangan dan ei din a gwasgodd yn dynn am yr un o dan ei fraich. "D-R-W-G-I ! "

"Be, mêt?"

"Stopia ganu, plîs."

Ond dal i droi wnaeth y goedan. A doedd Sbanish ddim isio bod arni ddim mwy. "Mae 'nghoedan i'n troi'n rhy ffasd, Drwgi! Rhaid i fi neidio i ffwrdd!"

"Paid â neidio, Sban!"

"Rhaid i fi, Drwgi." Roedd panig yn llais Sbanish.

"Sban, paid!"

"Ffyc ddus 'de... "

"Sban! *Dringa* i lawr, y cont gwirion!"

Ond roedd Sbanish angan dod i ffwrdd o'r rowndabowt *rŵan*, yr eiliad honno, cyn cael ei luchio i ffwrdd, er ei fod o'n gwbod fod siawns y bydda fo'n brifo wrth neidio. Doedd o'm yn gallu gweld y llawr yn y twllwch, ond roedd o'n gobeithio fod 'na dir meddal...

"Sban!"

"Dwi'n mynd, Drwgi. Dwi'n mynd i neidio!"

"Ffwcin paid, Sbanish!"

"Rhaid i fi... *aaaaaaaa!* " Caeodd Sbanish ei lygid a neidio i ffwrdd o'r gangan i'r düwch islaw. Glaniodd ar ei draed, cyn rowlio drosodd ar ei ochor fel paratrwpar. Arhosodd ar lawr. Roedd o mewn un darn. A doedd dim byd yn brifo.

I fyny yn ei goedan clywodd Drwgi thymp Sbanish yn glanio. "Sbanish!" gwaeddodd. "Sbanish!"

"Be?"

"Ti'n iawn?"

"Yndw."

"'Aru chdi neidio?"

"Do. Ond dim ond ar y gangan isa o'n i… " Roedd Sbanish wedi crwydro ar hyd y goedan gymaint wrth sbio ar y sêr, off ei ben, nes anghofio lle'r oedd o. Clywodd Drwgi'n chwalu i gigyls afreolus eto. Roedd gan Sbanish ofn iddo ddisgyn wrth chwerthin gymaint. "Cym di bwyll i fyny fan'na, Drwgi!"

Roedd Sbanish wedi cael rysh wefreiddiol wrth neidio o'r gangan. Am hannar eiliad roedd o'n teimlo fel petai o'n fflio. Gwynt oer yn brwsio ar hyd ei wynab a thros ei glustia fo. Ond yr asid a'r ecstasi oedd hynny. Bob tro oedd o'n cymysgu'r ddau roedd o'n cael y trip anhygoel 'ma oedd yn teimlo fel bod awel oer yn chwythu drwy ei ben o. Roedd o'n fendigedig. Penderfynodd Sbanish ei fod am fynd yn ôl i fyny a neidio eto.

Yn y cyfamsar roedd Drwgi'n trio cael gafael ar rwbath oedd yn tyfu ar ben ei goedan. Erbyn hyn fysa Drwgi'n gallu taeru mai pâr o sgidia ffwtbol oedd yno, fel petai rhywun wedi clymu eu cria nhw efo'i gilydd a'u taflu i'r coed i hongian. Dringodd i fyny i'r gangan nesa a sefyll arni, a gan afael yn y gangan uwchben honno wedyn, cerddodd wysg ei ochor tuag at y sgidia.

Nôl wrth ei goedan o, ar ôl dringo fyny i'r gangan a neidio i ffwrdd rhyw bump o weithia, roedd Sbanish yn bôrd. Safodd o dan y goedan ac edrych o'i gwmpas. Roedd y coed yn sbŵci, mwya sydyn. Roedd 'na wyneba ymhob boncyff ac roedd eu canghennau cam fel tentacyls yn estyn allan i ddal beth bynnag basiai. Ac roeddan nhw'n symud.

"Hei, Drwgi!"

"Be?" atebodd llais o'r uchelderau.

"Dwi'n mynd nôl am y tŷ. Ti'n dod ta be?"

"Witsia'm bach." Roedd Drwgi'n dal i drio cyrraedd y sgidia. Roedd o bron iawn yno. Roedd blaenau'i fysidd yn ddigon agos i… gael… gafael… a… ha! Daliodd nhw rhwng ei fysidd. Tynnodd...

Mae'n rhyfadd, ond dydi brigyn efo bwnshiad o ddail ar ei flaen, wedi hannar torri, yn hongian fel braich lipa ar benelin o bren ddeugian troedfadd i fyny mewn coedan, yn ddim byd tebyg i bâr o sgidia ffwtbol. Ond pan mae dyn allan o'i gynefin ac, yn bwysicach, allan o'i ben, mae'r ymennydd yn licio chwara tricia ar y llygid a mae unrhyw beth yn bosib. Pan welodd Drwgi ei fistêc roedd hi'n rhy hwyr.

Roedd Sbanish ar fin gweiddi ar Drwgi eto pan glywodd o gangan yn mynd 'snap' a Drwgi'n gweiddi 'ffyc'. Y peth nesa glywodd o oedd sŵn canghennau'n ysgwyd a brigau'n torri, a dilyniant ffrantig o *awtshis* ac *wffs*, ambell 'ffyc' arall, wedyn thymp. Tawelwch. Doedd Sbanish ddim yn siŵr oedd o i fod chwerthin.

"Ti'n iawn, Drwgi?" Dim byd. "Drwgi?! Drwgi, ti 'di brifo ta be?"

Triodd Sbanish gerddad i gyfeiriad coedan Drwgi. Ond roedd o'n methu gweld. Dim ar y twllwch roedd y bai, ond ar y llafnau o olau'r lleuad yn saethu at y llawr. Roeddan nhw fel *lasers* o ryw myddyr ship i fyny yn yr awyr.

"Drwgi. Atab fi. Ella i'm dod ata chdi cos dwi *under attack*..." Roedd o'n cael traffarth ffocysio, roedd y *laser beams* yn ffwcio'i lygid i fyny.

"Drwgi! Dwi'm yn gallu gweld ffyc ôl. Ma 'na *laser beams* yn bob man, mêt." Doedd Drwgi dal ddim yn atab. Aeth Sbanish yn ei flaen efo'i freichia allan fel ninja yn trio osgoi'r *lasers*. Ond roedd o'n gorfod stopio bob eiliad achos roedd o'n meddwl fod pethau'n lot agosach ato nag oeddan nhw go iawn.

"Ffyc, Drwgi! Deud 'wbath y cont!" Roedd Sbanish yn dechra ffrîcio. Rhoddodd ei law wrth ei glust i wrando'n well. Cafodd sioc ar ei din pan ddaeth llais Drwgi drwy'r twllwch, reit yn ei ymyl, yn canu'n braf.

"*Swn i'n licio gallu hedfan fel awyren...* "

Roedd o'n downsio mewn gardd o floda. Gardd Eden oedd hi, doedd 'na'm dowt am hynny. Roedd coed ffrwytha ym mhob man ac adars bachs yn canu ymhob un. Helô adars bach. Helô Cled. Roedd bymbyl-bîs yn popio i mewn ac allan o gedors peilliog a glöyns byws yn ffaffian yn braf ar yr awyr. Helô glöyns byws a bymbyl-bîs. Helô Cled. Roedd cningod yn sboncio o gwmpas y blodau. Helô cningans. Helô bloda. Haia Cled. Roedd brithyll yn neidio am weision y neidr uwchben yr afon gerllaw. Helô brithylls bychain. Ond ddudon nhw ddim byd yn ôl, 'mond diflannu dan y dŵr ac i ffwrdd fel llafnau aur dan y dorlan. Tsiârming! O lle roedd y miwsig yn dod? O ia, o'i hed-ffôns ffeif neinti nein o Woolies Port.

Roedd o'n sefyll rhwng y dderwen fawr a'r fedwen fechan. Roedd eu cangau'n llenwi'r awyr ond ddim yn atal yr haul. Dydd da, Dderwen, pa hwyl, Fedwen? Iawn, Cled? Go lew, Cled? Yng nghangau'r dderwen roedd eryr a tylluan yn smocio pibell. Be ti'n smocio, gwdihŵ? Gwair, Cled. Y gwair gorau yn yr holl fydysawd. Lle ti'n gael o, gwdihŵ? O fancw. Trodd Cled i sbio. Roedd 'na gnwd anfarth o blanhigion yn tyfu gerllaw, pob un yn wyth troedfadd o daldra efo *heads* anfarth yn tyfu ar bob un. *Mmmmmm!* Roedd yr hogla'n fendigedig…

Pasiodd yr ehedydd yn yr awyr uwchben. Wislodd ar Cled. Cododd Cled ei law. Cerddodd hydd gwyn heibio, a'i gyrn fel canghennau'r dderwen fawr. Cyfarchodd Cled drwy nodio'i ben, cyn neidio i'r afon a troi'n eog mawr a llafnu drwy'r dŵr i'r ochor draw a throi'n ôl yn hydd. Hwyl iti hydd, gwaeddodd Cled. *Hwwwwwwwwwyyyyyyyyyyyyyyyyyyyyllllllllllll* ŵan!

Daeth sŵn malu brigau ac ysgwyd dail. Roedd 'na rwbath yn symud yn y rododendrons. Stopiodd Cled i weld be oedd yno. Agorodd y canghennau a camodd merch allan. Roedd hi'n hollol noeth, efo gwallt hir du. Roedd ganddi wên Mona Lisa ar ei gwep ac estynnodd ei breichiau allan. Cerddodd am Cled. Roedd ganddo fîn rŵan. Gafaelodd y ferch yn ei ddwylo a'i arwain am y rododendrons. Doedd Cled ddim yn licio rododendrons. Ond fysa ffwc yn reit neis. Ond roedd o isio piso 'fyd. Tynnodd fymryn ar freichiau'r ferch a'i chael i stopio ar y patsyn gwair. Ond tynnodd y ferch yn ôl a thrio'i lusgo i mewn i'r rododendrons. Gwasgodd y ferch ei chrafangau i mewn i'w freichiau nes oedd o'n gwaedu. Dechreuodd chwerthin fel gwrach a'i droi o rownd a rownd mewn cylchoedd nes bod ei ben o'n troi. Sbiodd ar ei dannadd hi. Roeddan nhw fel dannadd cribin a bylchau rhyngddyn nhw, ac roeddan nhw'n felyn a du. Mwya sydyn roedd ganddi ring drwy'i thrwyn, ac wrth i'w gwallt hir chwifio yn yr awyr wrth droelli i'r ddawns gwelodd Cled fod ganddi dwll mawr ynddo, fel twll mewn blancad. Tabitha! *Naaaaa!*

Dechreuodd ei phwsio hi ffwrdd, ond roedd ei chrafangau'n tyllu i mewn i'w freichia a'i wasgu'n agosach ati hi. Roedd ei cheg hi'n agorad, a'r dannadd cam, du yn dod yn nes, ei thafod fel tafod madfall melyn a chynhron yn gwau i mewn ac allan ohoni. Roedd 'na hogla fel hogla tail gwarthag. Roedd rhaid iddo ddianc. Roedd o isio piso. Ond roedd Tabitha'n chwerthin fel gwrach ac yn gneud sŵn hymian rhyfedd, sŵn fel cacwn yn y pellter.

Agorodd ei cheg eto a chwydodd dros Cled. Sdwff gwyn fel llefrith. Dros ei wynab a thros ei grys. Sgrechiodd Cled. *Aaaaaaaaaaaargh!* Chwydodd Tabitha fwy o lefrith gwyn. Roedd peintia ohono fo'n llifo allan o'i cheg a lawr dros ei gwefla a'i gên. Dechreuodd Tabitha rwbio'r llefrith dros ei chorff. Rhwbiodd o dros ei bronnau a'i bol, a rhwng ei choesau, wrth iddo ddal i dollti allan o'i cheg fesul galwyni. Rhedodd Cled, ond doedd o'n mynd i nunlla. Roedd ei goesa fo fel plwm.

Daeth sgrech o gyfeiriad Tabitha. Trodd i sbio arni. Roedd hi wedi rhoi ei dwylo rhwng ei bronnau ac yn tyllu nhw i mewn i'w chorff ei hun. Roedd sŵn sgrynshian a sgweltsian wrth iddi weithio'i bysedd i mewn i'w brest. Llifodd gwaed dros y llefrith gwyn. Ac efo un sgrech annaearol rhwygodd ei brest yn agorad, ac agorodd ei chorff fel pod o bys. Disgynnodd ei hymysgaroedd allan, ei hysgyfaint, ei chalon, ei hiau, ei stumog, ei pherfadd, a cododd cwmwl o stêm i'r awyr a dychryn yr adar bach yn y coed afala. Chwerthodd Tabitha ac estyn ei breichiau amdano a gwenu. Fuck me, Cled! Fuck me! sgrechiodd. Dechreuodd ymlwybro am Cled, yn llusgo'i hymysgaroedd efo hi ac yn baglu drostyn nhw. Fuck me! Fuck me! Cledween! Fuck me, Cledweeeeeen! Rhedodd Cled. Ond bob tro oedd o'n sbio nôl roedd y ddrychiolaeth yn dal yno. Cledweeeeen! Cledweeeeeen! Come to the rododendrons!

Chwiliodd Cled yn wyllt am rwla i ddianc. Gwelodd y dderwen a rhedodd nerth ei draed amdani. Roedd o'n clwad sgweltsian y monstyr yn dal i ddod tu ôl iddo. Cyrhaeddodd y dderwen a neidio fel y Bionic Man a gafael mewn cangan. Helô eryr a gwdihŵ. Ti'n cael traffarth, Cled? Yndw, braidd. Tynnodd Cled ei hun i fyny i'r gangan a sefyll arni. Daeth gola mlaen yn rwla ond doedd o'm yn gallu gweld lle. Roedd y Tabitha-Monstyr yn sefyll o dan y goedan yn sgrechian am rododendrons. Roedd hogla uffernol yn codi o'i hymysgaroedd ac roedd ei pherfadd wedi agor allan fel rhaff ar hyd y llawr tu ôl iddi. Cledweeeen! Fuck me, Cledweeeen! Fuck me in the rododendrons!

Ond roedd Cled isio piso. Roedd o bron byrstio. Tynnodd ei bidlan allan. Pisodd o ben y gangan, i lawr ar ben y Tabitha-Monstyr. Pisodd fel eliffant, fel peipan ddyfrio'r ardd. Sgrechiodd yr anghenfil islaw wrth i'r piso ddisgyn drosti a llosgi i mewn iddi. Rhoddodd sgrech annaearol a dechra gwingo. Noooooo! Cododd mwg asidaidd wrth i bob rhan ohoni ddechra toddi i mewn i'r ddaear. Dos o'ma'r gont! gwaeddodd Cled, yn sbreio'i biso i bob man er mwyn ei lladd hi'n iawn. Ffwcio chdi? Fyswn i'm yn ffwcio chdi efo coc fenthyg! Hahahahahaaargh mwohaaargh! Cym fy mhiso fi'r bwystfil ... hahaaaaargh!

Sgrechiodd y bwystfil. *Naaaaaaaaaaaa!* O ho ho ho ho ho
ho hooooo! O mai god, be oedd hwnna? Llais y Dyn Sdici 'di
hwnna! Dim... dim... Sbiodd Cled ar lygid y bwystfil oedd yn
marw dan gawodydd ei biso islaw. Llygid Ffati Ffransis oeddan
nhw! Y Dyn Sdici ydi'r bwystfil mewn disgeis! Y Dyn Sdici ydi...
erm... Tabitha? A mae o'n marw! We-hei! Dwi'n lladd y Dyn
Sdici! Sbreodd Cled ei biso dros bob man fel ei fod o'n disgyn
dros bob rhan o'r drychiolaeth islaw... *Hahahahaaaargh!*
Piso! Piso! *Take that,* Sdici! Piso! *Haaaaahaaaargh!* Piso...

Deffrodd Cled yn araf. Agorodd ei lygaid. Roedd golau cryf
yn ei ddallu. Dechreuodd ei synhwyrau ddeffro. Edrychodd.
Dychrynodd. Cythrodd. Ffyc! Roedd o'n piso yn y ffrij. Sbiodd
i lawr. O mai god! Roedd o 'di piso ar ben pob dim. Y fej, y
caws, y chicken, a treiffl hogyn bach Drwgi! Jîsys! Triodd
stopio'i biso. Rhedodd am y drws cefn a gadael llwybr o biso
ar hyd y llawr tu ôl iddo. Gorffennodd biso yn yr ardd. Roedd
hi'n ola a roedd yr adar yn canu fflat owt.

Aeth yn ôl i mewn i'r gegin. Roedd Gai Ows yn dal i gysgu
fel corff ar ochor y bwrdd, ei ben yn ei freichiau, a'i rochian
wedi ei myfflo. Aeth Cled at y ffrij. Roedd piso'n diferu allan
o'i gwaelod hi ar hyd y llawr. "Oooo ffyc! O ffyc, ffyc, ffyc,
ffyc!"

Edrychodd ar y fowlan fawr o dreiffl. Roedd o'n cofio'i
gweld hi neithiwr, wel, bora 'ma. Roedd hi'n tynnu dŵr o
ddannadd adag hynny. Haen o hufen tew a hyndryds and
thowsands a tsioclet fflêc ar ei thop hi, a jeli coch, mefus a
cacan sbwnj yn sgleinio drwy wydr clir ochor y fowlan. Rŵan
roedd hi'n edrych fel gweddillion damwain *head-on* rhwng lori
baent a lori iogyrt ar yr A55. Roedd yr hufen wedi'i chwalu'n
dolops a'i gymysgu efo'r jeli a sbynj, a'r cwbwl wedi ei sblatro
dros ochra'r fowlan a dros silffoedd a walia'r ffrij. Ac ar ôl yn
y fowlan roedd lympia coch a gwyn yn nofio mewn piso. Efo

hyndryds and thowsands a tsioclet fflêc yn bobio o gwmpas fel broc môr ar ei dop o.

Jîsys! Am lanast. Roedd 'na biso lliw treiffl yn diferu dros bob man, lawr ar yr hannar cyw iâr ar blât islaw, dros y poteli Grolsch a'r majarîn, ac roedd 'na hannar modfadd o'r sdwff wedi hel yng ngwaelod y drôr llysiau, a'r letus a sbring-onions yn edrych yn meiti pisd off. Ysgydwodd Cled ei ben mewn anobaith llwyr. Ffyc, ffyc, ffycin ffyc! Roedd Sian yn mynd i'w flingo fo'n fyw. Fydd o'n banishd i'r fflat yn *indefinite* ar ôl hyn, garantîd. Roedd y treiffl i fod i roi gwên ar wyneba'r plantos yn y parti. Rŵan roedd o'n edrych fel rwbath wedi'i ladd mewn *video nasty*. Yn debyg i Tabitha efo'i hymysgaroedd wrth ei thraed yn sgrechian isio ffwc.

Am hunlla afiach, cofiodd Cled. Cerddodd rywun dros ei fedd. Crynodd drwyddo. Yna cofiodd am y Dyn Sdici. Roedd o wedi ymddangos eto – ond mewn ffordd isymwybodol. Doedd o heb ymddangos fel fo'i hun, ond fel ei gysgod, wedi torri drwodd o faes breuddwydion arall. Fel 'sa fo 'di dod o isymwybod Cled i ddeud rwbath. Ta-ra? Falla wir. Roedd o wedi cael ei ladd, roedd hynny'n bendant. Roedd o'n rhan o'r Tabitha-Fwystfil ac roedd honno wedi cael ei chwalu'n ddarnau mân gan biso Cled. Fel y treiffl. Ha! Tabitha oedd y treiffl!

Rowliodd ffag a'i thanio. Pesychodd yn ddwfn a codi fflems. Roedd ei ben yn brifo, a'r llanast yn y ffrij yn ei wneud o'n waeth. A roedd 'na ffycin pry *blue-bottle* mawr yn mynnu deif-bomio amdano fo bob ffycin munud. "Ffyc off, y basdad pry!"

Aeth i nôl gwydr peint. Llenwodd o efo dŵr oer o'r tap ac yfodd o mewn un go. Cyfogodd. Roedd ei stumog yn sgrechian ei anfodlonrwydd wrth gael ei ddeffro mor gynnar. A mi oedd y ffycin pry glas wedi'i ddilyn o at y sinc rŵan ac yn mynnu'i harasio fo.

Aeth i nôl pils cur pen o'r bocs ar ben y cwpwrdd. Roedd

'na dair ar ôl yn y pacad. Rhoddodd fwy o ddŵr yn y gwydr a llyncu'r dair. Cyfogodd eto. Roedd o'n mynd i chwydu. Rhedodd allan i'r cefn a chwydu peint o ddŵr yn ôl i fyny. Roedd 'na dair pilsan cur pen yn ei ganol. Gafaelodd mewn dwy a mynd nôl i mewn at y sinc a'u llyncu eto efo'r dŵr oedd ar ôl yn y gwydr. Bu'n tuchan am chydig. Roedd ei ben yn pwmpian ar ôl y straen o chwydu. Anadlodd yn ddwfn. Cafodd rhyw fath o drefn ar ei ben. 'Blaw bod y ffycin pry glas 'na'n dal i'w haslo ...

Tynnodd Cled y treiffl o'r ffrij yn gynta, a mynd â fo allan i'r cefn a'i daflu yn yr ardd i'r adar ei gael o. Aeth â'r drôr llysiau allan wedyn a drêinio'r piso allan ar y gwair. Gwagiodd y llysiau i'r *wheelie-bin*. Aeth i nôl y poteli Grolsch a'u rhoi yn y sinc a rhedag tap dŵr oer drostyn nhw. Tsieciodd y marjarîn. Roedd 'na biso 'di mynd i mewn i'r twb rywsut. Taflodd o i'r bin efo'r cyw iâr. Daeth y pry yn ei ôl. Chwifiodd Cled ei freichia fel ninja gwyllt. "Ffyc off!"

Wedi gwagio'r ffrij llenwodd y tecall a'i roi ymlaen, ac aeth i nôl mop. Mopiodd hynny fedra fo o'r piso o waelod y ffrij. Wedyn llenwodd y fowlan golchi llestri efo dŵr o'r tecall a pheth o'r tap, a sgwyrt o ffêri licwid, a sblash o *bleach*. Lluchiodd beth o'r dŵr yn sblash ar hyd tu mewn y ffrij. Aeth i nôl cadach a dechreuodd sgwrio walia'r ffrij yn wyllt. Taflodd fwy o ddŵr drosti, wedyn nôl llian o'r cwpwrdd dan sinc a'i sychu. Berwodd decall eto, a rhoi peth o'r dŵr yn y fowlan treiffl a'r drôr lysiau yn yr ardd, efo sgwyrt o ffêri licwid. Gadawodd nhw i socian am chydig.

Pan gerddodd nôl mewn i'r gegin daeth y pry glas amdano eto, yn gneud *loop-the-loops* o gwmpas ei ben. Reit, y ffycar! Gafaelodd Cled mewn papur newydd a'i blygu'n bastwn calad, fflat. "*Time to die*, pry!"

Ond doedd pastwn ddim yn dychryn y pry. Daeth i mewn am Cled unwaith eto. Bandits at twelf o'cloc! Swingiodd Cled amdano. Methodd. Ond fel petai wedi sylweddoli bod

y pastwn papur yn arf eitha peryglus wedi'r cwbwl, troellodd
y pry i fyny i'r uchelderoedd i gylchu'n ddiogel rownd y
golau ar y sîling. Tra oedd o yno aeth i deimlo'n coci. Daeth
yn ôl i lawr am Cled. Bandits at thrî o'cloc! Swingiodd Cled
unwaith, dwywaith, deirgwaith i wahanol gyfeiriadau wrth
i'r pry lŵpio rownd ddwy neu dair o weithia eto. Methodd
efo pob un swing. Ond synhwyrodd y pry ei fod yn chwarae
efo tân, a saethodd i ffwrdd at y ffenast. Aeth Cled ar ei ôl.
"Ti'n ffycd ŵan, y cont bach!"

Sleifiodd Cled i fyny at y ffenast yn dawel bach mewn
stealth mode. Roedd y pry'n sbio arna fo, yn ei herio. Cododd
Cled ei bastwn yn araf. Wac! Basdad! Ffliodd y pry i ffwrdd
jesd cyn i'r papur ei chwalu. Aeth yn ôl i rasio rownd canol
y sdafall.

"Mi ffwcin ga i di'r ffwcsyn swnllyd!" sgyrnygodd Cled
cyn rhuthro i mewn a'i fraich fel melin wynt wrth bastynnu'r
awyr wag mewn *all-out attack*. Dŵ or ffycin dai! Ond dianc
eto wnaeth y pry. Dianc i le clyfar. Aeth yn syth am y silff
fach gul oedd yn dal sbeisus a poteli gwag bu Cledwyn yn
eu hel. Glaniodd mewn patsyn clir o silff, rhwng llwyth o
boteli. Stydiodd Cledwyn ei sefyllfa. Roedd digon o fwlch i
roi swadan i'r cont bach heb falu petha. Os byddai o'n ofalus.
Sbiodd ar y pry. Edrychodd y pry arno fo. Cododd ei bastwn.
Ond sleifiodd y pry tu ôl i'r poteli er mwyn diogelwch.

"Wel y basdad bach slei!" medda Cled. Roedd 'na ormod
o boteli ar y silff i ddechra'u symud nhw. Y dacteg ora fyddai
trio dychryn y pry allan i le agored eto. Meddyliodd Cled yn
ddwys. Doedd o ddim yn mynd i gael ei owt-witio gan blŵ-
botyl. Aeth i nôl cyllall fara a stwffiodd hi rhwng dwy botal
i drio dychryn y pry. Ond wnaeth y pry ddim dychryn. A
wnaeth o ddim dechra hedfan eto. Cerddodd – ia, cerddodd
– y ffycar bach allan o du ôl y poteli i'r bwlch lle buodd o'n
sefyll yn sbio ar Cled cynt. A pan gododd Cled ei bastwn-
papur-newydd i roi'r uffernol iddo, cerddodd y ffycar bach yn

ei ôl at y poteli, wysg ei din. Sdwffiodd Cled y gyllall i mewn eto. Cerddodd y pry allan eto. Edrychodd y ddau greadur ar ei gilydd: Cled yn sbio i chwe llygad y pry a'r pry'n sbio ar Cled a deud 'ffwcio chdi'. Roedd hyn yn bersonol. Cododd Cled ei bastwn yn araf. Ond aeth y pry yn ei ôl tu ôl i hen botal fach Oel Morris Evans.

Ar ôl i hyn ddigwydd deirgwaith eto roedd hi'n amsar newid tactics. Sbiodd Cled o'i gwmpas. Da-ra! Gafaelodd yn y botal ffêri licwid. Daliodd hi â'i phen i lawr uwchben y poteli. Sbiodd ar y pry a gwenu fel diafol. Edrychodd y pry yn ôl, yn or-hyderus. *"Ha-ha-haaa!"* medda Cled. *"Victory is mine!"* Gwasgodd y botal. Gorchuddiwyd y pry mewn sdwff gwyrdd, nes ei fod o'n stryffaglio i lonyddwch o dan bwysa ei fedd sdici. *"Mwoa-haaa,"* medda Cled. *"Byss-byssia* ŵan 'ta'r butwr cachu!"

Roedd buddugoliaeth o fewn gafael! Roedd Cled wrth ei fodd. Safodd yno, yn gwylio'r pry'n trio'n ofer i ddod allan o'i ffawd sebonllyd. A than wenu'n ddieflig cododd Cled y botal agosa at y pry, a'i dal rhyw fodfadd uwch ei ben. "Eni last ricwests, myddyr ffycyr?" Gwasgodd y botal i lawr a sgrynshio'r pry glas yn fflat. Buddugoliaeth! Don't ffyc wudd ddy Bagîtha!

Agorodd Cled botal o Grolsch i ddathlu'i goncwest. Dros y pry a'r Dyn Sdici! Edrychodd ar y cloc; roedd hi'n hannar awr wedi saith ar fora Sadwrn o haf.

≈ 53 ≈

"Saith o blydi gloch! Ar fora dydd Sadwrn! Am ffwcin amsar i gnocio ffwcin drws!"

Roedd Sid Finch yn diawlio Lawrence Croft wrth lyncu'i gornfflêcs. Fel arfar roedd o'n cael *fry up* iawn ar fora dydd Sadwrn. Ond doedd ganddo'm amsar rŵan nag oedd, diolch i'r cwd bach 'na! Iawn, ffêr inyff, roedd o isio gwbod pwy oedd wedi dwyn ei bysgod, oedd. Ond ffycin hel, doedd o ddim isio cael ei ddeffro gan y Burundi Tribe yn gneud y can-can ar ei ddrws ffrynt. Jîsys! Pysgod oedd y ffycin things. Pysgod wedi'u hyswirio. Oedd rhaid i'r potsiars ladd ci y twat 'ma wrth eu dwyn nhw? "'Sorry, I thought you'd be up tending to business,' o ffwc!" medda Finch rhwng llwyeidia cornfflêcs.

Roedd Lawrence Croft wedi dod ar ras i lawr o Graig. Roedd o wedi aros yn y Trowt y noson gynt ac wedi 'acostio'r bandits', medda fo. Ond eu bod nhw 'di dianc drwy gymorth eu *accomplices*. Ond roedd o, Lawrence Croft, wedi cael enwau, ac roedd o wedi ffonio Pennylove, oedd am ddod draw i Tyddyn Tatws i weld y ddau o'nyn nhw, "*forthwith*".

'Forthwith'? Be, rŵan hyn 'lly? Saith o ffycin gloch y bora?' Pan ymunodd Finch â'r Lodge doedd o rioed wedi meddwl bysa 'sticio efo'i gilydd' yn golygu gwaith corfforol fel codi o'r gwely am saith.

Ar ôl tri panad o de – a doedd dim, dim byd o gwbl, yn dod rhwng Sid Finch a'i dri panad o de yn y bora – camodd Finch allan i'r haul cynnar. Edrychodd dros ei deyrnas a stretsiodd ei freichiau a dylyfu gên. Taniodd sigâr. 'Smôc bach cyn i Pennylove landio,' meddyliodd. Ond yn syth wedi'i thanio hi gwelodd gar y plisman yn dod ar hyd y strets o Graig efo'i indicator mlaen. 'Ffyc's sêcs!'

Erbyn i Finch gyrraedd y carafannau roedd Pennylove wedi parcio o flaen carafán statig Lawrence Croft ac yn sefyll 'no, a golwg digon diflas arno fynta hefyd. Roedd Croft yn gneud panad a brechdan bêcyn. Y basdad! meddyliodd Finch. Deffro rhywun o'i ffwcin wely ond digon o amsar i neud ei frecwast ei hun!

"*Lawrence! Can we come in or what?*"

"*Well, I thought we'd sit outside? Tiffany's still in bed.*"

"*Oh, she is is she?*" medda Finch yn sarcastig. "*How nice.*"

Eisteddodd y tri dyn ar y cadeiriau cynfas tu allan, Pennylove efo'i lyfr bach du a Finch efo sigâr a gwynab fel bwch. Ond roedd ei glustia'n pingian. Achos roedd be oedd Croft yn ei ddeud yn deinameit. Wel, mi oedd o i Finch, oedd ddim angan tystiolaeth i fynd efo unrhyw enwau gan ei fod o'n nabod y math o bobol oedd y tu ôl i'r enwau hynny.

Yn ôl Croft, roedd llofruddwyr Howie – a'r lladron pysgod – yn Graig. Roedd wedi cael eu henwau gan ei ffrind, "Phillip, landlord of the Brittle Brown." Tintin oedd enw'r boi efo ring tôn y Muppets. 'Gaeeh Ows' oedd y boi oedd yn gwerthu'r pysgod drosto fo, a roedd y dystiolaeth yn ffrîsar Tiwlip, fel oedd Pennylove ei hun wedi gweld pan aeth heibio pnawn ddoe. A synnai Croft ddim, wir, nad oedd Gai Ows hefyd yn un o'r tri oedd wedi trio ei foddi y noson honno.

Roedd Pennylove yn brysur yn sgwennu. A Croft yn rhaffu stori fawr allan o ddigwyddiadau'r noson gynt. Fel y cafodd ei gidnapio a'i gadw yn erbyn ei ewyllys, a bron ei fygu gan ryw ddynas fawr o'r enw Megi, a'i fygwth – a'i slapio ar draws ei wynab – efo pysgodyn. Ond pan ddaeth Croft allan efo enw'r *accomplice* cynta, cododd clustia Pennylove.

"*Drwgi, did you say?*"

"*Yes, Droogie.*"

"*I bloody knew it!*" medda Pennylove a rhoi ei bensal i lawr am funud.

"*Irritating little so-and-so isn't he?*" medda Croft.

"*Oh yes… !*" medda Pennylove.

"*And his brat too,*" medda Finch. "*Cheeky little… so-and-so.*"

"*And was Drwgi one of the ones who kidnapped you?*" gofynnodd Pennylove. Doedd o ddim mor barod i goelio'r honiad o herwgipio i ddechra, ond rŵan bod Drwgi yn y darlun roedd o'n falch o unrhyw beth i allu ei daflu ato. Hyd yn oed 'sa'r cyhuddiad ddim yn sefyll, fysa fo'n achosi hasyl i'r ffycar bach. Dysgu gwers iddo fo.

"Yes, he was there. Drinking with Tintin and Gaeeh all night."

Aeth pensal Pennylove i *overdrive*. *"And did he have the fish on him?"*

"No, that was Jack. A rather rough sort, ageing alcoholic type of person… He had a whole bag of fish on him. But someone else gave them to him that day… "

"Do you know who?"

"Yes. The dodgiest person I've seen since I came here. The younger brother of the former landlord, Jerrey Bagitta… "

"Cledwyn?"

"That's it. Cledwayne."

"Ho-ho-ho, Cledwyn Bagîtha!" Chwerthodd Pennylove a Sid Finch.

"Do yow know 'im?"

"Oh yes!" medda Pennylove. *"But he didn't steal the fish or kill your dog. He was in the cells in Dolgellau all night that night. Did he assault you?"*

"No. He didn't. But he seemed verey much in control of operations… "

"Well, we can always pull him in for questioning. Any others?"

"Oh yes… " Roedd Croft isio gwaed. Roedd o isio dial ar 'hicks' y Trowt i gyd am sbwylio ei funud o *glory* yn rhoi *citizen's arrest* i Tintin a 'Gaeeh Ows'. Roedd o isio dial ar y gymuned i gyd am farwolaeth Howie.

"Be ti'n feddwl 'ta, Mr Finch?" gofynnodd Pennylove ar ôl i Croft orffan efo'i ddrama.

"Twt twt, *call me Sidney*. Be dwi'n feddwl? *Tintin – poacher, guilty as charged. Gai Ows, part-time crook, part-time poacher, guilty as charged. As for the rest? I don't give a flying fuck. Just get me my fish…* wel, y bastads 'aru eu dwyn nhw 'lly." Ac i ffwrdd â Finch am Walter Towers. Roedd hogla bêcyn

Lawrence Croft wedi codi awydd arno fo. Roedd o am *fry up*. Ac roedd o angan gneud cwpwl o alwadau ffôn.

Gyrrodd Pennylove ei gar at fynedfa'r ffordd fawr. Arhosodd yno'n meddwl be oedd o am ddeud wrth reportio'n ôl i'r stesion. Roedd o'n gwbod yn iawn fod Croft heb gael ei gidnapio. Wast o amsar a phres fyddai mynd allan a tsiarjio pawb a phopeth. Roedd digon o dystiolaeth i dynnu Tintin i mewn, a Gai Ows 'fyd. Bydda cael Drwgi i'r stesion i'w holi fo yn beth da. I drio cael atebion a, wel, jysd am y crac. Ond doedd 'na'm pwynt cymhlethu petha drwy arestio hannar locals y Trowt. Doedd dim tystiolaeth o gwbwl heblaw gair y ffrî-mêsyn o Brymland. Ond roedd honiadau wedi eu gwneud a phobol wedi eu henwi. Doedd 'na'm llawar o ddewis, a deud y gwir. Ond eto, roedd ei isymwybod yn dweud wrtho mai llanast fysa'n dilyn.

A llanast oedd un peth doedd o ddim isio heddiw. Roedd o wedi cael 'ffiw bîars' neithiwr ei hun. Yn tŷ efo'i frawd, oedd draw am y penwythnos efo'i deulu. Roedd Pennylove i fod i ffwrdd. Ond roedd yr Inspector wedi ei roi ar achos y pysgod 'ma, ar ôl gaddo i'w 'fêt' y bysa fo'n dal y rhai laddodd ei gi. Roedd Pennylove yn falch o *overtime* fel arfar, ond dim pan oedd ei frawd i lawr o Sgotland. Y peth ola oedd o isio oedd diwrnod hir. A roedd hwn yn mynd i fod yn ddiwrnod hir, meddyliodd. Penderfynodd mai da o beth fyddai galw heibio'r Trowt i ddechrau i holi am dystion.

≈ *54* ≈

Roedd Cledwyn hannar ffordd drwy'i banad ac yn meddwl bod y ffrij yn edrych yn lyfli a glân. Y glana roedd hi 'di bod ers blynyddoedd. Be ffwc ddaeth drosto fo'n piso yn y ffwcin peth? Roedd Sian yn siŵr o fynd yn bananas am y treiffl. Sylweddolodd iddo gysgu ar y bwrdd neithiwr. Triodd gofio rwbath am y noson. 'Mond darna oedd o'n gofio ar ôl bod yn y fflat yn yfad y gasgan. Sbiodd ar Gai Ows yn dal i gysgu ochor arall y bwrdd. Bingo! Be am feio Gai am biso yn y ffrij? Na, roedd hi'n rhy hwyr ŵan. Roedd o wedi llnau pob peth. Ond fysa fo'n gallu deud bod Gai 'di byta'r treiffl. Yn ei gwsg. A 'di byta'r chicken. A'r fej a'r majarîn... Na, fysa Sian ddim yn llyncu honna. Ac roedd hi'n gwbod fod pawb ar pils neithiwr, a 'sneb yn gallu byta pan maen nhw ar bils.

Meddyliodd eto am y freuddwyd. Crinjiodd wrth gofio am Tabitha – yn y freuddwyd ac yn ardd y Trowt. Daeth euogrwydd drosto. Clown! Roedd y Dyn Sdici wedi taro eto. Roedd rwbath drwg wedi digwydd wedi'r cwbwl. Roedd gan Cled deimlad ym mêr ei esgyrn fod y blow-job gan Tabitha'n mynd i ddod nôl i'w boenydio. Ond roedd y Dyn Sdici wedi cael ei ladd. Roedd hynny'n beth da, dim drwg ... Roedd Cled yn conffiwsd ...

Bygro'r paranoias! A ffwcio'r cym-down! Doedd Cled ddim am adael i'r noias sbwylio'i ddiwrnod. Roedd hi'n braf, roedd hi'n haf, a roedd o angan mynd off ei ben eto. Roedd wedi dal yn ôl neithiwr rhag ofn i rwbath ddigwydd. Ond rŵan, hyd yn oed os nad oedd y Dyn Sdici wedi marw go iawn, roedd y diwrnod ar ôl breuddwyd y Dyn Sdici wedi mynd heibio. Roedd o'n rhydd i neud be bynnag licia fo. Pils, trips, leins, smôcs, poppers ... *Bring 'em on!*

Daeth Bic i mewn drwy'r drws cefn a golwg fywiog ond uffernol o ryff arno fo. "Iawn, Cled?"

"Dwi'n meddwl. Potal o Grolsch? Panad?"

"Na, genna i un ar y go yn tŷ. 'Sgin Sian *sieve*?"

"Gogor 'lly?"

"Ia. *Tea strainer* ne rwbath. Dwi'n gneud panad o fyshrwms."

≈ 55 ≈

Roedd Tiwlip yn sâl. Roedd o'n cerddad o gwmpas fel dyn efo cyffion ar ei draed. Roedd o mor sâl roedd o'n methu codi'i ben i siarad efo Megi. Roedd honno'n traethu am antics Lawrence Croft y noson gynt wrth fopio'r llawr o gwmpas ei draed.

"Ai had no tsois, Tiwlip. Ai had tw sut on hum. Iff ai hadynt hi wd haf bîn llarpio'd bai Tintin or ddy Dybyl-Bybyls."

"*It's okay, Megey,*" medda Tiwlip. Roedd o 'di cael llond bol ar hanas neithiwr. Mi gafodd o'r 'Wrath of Tabitha' ben bora, wedyn y 'Whinge of Croft'. "*Yow can leave the floor, Megey. Do yow mind making a coffey?*"

"Byt iw haf won ddêr," medda Megi, yn pwyntio at ei fwg tri chwartar llawn yn stemio ar y bar.

"*I meant for yourself…* "

Aeth Megi lawr i'r gegin. Roedd hi'n falch o gael pum munud bach ei hun. Roedd ei phen hitha fel injan ddyrnu.

Roedd Tiwlip yn methu dallt be yn y byd wnaeth iddo feddwi mor uffernol neithiwr. Roedd Elsie wedi deud bod 'na hogla cannabis yn dod o'i getyn. Ond ffwndro oedd Elsie, debyg. *Once a cop, always a cop.* Fysa Tiwlip yn gwbod os fysa 'na rwbath yn ei faco. Roedd o'n *connoisseur* ar faco cetyn, a'r un baco cetyn oedd o'n smocio ers pum mlynadd bellach. A stori Elsie wedyn y bora 'ma, ei fod o wedi dal y potsiars oedd wedi lladd Howie a'u bod nhw wedi dianc gan fod y locals wedi eu helpu nhw – eu bod nhw wedi'i gidnapio fo a'i ddal o yn erbyn ei ewyllys a bod Megi Parri wedi ista ar ei ben o. "*They were lucky I didn't use my Taikwondo,*" medda fo.

Ond roedd Tabitha'n deud stori wahanol – mai Elsie oedd 'di'i cholli hi a mynd off ar un o'i 'trips' Police Chief eto. Ers iddo ymddeol yn gynnar oherwydd ei iechyd roedd o'n dal i ffantaseiddio am fod yn ôl yn y Ffôrs. Doedd ffwc o bwys gan Tiwlip un ffordd neu'r llall, yn enwedig bora 'ma, a'i ben yn byta'i hun o'r tu mewn am allan. Roedd o'n wir bod Elsie'n meddwl ei hun yn fwy na'r cadach ag oedd o, ond doedd Tabitha ddim yn ei licio fo chwaith. Duw a ŵyr pwy oedd yn deud y gwir.

'Elsie hyn' ac 'Elsie llall' gafodd Tiwlip ben bora. Roedd be ddywedodd hi wrth Elsie'n fwy at y pwynt. *"Are you sure you're not fucking my husband?"* Ac roedd Tiwlip wedi gneud y camgymeriad o'i hatgoffa hi mai ei henw uwchben y drws yn unig oedd ganddi hi. Mai fo oedd wedi talu am y lle, efo pres gafodd o fenthyg gan Elsie. Hwn oedd y petrol ar y tân. Achos roedd gan Tabitha gomplecs am gael ei hiwsio fel roedd hi. Dyna pryd ddechreuodd y mygia a'r platia fflio o gwmpas y gegin.

Roedd ganddi bwynt. Roedd hi wedi cael ei deffro yn yr oriau mân efo'r nonsans i lawr yn y bar, wedi bod wrthi am awr yn cloi pob dim i fyny ac yn perswadio Elsie rhag ffonio'r heddlu, cyn cael ei deffro gan hwnnw am hannar awr wedi chwech yn siarad efo'r cops ar ei fobail ffôn. Dim rhyfadd iddi fflipio.

Cerddad allan mewn hyff ddaru Elsie yn diwadd. Neidio i mewn i'w *people carrier* ac awê am Tyddyn Tatws. A doedd hi'm yn hir wedyn cyn i Tabitha stormio allan efo cwpwl o fagia a neidio i mewn i'w Citroen CV ac awê. Nath Tiwlip ddim hyd yn oed trio'i stopio hi. Roedd o jesd isio heddwch i ddod dros ei hangofyr ac anghofio am neithiwr a'i *fall out*. Doedd o'm yn disgwyl y byddai Tabitha'n hir cyn dod yn ôl, beth bynnag. Doedd ganddi nunlla i fynd. Ac er nad oedd hi'n nôl i top ffôrm ar ôl ei *breakdown* roedd hi wedi dechra siarad o leia. Ac roedd *"I hate yow! I hate this poob! I hate this place, I hate this, this, this... aaaaaaargh!"* yn fwy nag oedd hi wedi ddeud wrth unrhyw un ers dwy flynadd.

Aeth Tiwlip rownd i'r bar ac ista yn y gadar wrth y grât. Doedd o ddim am neud tân heddiw. Ddoe, aeth hi mor grasboeth yn y lle roedd rhaid iddo adael i'r tân ddiffodd ganol pnawn. Cymrodd swig o'i goffi. Gwasgodd joe o faco i mewn i'w getyn a'i danio. Llenwodd ei sgyfaint efo mwg ac eistedd mewn cwmwl glas, melys. Sbiodd ar y cloc. Hannar awr wedi wyth. Heddwch o'r diwadd.

⁓ 56 ⁓

Doedd fawr o waith perswadio ar Cledwyn i ddilyn Bic i'w dŷ am 'banad'. Y gair hud oedd 'madarch'. Madarch! Trip iawn ar rheiny heddiw fydda'n sortio'r pen, meddyliodd. Jesd be oedd o isio i glirio'r gwe pry cops o'i ymennydd. Tan fory o leia…

Roedd yr hogia, fel cannoedd o hogia eraill yr ardal, wedi eu 'magu' ar fadarch hud. Roeddan nhw'n byw yng nghanol gwlad y madarch ac roeddan nhw wedi bod yn eu cymryd nhw ers pan oeddan nhw'n un ar ddeg oed. Roedd Cled yn cofio'i drip cynta'n iawn. Roedd hi'n anodd peidio, achos roedd o yn yr ysgol ar y pryd.

Yn *First Form* rysgol fawr oedd o. Roedd hi newydd fwrw glaw ac roedd 'na fadarch hud ffresh neis wedi tyfu ar y cae chwarae erbyn amsar cinio. Roedd Bic a Cled wedi hel chwe deg o'nyn nhw a'u byta yn y fan a'r lle. Roeddan nhw'n afiach, fel byta gwair a pryfid genwair. Ond sôn am drip! Roedd y gloch wedi canu a nhwtha'n Asembli erbyn iddi gydio. A hannar ffordd drwy'r gwasanaeth roedd Cled yn gweld y prifathro'n stretsio fel Stretch Armstrong wrth ddeud gweddi. Aeth hi'n gigyls afreolus yn ystod yr emyn wrth ganu *"e-Neville tang-Neville"* yn lle 'efengyl tangnefedd' am fod boi o'r enw Neville yn sefyll yn eu hymyl. Yr unig dro iddyn nhw erioed ganu yn Asembli.

Roedd gwers Classical Styds y pnawn hwnnw'n bananas. Fel oedd hi'n digwydd bod, roedd pawb i fod i actio rhan cymeriadau o chwedl Theseus a'r Minotaur. Doedd neb i fod i symud o'u desgiau na dim, jesd ista a darllan eu leins yn uchal. Ond roedd Bic a Cled wedi rhoi perfformiad a hannar, *lights, camera, action* efo *improvised sound effects* a phob dim, i'r dosbarth. Roedd yr athro'n dipyn o *soft touch* ac roedd o wedi gadael iddyn nhw fynd drwy'u petha. Ond be yn union oedd Luke Skywalker a Darth Vader yn neud yn stori Theseus, doedd Cled ddim yn cofio.

Byth ers hynny, o ddechra mis Medi tan ganol mis Hydref bob blwyddyn, roedd yr hogia'n tripio ar fadarch bron bob nos. Doeddan nhw ond wedi cŵlio pan oeddan nhw yn niwadd eu hugeinia, pan ddechreuodd y madarch 'ddeud' wrthyn nhw ei bod hi'n amsar eu defnyddio fwy i fyfyrio nag am adloniant yn unig. Byth ers y dyddia o ffitiau gigyls, rhith-weledigaethau a gwneud petha dwl-al mewn caeau, roedd y madarch wedi bod fel brodyr a chwiorydd iddyn nhw. O ddyddiau'r coel gwrach o lyncu dau ddeg wyth o fadarch fesul saith i'r dyddiau o wneud miloedd mewn pot mewn partis, roedd y madarch wedi bod yn gymdeithion ac athrawon ffyddlon i'r hogia.

Roedd mil o fadarch yn sosban Bic. Madarch wedi eu sychu ers llynadd oeddan nhw, ac roeddan nhw'n berwi'n braf. Yn sefyll uwchben y sosban fel dau sosej efo llygid oedd Sbanish a Drwgi. Roeddan nhw wedi dod nôl o'r coed i dŷ Sian ganol nos ac wedi ffendio Cled a Gai Ows yn cysgu ar y bwrdd yn y gegin a'r merchaid i gyd yn mylti-sgwrsio uwch eu penna. Roeddan nhw wedi ffendio Bic yn llonydd mewn cadar yn y sdafall fyw yn cael shit gan Peredur y parot ac roedd y tri wedi mynd draw i dŷ Bic i neud y pils ola a smocio ac yfad vodka am weddill y noson.

Mae 'na rwbath am fadarch hud yn berwi mewn sosban. Maen nhw'n denu pobol i sefyll 'no i wylio'r chwys gwyn seicedelig yn sîpian allan ohonyn nhw. A mae 'na rwbath am eu hogla pridd a llwydni, gwair a mwsog. Fel hogla pysgod, mae o'n hogla sy'n aros efo rhywun am byth. Mae rhaid bod Gai Ows wedi ogleuo'r madarch o dŷ Cled, fel un o'r Bisto Kids yn ogleuo grefi, achos mi gerddodd i mewn fel oeddan nhw bron yn barod.

"Be sy'?" gofynnodd Cled wrth weld Gai yn sbio arno fo a gwenu.

"Dim byd," medda Gai Ows.

"Tisio madarch ta be?"

"Ia, OK."

Wedi gadael iddyn nhw fudferwi am chydig tolltodd Bic gynnwys y sosban drwy'r gogor i bump mŵg efo tî-bag ynddyn nhw. Rhoddodd lefrith a phump llwyaid o siwgwr ym mhob un – er doedd hyd yn oed hynny ddim yn mynd i gael gwarad ar y blas drwg yn gyfan gwbl. Sylwodd Bic mai dim ond digon o ddŵr am un banad arall oedd ar ôl yn y sosban, felly gwnaeth chwechad panad a'i gadael ar yr ochr. "Mae honna wrth gefn i unrhyw un sy'n teimlo'n ddewr wedyn."

Safodd yr hogia mewn cylch. Cododd pawb eu mygiau i'r awyr. "I'r *mother ship*..!" medda Cled.

"... ac yn ôl!" gwaeddodd pawb a clincio'u mygia.

"*Engage!*" medda Cled.

≈ 57 ≈

Roedd Tiwlip wedi anghofio rhoi'r *latch* yn ôl ar ddrws ffrynt y Trowt ar ôl gadael Megi i mewn i llnau. Fel oedd o'n dechra mwynhau ei getyn a'i banad daeth sŵn cnocio i chwalu'i heddwch. "*We're closed!*" gwaeddodd Tiwlip, yn gafael yn ei ben wrth wneud.

"*It's PC Pennylove.*"

"*Just a minute.*" Rhegodd Tiwlip dan ei wynt wrth godi ac agor y drws.

Dilynodd y plisman Tiwlip rownd at y bar ochor. Aeth Tiwlip y tu ôl i'r bar a sefyll gyferbyn â fo.

"*I'm here about last night.*"

"*Oh bloodey hell. Not you as well?*"

"*Bad, then, was it?*"

"*You can say that again... no, not last night... I mean this* morning, off the bloodey wife! God she was bloodey vicious. And I alreadey had a headayche!"

"I know the feeling, sir."

"Phil. Please."

"Lawrence Croft. Ex-Chief Inspector."

"Yes."

"Says he was kidnapped and held against his will."

"Bloodey hell! Where?"

"Here. In this pub. Last night."

"Did he? Bloodey 'ell! Must've been a good night!"

"Did you see anything?"

"No. Mind you, I was practically unconscious... "

"Unconscious?"

"Well, when I say unconscious, I mean a little bit drunk. I had the night off, yow see." Cofiodd Tiwlip ei fod dan leisans dros dro. Doedd o ddim isio cyfadda'i fod o'n chwil tu ôl y bar, heb sôn am fod yn cysgu ar lawr.

"I see. Was there an altercation of any kind here?"

"No, not at all. It was quiet. Just a couple of locals having a chat. No beer was sold after time or anything... "

"I don't care about that. Like I said yesterday when I came round and scanned them fish, you'll get no shit off me about the odd late drink."

"Yes, I remember... "

"If there's no trouble, that is. But if there is, my boss will insist on keeping an eye... " Edrychodd Pennylove i fyw llygid Tiwlip. Cafodd Tiwlip y teimlad fod y ddau o'nyn nhw'n gytûn nad oeddan nhw isio gormod o ffýs i gael ei wneud am yr helynt 'cidnapio'. "You're... um... friend, has made some serious allegations that, if true, do not reflect too brightly on the management of this pub. Now, personally, I find the allegations pretty hard to believe, outlandish even... "

"Well, he does exaggerate sometimes... "

"*Oh?*" Cododd clustiau'r plismon. "*You see, that's what I wanted to find out first, before I report back to the station. I wanted to see what independent witnesses saw.*"

"*Well, I mean, as I said, I was a bit out of it, but according to the wife and Megi…* "

"*Megi?*"

"*My cleaner. She was here. According to them nothing happened, apart from Elsie – that's Lawrence – being restrained when he went ballistic about something or other…* "

Ar hynny daeth Megi Parry i fyny o'r gegin efo panad arall. "Y fi 'aru ista arna fo os 'dach chi isio gwbod," medda hi wrth Pennylove yn syth. "Ond ffor hus ôn sêffti oedd hynny, ar fy llw. Bysa fo wedi cael ei larpio 'sa fo 'di cario mlaen fel oedd o."

"Megi Parry?"

"Ia. Pam? Ti isio panad?"

"Na, ddim diolch."

"Ocê 'ta. Ai'm jyst going tw clîn the toilet, Tiwlip."

Trodd Pennylove at Tiwlip ar ôl i Megi fynd. "*She sat on Mr Croft?*"

"*Yes.*"

"*Jesus! He's lucky he still has his ribs! Anyway, you were saying that your wife saw what happened. Is she around this morning?*"

"*I'm afraid not. She's gone away for the day. At least.*"

"*OK. Not to worry. But you did say that Mr Croft tends to… exaggerate?*"

Edrychodd Pennylove i fyw llygid Tiwlip eto. Roedd o'n cachu ar ben ei ffrind, y boi roddodd fenthyg pres iddo fo brynu'r Trowt. Ond doedd Elsie heb feddwl am ei leisans o wrth fynd at y cops chwaith. A wel, roedd o *yn* ffantaseisio lot.

"*Yes, I'm afraid he does.*"

"*And that he was being restrained whilst in a violent rage,*"

253

not, as he claims, kidnapped?"

"Yes, that's correct."

"OK. Thank you, Phil. You've saved me a lot of time and energy. I can't see too much coming from this. Like I said, it's all a bit far-fetched."

"Thank yow, officer."

"But there is something I'd like from you before I go."

"Oh… ?"

"First of all I need the fish you bought from Gareth Owens."

"No problem… " medda Tiwlip yn syth.

"And secondly, would you be prepared to make a statement – you don't have to do it now, you can pop in the station any time – confirming the name of the person who sold you the fish?"

≈ 58 ≈

Does neb yn gwybod sut drip byddan nhw'n ei gael ar y madarch cyn iddyn nhw ddechra dod i fyny. Roedd yr hogia wedi amcangyfrif fod o leia mil yn y sosban. Roeddan nhw'n disgwyl trip cryf.

Gai Ows oedd y cynta i ddeud y geiriau sydd wedi cic-startio sawl trip. "Houston, wî haf lifft-off!" Tingyls yn y coesa ydi'r arwyddion cynta rhyw ugian munud ar ôl cymryd y madarch. Wedyn yn y bol. Wedyn i fyny'r asgwrn cefn ac i waelod y brên. Wedyn maen nhw'n meddiannu tu mewn dy ben, cyn dod allan drwy dy glustia. Erbyn adag hynny ti off dy ben, beth bynnag, felly ti'm yn sylwi. Ti 'di mynd. 'Wela i chi wedyn' job.

Wedyn mae 'na chydig funuda o ffeindio dy lefal. Ymrafael efo'r bydysawd 'ma sydd newydd feddiannu dy ben a ffendio dy lefal o amgyffred. Mae o fel clymu 'rhaff' am dy ganol, i dy gysylltu efo chdi dy hun yn dy ben. I dy atgoffa, ynghanol y bwrlwm o emosiynau a meddyliau, mai tripio wyt ti, dim colli dy feddwl. Unwaith wyt ti ar dy *blateau* seicedelig efo'r tylwyth teg, ti'n gallu ymlacio ac anghofio pob dim am y byd ddoist ti ohono achos ti'n gwbod galli di ffendio dy ffordd yn ôl iddo wedyn.

Mae'n bwysig peidio amharu ar y broses o ddod fyny. Neu, os oes 'na rwbath yn amharu, dy fod yn gallu ei reoli fo'n iawn. Y peth ola wyt ti isio ydi lleisiau o'r byd ti newydd adael yn dod i'r byd arall efo chdi. Mae o fel sos brown a mwstard. Dio'm yn cymysgu. Paranoias ddaw wedyn. A trip drwg.

Pan gerddodd Tintin i mewn roedd Gai Ows newydd adael ei hun fynd ar y *plateau* ac yn ista yn ei gadar yn sbio ar y patrymau yn yr *artex* ar y nenfwd. Roedd Drwgi wedi bod yn stydio'i fysidd plastrog a chwerthin, a newydd godi a chamu o gwmpas y sdafall yn mynd *wwwwsh* a *ffwww* bob yn ail. Roedd Bic hefyd yn sefyll ar ei draed, yn llawn o 'sbeidars' – isio mynd i rwla i neud rwbath – efo gwên fel ochor lori ar ei wynab. Ac roedd Sbanish a Cled yn edrych yn debyg i Bic ond eu bod nhw'n cerddad mewn cylchoedd yn sbio ar ei gilydd a chwerthin bob hyn a hyn.

"Iawn, hogia?" medda Tintin.

"Iawn, Tint!" medda Bic efo gwên fawr ddrwg. "Tisio panad?"

"Ia, go on 'ta."

"Mae 'na un yn fan'na, 'li."

Gafaelodd Tintin yn y banad sbâr a'i llowcio'n syth lawr. Dyna sut oedd Tintin yn yfad pob peth os nad oedd o'n rhy boeth. "Ffycin blas drwg ar y ffŷcar yna!" medda fo. "Be oedd o, Earl Grey?"

"Tî-bags stêl," medda Bic.

"Stêl? Ti'n siŵr fod 'na'm piso llygod arnyn nhw?" Edrychodd Tintin yn hurt ar Cled. "Sbia golwg arna chdi!"

"Be ti'n feddwl?"

"Dim byd!" medda Tintin a gwenu. "Dwi newydd fod yn tŷ chdi rŵan, deud gwir," medda fo. "Chwilio am Gai Ows o'n i. Dy fusus ddudodd wrtha i am sbio amdanach chi fan hyn. O ia – ac oedd hi'n gofyn lle mae'r treiffl?"

Diolch byth bod Cled eisoes wedi cyrraedd ei *blateau* pan soniodd Tintin am y treiffl. Doedd o'm angan paranoias yn ei drip. Roedd o'n trio'i orau i beidio cymryd sylw o'r ffaith fod Bic a Sbanish yn wincio ar Tintin fel oedd hi. "Mae'r treiffl ar ben y tŵr, Tint," medda Cled. "Yn y Treiffl Tower!" Chwerthodd pawb fel petha ddim yn gall ar un o'r jôcs hynaf yn y byd.

"Eniwê, Gai," medda Tintin. "Ti'n gwbod y pysgod 'na 'aru chdi werthu i Tiwlip?"

Byrstiodd pawb allan i chwerthin eto.

"'Da chi off y'ch penna, yndach?" gofynnodd Tintin yn ddiniwad.

"Fyddi ditha 'fyd yn munud," medda Bic yn ddrwg.

"Na! Paid â deud! O'n i'n ffycin meddwl bod 'na flas... ffyc... cont!"

Chwerthodd Bic rhyw chwerthiniad dieflig. "Chdi gleciodd o cyn fi ga'l tsians i ddeud 'tha chdi."

"Ond dwi heb neud myshrwms ers blynyddoedd!"

"Duw, dio'm bwys! Gei di ffwc o laff!"

"Ffycin hel! Dwi fod i fynd â'r musus a'r kids i Greenwood mewn awr!"

"Ti'n ffycd ŵan, mêt," medda Sbanish.

"Ffyc! Ffyc! Ffyc!"

Craciodd Bic i fyny. Roedd gwynab Tintin yn bictiwr pan oedd o'n stresd. Roedd o'n debyg i Ken Dodd yn byta cacwn.

"Duw, paid â poeni, Tint. Sbia pres 'nei di safio!" medda Cled.

"Gret! Be am yr hed-ffyc dwi'n mynd i ennill?! Twats dach

chi!" Switsiodd Tintin ei fobail ffôn i ffwrdd. "A wel, 'hold on teit' amdani, felly... "

≈ 59 ≈

Ar ôl ei *fry-up* a'i alwadau ffôn roedd Sid Finch yn teimlo'n llawar gwell. Roedd y newyddion gan Croft a Pennylove wedi ei ddeffro a'r brecwast wedi'i lenwi. A roedd y ffaith fod Henry ei frawd a Basil ei frawd-yng-nghyfraith ar eu ffordd draw o Harlach wedi rhoi'r diafol yn ei ben.

Roedd o'n ista ar y patio o flaen Walter Towers yn edrych dros ei deyrnas pan drodd Range Rover ei frawd i mewn i'r entrans. Gwyliodd o'n taranu i fyny'r ffordd i'r buarth, troi o flaen y tŷ a stopio'n sydyn, fodfeddi o'r patio. Neidiodd dau foi mawr, cyhyrog allan. Y ddau â penna moel a sbectols haul.

"'Dan ni'n ffit?" gofynnodd y dreifar.

Estynnodd Sid Finch ei law i lawr heibio ochor ei gadar ganfas a gafael mewn *baseball bat*. "Yndan, Henry. 'Dan ni'n ffit."

≈ 60 ≈

Cafodd Tintin chydig o drafferth wrth ddod i fyny. Doedd o heb wneud madarch ers blynyddoedd ac roedd hon yn drip anferthol iddo gymryd ar ôl cymaint o amsar. Ond ar ôl lot o *ffwwww-io* a *ffwcinel-io* gan Tint a lot o 'ti'n iawn-io' gan yr hogia, roedd o wedi crash-landio ar blaned Madarch mewn un darn. Jyst abowt.

Roedd hi'n amsar symud. Roedd *rhaid* mynd am dro. Ac allan â nhw i'r ardd gefn. Pawb yn cerddad mewn cylchoedd yn sbio ar bob dim, heb unrhyw syniad o gwbwl be oeddan

nhw'n neud, heb sôn am i le oeddan nhw'n mynd. Roedd
y lliwia tu allan yn fendigedig. Y gwair a'r gwrychoedd a'r
coed yn wyrdd, wyrdd, wyrdd a llechi'r toeau yn las, las, las.
A'r bloda pi-pi gwely fel sbotia melyn wedi disgyn o'r haul.
Sbiodd Cled ar yr awyr. Roedd o'n wydr clir efo gwe pry cop
coch drosto i gyd. A hwnnw i gyd yn symud.

"Be 'di hwn?" gwaeddodd Sbanish o du ôl i'r sied. Roedd o
'di ffeindio fforch arddio Jenny Fach yn sdicio allan o'r ddaear.
Aeth Cledwyn draw i stydio. Doedd gan 'run o'r ddau syniad.
Plygodd y ddau i lawr a stydio'i gwaelod hi. Doeddan nhw
dal ddim callach.

"Bic! Be 'di hwn?" gwaeddodd Cled. Ond roedd Bic efo
Drwgi a Gai Ows, eu gwyneba fodfadd i ffwrdd o wal y tŷ
yn astudio'r pebyl dash. Roedd pawb wedi dechra 'ffendio'i
gilydd' ar y trip ac yn dechra cael crac. Ond roedd Tintin, fodd
bynnag, yn sefyll ar ei ben ei hun ar y llwybr cefn yn rhedag
ei fysidd drwy'r gwair hir ar yr ochor, nes i'r hogia ymuno efo
fo a'i symud o mlaen.

Hannar ffordd ar hyd y llwybr roedd Tintin wedi cael ei
ymosodiad cynta o baranoias.

"Dal dy afal, Tint mêt," medda Sbanish. "Fyddi di'n iawn yn
munud. Cadwa dy ben. Sbia arna i." Tynnodd Sbanish ei dafod
allan a rhoi ei fysidd yn ei glustia. "*Fflybyblybylybfflyrrrppp!*"
Ond y cwbwl wnaeth hynny oedd sbŵcio Tintin yn waeth, a
doedd o ddim am fynd yn bellach tan oedd y llwybr yn stopio
symud. Methodd yr hogia'n lân â'i berswadio mai dim pont
rhaff mewn ffilm Indiana Jones oedd y llwybr. Ond cafodd
Cledwyn y syniad o gerddad ar y gwair ar ochor y llwybr.
Masterstrôc.

Ar ôl cyrraedd y stryd cafwyd mwy o draffarth efo Tintin.
Roedd yr hogia wedi croesi i'r ochor arall o'i flaen pan
ddechreuodd o weiddi. "Fedra i'm croesi'r afon."

"Os dwi ddim yn ôl mewn *t-minus thirty seconds* cerwch
hebdda fi," medda Cled, a croesi nôl dros y ffordd, fel swpyr-

hîro, i helpu Tintin.

"Tint! Dim afon ydi hi, mêt," medda Cled.

"Ia! Afon ydi!"

"Ar fy marw, Tint. Ffordd ydi hi."

"Naci! Dwi'n clwad sŵn dŵr!"

"Tint, dwi'n gaddo i chdi na dim afon ydi hi, OK? Coelia fi ŵan."

"Pam dylswn i goelio chdi? Y diafol wyt ti!"

O ffor ffyc's sêcs, hîyr wî ffycin go! Roedd Tint yn methu'i handlo hi. Roedd o'n dechra cael *bad trip*. Wedi i Cled addo gafael yn ei fraich o rhag ofn iddo gael ei gario i ffwrdd efo'r lli roedd Tintin wedi camu i'r ffordd. "*Aaaaa!* Mae 'nhraed i'n wlyb!"

"Dydi dy draed di ddim yn wlyb, Tint. Meddwl wyt ti..."

"Mae rhein yn sgidia newydd, Cled. Maen nhw'n socian!"

"Na fo, dal i gerddad ŵan ... un droed ymlaen ... 'na chdi... "

≈ *61* ≈

Roedd Pennylove newydd ista'n ei gar ar ôl dod allan o'r Trowt. Roedd hi'n ddeg munud i naw yn y bora. Ac roedd o wedi dod i gasgliad. Roedd am recomendio i'r Inspector ei fod yn cael mynd i arestio Tintin ar amheuaeth o ddwyn pysgod, *violent disorder*, *assault* a *criminal damage* – a creulondeb i anifeiliaid hefyd, am y crac – ac arestio Gai Ows ar amheuaeth o dderbyn deunydd wedi'i ddwyn. Roedd o hefyd am gael y go ahed i dynnu Drwgi Ragarug i mewn i'w holi ar amheuaeth o... ar amheuaeth o... wel, mi feddyliai am rwbath cyn cyrraedd y stesion.

Taniodd y car a'i throi hi am Dre. Wrth fynd ar hyd y stryd

gwelodd griw o betha amheus yn hongian o gwmpas y ffordd rhyw ganllath o'i flaen. Pedwar ar un ochor a dau ar ganol croesi, un yn gafael yn y llall fel 'sa fo 'di meddwi. Nabodd nhw'n syth. Wedi croesi'n barod roedd Bic Flanagan a Sbanish, a Gai Ows a Drwgi Ragarug! Ac yn croesi tu ôl iddyn nhw, Cledwyn Bagîtha a neb llai na Tintin! Parciodd y car a gwylio. Roedd Cledwyn yn cael traffarth efo Tintin tra bo'r lleill yn chwerthin am benna'r ddau. A phan gyrhaeddon nhw ochor arall y ffordd, aeth y cwbwl i fyny'r llwybr am y parc.

Damio ei fod ar ei ben ei hun, meddyliodd Pennylove. Roedd angan o leia chwech o blismyn i fynd â Tintin, Drwgi a Gai Ows i mewn. A roedd o angen ei glirio fo efo'r Inspector beth bynnag. Penderfynodd aros am funud i weld lle'r oedd y tacla'n mynd. Ar ôl rhyw ddau neu dri munud dreifiodd ei gar ymlaen yn araf nes dod i olwg y parc. Gwyliodd y chwech yn mynd i gyfeiriad y stryd arall ac am fflat Cledwyn Bagîtha. Roeddan nhw'n chwil, meddyliodd. "Ffycin wêstars!"

= *62* =

Deg munud wedi'r traffarth i groesi'r ffordd roedd Cled a'r hogia ochor arall y rhiw ynghanol Graig. Roedd Cled, Sbanish a Bic newydd adael Siop Frank. Roeddan nhw wedi cerddad i mewn heb unrhyw syniad oeddan nhw isio rwbath neu beidio. Roeddan nhw wedi hofran a troi mewn cylchoedd am hannar munud cyn cerddad allan.

"Iawn, Frank!"

"Iawn, hogia."

"Hwyl, Frank!"

"Ia... hwyl ŵan... "

Ar ganol y rhiw roedd Drwgi'n chwerthin fel ynfytyn wrth weld yr holl gôns traffig ar hyd ochor y gwaith pafin. 'Blaw dim côns oedd o'n weld, ond corachod. A roedd y 'mynshcins' i gyd yn cuddio dan eu hetia mawr coch a gwyn pan oedd o'n sbio arnyn nhw, ond pan oedd o'n troi i ffwrdd roeddan nhw'n ei ddilyn o.

Ar waelod y rhiw, dros ffordd i fflat Cled, roedd Gai Ows yn ista ar ei din ar y ffordd yn cael *pow-wow* efo *sand-bag* oedd i fod i ddal un o'r arwyddion gwaith rhag symud. Roeddan nhw'n trafod dawns y dyn bach efo ambarél ar yr arwydd 'dynion yn gweithio'.

Roedd Tintin, fodd bynnag, yn dechra'i cholli hi efo'r goleuadau traffig. Roeddan nhw'n gweithio eto erbyn hyn ac roeddan nhw ar goch. Roedd Tintin yn sefyll reit o'u blaenau, yn mynd "Seiclops, seiclops, seiclops", pan newidion nhw i felyn. Cafodd gymaint o sioc fel y neidiodd yn ei ôl a lashio allan efo'i ddwrn, wedyn rhoi hed-byt i'r golau gwyrdd pan ddaeth hwnnw mlaen. Gwelodd yr hogia ei bod yn rhy beryg i fynd lawr Ceunant y Bi at Pistyll Gwydion fel oedd Cledwyn wedi awgrymu ddau funud ynghynt. Roedd drws y fflat yn ymyl, yn sgrechian "noddfa ddiogel" dros y stryd i gyd.

≈ 63 ≈

Roedd Sid Finch yn ista yng nghefn Range Rover Henry ei frawd wrth iddo daranu i fyny'r ffordd am Graig. Roedd tâp *Cowpoke Campfire Ballads* gan The Good Old Cousin Fuckers neu rwbath yn chwara ar y stereo a roedd Henry a Basil yn gneud dwylo banjo ac yn canu efo fo. "*If this train don't go through Blackville, then Blackville ain't the place for me… daga-daga-dang.*"

"*Shoosh, guys,*" medda Sid Finch o'r cefn. Roedd o ar y ffôn efo Pennylove yn holi be oedd cynlluniau'r heddlu. Roedd Pennylove newydd gael y go ahéd gan 'rinsbector i dynnu tri o'r hogia i mewn. Roedd o bellach yn aros am reinfforsments i ddod drosodd o Colwyn Bê ac unwaith oeddan nhw'n cyrraedd fyddan nhw'n gneud mŵf. Fyddai hynny ddim yn hir, medda fo. Rhyw hannar awr arall ar y mwya.

"Tintin, Gai Ows a Drwgi, ddudasd di?" medda Finch i mewn i'w ffôn. "Ia, ia, dwi'n dalld... *Cheers* Pennylove!... *all in one nest?*... o ia?... reit, OK!" Caeodd Finch ei ffôn. "*Lads*, mae'n debyg fod gennan ni dri mochyn bach i gyd yn yr un cwt!"

"Handi," medda Henry.

Edrychodd Sid Finch ar ei wats. Roedd hi'n hannar awr wedi naw. "Henry, ti'n gwbod lle mae Cledwyn Bagîtha'n byw?"

≈ 64 ≈

Ar ôl bownsio i mewn i'r fflat yn llygadu pob dim a phopeth roedd gwahanol bethau wedi mynd â sylw'r hogia. Bu astudio a thrafod mawr ar y gasgan gwrw wag yn y gegin gefn. Heblaw mai dim casgan gwrw oedd yr hogia'n weld, ond R2DT oddi ar *Star Wars*. Ac ar ôl pasio fod 'Artoo' wedi chwythu'i dop chwerthodd pawb eu ffordd yn ôl drwodd i'r lownj.

Roedd y shirwd o wydr ar hyd y llawr y petha mwya anhygoel oeddan nhw erioed wedi ei gweld. Roeddan nhw fel miliynau o ddeiamonds, neu sêr wedi disgyn o'r awyr, yn sbarclio a twinclio... a roedd eu sŵn o dan draed yn amêsing...

Ar ôl pum munud o sgrynshian gwydra dechreuodd Drwgi fwydro fod y goleuadau traffig wedi ei atgoffa bod ganddo rwbath pwysig i'w ddweud wrth Cled ond fod o'm yn gallu cofio be. Ond doedd o'm yn gallu sbio ar wynab Cled am fwy nag eiliad heb chwerthin. Anghofiodd be oedd o'n trio'i gofio. Doedd Cled ddim yn gwrando beth bynnag.

Roedd Gai Ows yn ista ar ochor y soffa yn chwerthin a deud *"feed me Seymour, feed me!"* wrth Gadaffi'r *cheese plant*. Roedd Bic a Sbanish yn sefyll wrth y silff ben tân gas, yn rhoi amball i gigyl dirybudd wrth sginio fyny. Mae sginio fyny, neu rowlio ffag, wrth dripio ar fadarch yn dipyn o gontract. Mae sŵn ryslo y risla yn sŵn gwerth gwrando'n astud arno, tra bo'r baco'n edrych yn debyg i fwsog brown, byw sy'n cordeddu a symud fel pryfid genwair mewn twb wrth gael ei rowlio. Roedd Bic a Sban yn cael modd i fyw...

Daeth cath i'r ffenast ac aeth Drwgi'n syth yno i'w stydio hi. "Helô, pws fach!"

Roedd pws yn rhwbio'n erbyn y gwydr yn haslo isio dod i mewn. Agorodd Drwgi'r ffenast. Strytiodd y gath i mewn fel Shyrli Basi. Rhoddodd Drwgi ei wynab reit fyny ati. Chwerthodd yn braf wrth iddi ei gusanu efo'i thrwyn a chanu grwndi'n uchal fel 'sa hi'n dynwarad helicoptyr.

Roedd Tintin yn ista ar y soffa a'i lygid fel macrall wedi piso ar sliwan drydan, yn trio dod i mewn i'r crac ond yn methu. Yn sydyn, meddyliodd am rwbath i siarad amdano. "Diafol!" medda fo.

"Be?"

"Diafol! Hwnna!" Roedd o'n pwyntio at Cledwyn.

"Be 'san ti? Dim diafol 'di hwnna. Cled 'di o!"

Ciliodd Tintin yn ôl i'w gragan. Doedd neb wedi dallt ei jôc. Sylwodd Cled ei fod o allan ohoni. Roedd ei lygid yn llydan agorad fel 'sa ganddo fo ofn drwy dwll ei din. Roedd o'n debyg i bysgodyn...

"Bobol!" medda Cled.

"Be amdanyn nhw?" medda Bic.

"Maen nhw'n debyg i bysgod," medda Cled.

"Pam?" gofynnodd Bic wedyn. Roedd ganddo ddiddordeb dwys mwya sydyn.

"Chwilio am fwyd a trio peidio cael eu dal. Ond mae o'n

fwy na hynny 'fyd. Cym di'r brownis stoc. Petha dof wedi'u bwydo efo llaw. Dim llawar o ffeit ynddyn nhw pan ti'n 'u dal nhw... ma nhw fel pobol heddiw... dim cythral ynddyn nhw... "

"Fel taeogion, Cled. Brit Welsh a rhyw lol... " medda Sban.

"Be 'di taeogion?" gofynnodd Drwgi, oedd wedi bod yn dynwarad grwndi'r gath tan hynny.

"Samons sy'n byw mewn tai," medda Bic, a cracio pawb i fyny.

Aeth Cled yn ei flaen. "A rênbows. Y petha artiffisial ma..."

"Haha! Arti-ffish-al!" medda Bic a cracio fyny eto.

Aeth Cled ymlaen eto. "Wedi cael eu 'introdiwsio' i'r lle maen nhw... "

"Saeson!" medda Drwgi. Roedd o 'di dechra dallt be oedd Cled yn fwydro amdano o'r diwadd.

"Correcto-ffycin-mwndo, Drwgi. Pysgod dŵad 'dyn nhw. Ond y brownis gwyllt, rheina 'di'r bois. Brithyll gwyllt y mynydd. Pysgod rhydd, efo ffwc o ffeit ynddyn nhw pan ti'n 'u bachu nhw... "

"Y ni ydi'r rheiny!" medda Bic.

"Nionyn – *an onion* – yn union – ecsacto-ffwcin-mwndo!" medda Cled. "Ni ydi'r brownis gwyllt, hogia. Ni sydd ffycin fod yma. A fel'na mae pysgod i fod. Yn wyllt, rhydd ac anodd eu dal... !" Stopiodd Cled yn ei dracs. Roedd o wedi anghofio, mwya sydyn, be ffwc oedd o'n sôn amdano.

"Brownis gwyllt, ia?" medda Bic wrth basio sbliff i Cled. "'Sa'm rhyfadd bo fi'n byta pryfid genwar pan o'n i'n fach, y cont."

= 65 =

Doedd Pennylove ddim yn licio Sid Finch. Bwli mawr tew wedi'i sbwylio oedd o. A doedd o ddim yn ei drystio fo rhyw lawar chwaith. Felly roedd o wedi deud celwydd wrtho ar y ffôn ddau funud ynghynt. Oedd, mi oedd Pennylove yn aros am reinfforsments, ond o Dolgella oeddan nhw'n dod, a roeddan nhw wedi cyrraedd. Dim ond rhoi brîff sydyn iddyn nhw oedd o isio'i neud a mi fyddan nhw ffwrdd am Graig i 'bysgota'.

Pump o blismyn rhydd oedd ar gael drwy Feirionnydd gyfan, mae'n debyg. Roedd y lleill i gyd yn gwatsiad modurwyr yn gyrru a gneud gwaith papur yn y stesion. Roedd Pennylove yn gobeithio bod y chwech ohonyn nhw'n mynd i fod yn ddigon. Yn enwedig efo Tintin wedi meddwi. Roedd o'n foi cry ac roedd ganddo record am GBH ar blisman rhyw bum mlynadd ynghynt. A roedd unrhyw beth yn bosib efo Bagîtha o gwmpas. Roedd hwnnw'n gallu bod yn lond llaw a deud y lleia.

Roedd ei gyd-heddweision yn sefyll o'i flaen fel *posse* mewn Western. "*Timothy Thomas, known as Tintin. Poacher. Druggie. History of violence towards police officers. Gareth Owens, druggie, small-time crook, fence and drug-dealing low-life scum. No history of violence but there's always a first time. Martin Wyn Jones, known as Drwgi Ragarug, druggie, low-life dole-scum, wise-guy, crook, dealer, some history of violence, generally a bad potato and cocky little twat. He is stocky and of heavy build. You may need to disorientate him as you arrest him. Any questions?*"

Roedd Drwgi Ragarug yn mynd drwy'i betha yn lownj fflat Cled. Roedd o wedi codi ei drwsus tracsiwt i fyny dros ei grys-t bron at ei fronnau, wedi chwyddo'i fol allan, ac yn mynd o gwmpas y lle'n dynwarad ffarmwr. Roedd o'n sdicio'i fodia i fyny a cerddad o gwmpas yn mynd, "'Mai? 'Mai… 'mai, 'mai, 'mai, 'mai-mai-mai-mai-'*maaaaoooooaaaiii*!"

Yn naturiol ddigon, roedd pawb yn y sdafall, yn cynnwys Drwgi ei hun, yn piso chwerthin. Heblaw Tintin, oedd yn gwbod y dyla fo chwerthin, ac yn trio'i ora i neud, ond doedd o jysd ddim yn gallu. Roedd o fel petai o tu ôl i wal wydr. Doedd o heb allu cadw'r byd go iawn allan o'i drip, a roedd darnau o'r byd hwnnw'n loetran mewn cilfachau yn ei feddwl, yn cysgodi rhag elfennau'r byd rhithiol. A roedd y ffaith eu bod nhw yno wedi gwenwyno gwead y rhithfyd fel cachu mewn cwstard.

Traffarth o fath gwahanol oedd Cled yn ei gael, ar y funud beth bynnag, drwodd yn y toilet. Am amsar i gael osmo-pyrj, ffor ffyc's sêcs! Ond dim y pyrj ei hun oedd y broblam. Doedd hwnnw ddim yn un rhy ddrwg tro yma, a roedd o'n brofiad reit *way out* i fynd drwy'r broses tra'n tripio. Y broblem oedd fod y toilet yn codi oddi ar y llawr. Roedd o'n mynd yn uwch ac yn uwch ac yn uwch nes bod traed Cled droedfeddi uwchben y llawr. Roedd o'n gafael am ei fywyd yn sêt y bog o dan focha'i din. Os oedd un peth oedd gan Cled ei ofn, uchder oedd hwnnw. Paid â sbio lawr, paid â sbio lawr! Edrychodd i lawr. Ffwcinel! Edrychodd i fyny. Roedd y sîling yn dal yn bell. Edrychodd ar y bath wrth ei law chwith. Roedd hwnnw wedi codi o'r llawr hefyd. A mi oedd 'na bry copyn ynddo fo. Un mawr, blewog. Yn trio'i ora i ddringo i fyny'r ochra.

"Helô, pry copyn," clywodd Cled ei hun yn ddeud. "Ti mewn dipyn o dwll, dwi mewn dipyn o dwll. Deud y gwir, dwi'n ista ar dwll yn gwagio 'nhwll so mae'r twll dwi'n ffendio'n hun ynddo fo yn dwll a dyllis i fy *hun-iiiiiaaaaaaooo-*

uuuuwwwwyyyyeeeee...!" Gwasgodd un pyrj olaf o sylweddau ysglyfaethus allan o'i dintws. "...Fysan ni'n ffwcd ar *Countdown*, 'mond *vowels* sydd genna ni, mêt."

Roedd Drwgi wedi dilyn y gath drwodd i'r gegin. Roedd o wedi ei bedyddio hi'n Maldwyn, ac roedd Mald wedi penderfynu sniffian o gwmpas am fwyd. Meddyliodd Drwgi am agor un o duniau bwyd ci Cled iddi, ond buan y collodd ddiddordeb yn y syniad hwnnw. Roedd o wedi gweld switshys socedi'r gegin o flaen ei lygid. Dechreuodd eu switsio nhw ymlaen ac i ffwrdd, pob un yn ei dro, yn daclus. Daeth at switsh y cwcar efo'r tâp coch drosto. Cofiodd be ddudodd Cled. Gwell peidio. Yna cofiodd ei fod wedi cuddio'r batri roedd o wedi ei ddwyn o'r compresar golau traffig i Cled yn y popty y noson o'r blaen. Roedd y ddau ohonyn nhw 'di anghofio pob dim am y blydi peth. A dyna oedd o isio'i ddeud wrth Cled cynt, wrth basio'r traffig leits!

Clywodd Cled yn siarad efo'i hun yn y bog. "Cled!"

"Be?"

"Yn dy bopty di 'de... "

"Paid â twtsiad switsh y cwcar beth bynnag 'nei di!" sgrechiodd Cled ar ei draws. "Mae 'na sbarcs yn fflio o gwmpas y popty pan ti'n rhoi'r switsh on a mae'r cwcar yn troi'n *live*. *Bad earth* neu rwbath, dwi'm yn dallt! Jesd paid... "

"OK, dim problam!" medda Drwgi wrth roi ei ddwylo yn ei bocad a cherddad nôl drwodd i'r lownj. Doedd o ddim isio malu cach am fatris tra'n tripio beth bynnag. Geith o aros.

≈ 67 ≈

Lordiodd Sid Finch i mewn i Siop Frank mewn shorts camofflâj, fest khaki a sbectols haul. Safodd yno wrth i Frank syrfio Neli Bethania, hen ddynas yn ei hwythdegau. Roedd hi'n cyfri ceinioga ac roedd Finch yn mynd yn ddifynadd.

"Ti 'di joinio'r *marines*, Sid Finch?" medda Frank. "Ar dy ffordd i Irac?"

"Isio gwbod ydw i lle mae Cledwyn Bagîtha'n byw."

"Wsti be, Sidni? Fedra i'm yn fy myw a gwbod lle ddiawl mae o 'sdi. Mae'r cradur yn bob man, dydi."

Doedd Frank ddim y math o foi i roi infformêsiyn am neb i bobol fel Sid Finch. Os oedd pobol fel Finch yn gorfod cymysgu efo pobol fel Cledwyn doedd hynny ddim o wirfodd y naill na'r llall, roedd hynny'n siŵr.

Dalltodd Finch yn syth be oedd y sgôr. "Rwbath debyg i'w nain 'lly." Poerodd y geiriau allan. Gafaelodd mewn pacad o *chewing gums* a thaflu pishyn pum deg ceiniog ar y cowntar. "Gyma i rhein. Cadwa'r newid."

Canodd corn y Range Rover tu allan. Swagrodd Finch allan o'r siop. "Dwi'n meddwl bo ni'n rhy hwyr," medda Henry o'r car.

Trodd Sid Finch ac edrych lle oedd Henry'n pwyntio. Roedd 'na dri car copar tu allan i fflat yng ngwaelod y rhiw a sgwad o gopars yn mynd am y drws. Nabodd Finch un ohonyn nhw fel Pennylove.

"Ffycin basdad!" medda fo ar ôl ista yn sêt gefn y Range Rover eto. Rhoddodd *chewing gum* yn ei geg a rhoi un yr un i'w ddau gydymaith. Roedd y Good Old Sister Fisters neu beth bynnag yn canu '*mama was a gravedigger*' ar y stereo. Trodd Henry'r foliwm i lawr. Dyrnodd Sid Finch gefn sêt Basil. "Ffyc a dyc-ffycin dyc!"

≈ 68 ≈

Roedd Bic a Gai Ows wedi bod yn sbio drwy CDs Cled ac wedi methu canolbwyntio'n ddigon hir i benderfynu be i roi ymlaen. Roeddan nhw yn y fflat ers awr a doeddan nhw heb roi miwsig mlaen o gwbwl. Yn y diwadd roedd Sbanish wedi gwasgu *play* ar y tâp ac roedd y Cynghorwyr wedi dod ymlaen. Roedd pawb, heblaw Tintin, oedd yn dal i ista fel delw, yn edrych ymlaen at gân 'Y Slumddyn' ar y tâp. Roeddan nhw'n licio honna. Clasur o gân. Ac mor syml. Jesd miwsig Batman a swn defaid a gwarthag a ballu, a'r boi yn deud "y Slumddyn!" bob hyn a hyn. Ffwcin hileriys!

Pan ddechreuodd y bangio ar ddrws ffrynt y fflat, rhewodd pawb yn y fan a'r lle. Doedd neb yn gwbod be i neud. Wedyn mi neidiodd Tintin ar ei draed a rhoi ei ddwylo ar ei ben a gweiddi, "Ffyc! Y musus! Cuddiwch fi hogia, cuddiwch fi! "

"Na, Tint. Rhywun isio baco neu fwyd ci, ma'n siŵr," medda Bic a bownsio i ffwrdd am ddrws y lownj a drwodd i'r pasej. Cyrhaeddodd ddrws y ffrynt a chododd y cadach llestri oedd yn hongian dros y ffenast fach efo gwydr plygu golau ynghanol y drws. Edrychodd drwy'r ffenast. Roedd 'na foi yno mewn jaced felan lachar yn sbio i mewn.

"Helô! Cledwyn? *Police*. Agor y drws, was."

Roedd Bic yn dallt be oedd y boi yn ddeud ond doedd y geiria ddim yn sincio i mewn. Roedd ei wynab o'n gneud stumia rhyfadd yn y ffenast. Edrychodd Bic eto. Roedd y gwynab yn twistio a toddi i bob siâp.

"Cledwyn? Agor y drws. 'Dan ni isio *quick word*."

Stydiodd Bic y llun oedd yn dod drwy'r gwydr. Roedd yn siŵr ei fod o'n gweld dau ohonyn nhw. Cnociodd y gwynab gwirion y drws eto.

"Pwy sy 'na?" gofynnodd Bic.

"*Police!*"

"Ha-ha, ia, ia! Pwy sy 'na go iawn?"

"*Police!* Go iawn!"

"Ymm… polîs as in cops 'lly?"

"Ia. Ti am agor y drws, ta be?"

Aeth pen Bic i *freefall*. Cops? Cops! FF-Y-C-I-N C-O-P-S!!

"Fedrwch chi ddod nôl fory?"

"Neith fory ddim y tro."

"Be da chi isio?"

"'Di Tintin yna?"

"Yymm… "

Daeth Sbanish i'r pasej i weld be oedd y crac. Mowthiodd Bic y gair 'cops' arno fo.

"Be, go iawn?" medda Sbanish. Nodiodd Bic.

"Be ma'n nhw isio?"

"Be dach chi isio?"

"Ti newydd ofyn hynna," atebodd y copar.

"Dwi newydd ofyn hynna Sbanish," medda Bic cyn troi yn ôl at y gwynab rhyfadd yn y ffenast. "Be oeddach chi isio eto?"

"Gair efo Tintin, os ti'm yn mindio."

Rhuthrodd Sbanish mewn i'r lownj. "Tint! Dwi isio chdi aros yn *calm* ŵan OK? Ti'n *calm*?"

"Yndw, dwi'n *calm*, yndw… " Roedd Tintin yn ista ar y soffa.

"Reit. Ti angan codi'n dawal… "

"Ia… "

"A mynd allan, mor dawal a slei ag y medri di… "

"Ia… "

"Drwy drws cefn… "

Ffrîciodd Tintin. Neidiodd ar ei draed a dechra fflapio. "O'n i'n gwbod! O'n i'n ffycin gwbod! Mae'r musus yna'n dydi! *Aaaaa!* "

"Tintin! Nadi! Tintin! Cwlia lawr!"

Ond roedd Tint yn brasgamu nôl a mlaen ar hyd llawr y lownj a'i freichia'n mynd fel melina gwynt.

"Cops sy 'na, Tintin!"

Stopiodd Tintin yn stond. Sbiodd ar Sbanish fel anifail gwyllt wedi'i gornelu. "Be ma'n nhw isio?"

"Isio gair efo chdi, dwi'n meddwl. Well i ti g'luo hi drwy'r cefn. 'Dyn nhw'm yn gwbod am y drws cefn. Mae'r cefn 'di cael ei walio off. Jymp dros wal a ti'n iawn. Dos!"

Ond roedd Tintin wedi'i cholli hi. Cododd ei ddwylo i'r awyr fel pregethwr gwallgo a gweiddi drwodd am y toilet. "Cledwyn! Sgin ti wn yn y fflat 'ma?"

"Ffwcin hisht, y cont gwirion!" medda Gai Ows a Drwgi ar unwaith.

"Cledwyn!" medda'r plismon tu allan eto. "Ti am agor y drws 'ma ta be?"

"'Di Cledwyn ddim yma," medda Bic.

"Lle mae o?"

"Ymm, ma 'di marw."

Bu tawelwch tu allan y drws am eiliad. "Pardon?"

Craciodd Bic i fyny'n chwerthin. "Mae Cled 'di marw," medda fo eto a chwalu i ffit wallgo o gigyls.

"Efo pwy dwi'n siarad?" gofynnodd y plismon. Bu rhaid iddo aros cyn cael atab.

"Bic. Bic Flanagan." Chwerthodd Bic eto. "Pam? Pwy wyt ti?"

"PC Pennylove. Bic, 'dan ni ddim isio chdi. Jysd agor di'r drws i ni, plîs. Bydd petha'n lot hawddach os 'nei di."

"Gofyn iddyn nhw os gennyn nhw warrant!" gwaeddodd Drwgi o'r lownj.

"Gofyn iddyn nhw os gennyn nhw warrant, Bic," medda Sbanish o ddrws y pasej.

"Sgennach chi warrant?"

"Sgennan ni ddim warant, na. Ond 'dan ni isio gair efo rywun *in relation to an inquiry* ac os 'dan ni'n meddwl bod y person hwnnw i mewn yn fan'na *and refusing to give himself up* mae gynnon ni *reasonable reason* i chwalu'r drws yn ffycin racs." Roedd Pennylove yn dechra colli mynadd.

"Glywasd di hynna, Sbanish?"

"Glywas i," gwaeddodd Drwgi o'r lownj.

"Drwgi?" gwaeddodd Pennylove. "Chdi sy 'na? Gown ni air efo chdi plîs?"

"No ffycin tsians!" gwaeddodd Drwgi. "Ti'n ffwcin stalkio fi y cont! Os ti'n licio fi gymint â hynna 'na i yrru llun i chdi!"

Drwodd yn y bathrwm roedd Cled yn balansio ar ben y toilet wrth sychu'i din yn ofalus rhag ofn iddo ddisgyn. Roedd o wedi clwad y cnocio a'r gweiddi'n dod o gyfeiriad ffrynt y fflat a roedd o'n meddwl bod rhywun wedi galw'n llawn miri a rhialtwch. Roedd o'n trio dyfalu pwy. Wedi gorffan ar y bog roedd hi'n amsar trio ffendio'i ffordd i lawr o'i ben o. Estynnodd allan am ochor y bath. Roedd o'n bell i ffwrdd ond stretsiodd ei fraich i'w gyrraedd, wedyn estyn ei fraich arall drosodd. Ond rŵan bod ei ddwylo ar y bath a'i din ar y crwndwll dechreuodd y bath symud yn bellach i ffwrdd oddi wrtho. Ffycinel! Sbiodd i lawr. Roedd llawr y bathrwm yn bell islaw. Aeth i deimlo'n chwil, ac aeth y bath yn bellach i ffwrdd eto. Roedd hi'n rhy hwyr i ollwng fynd. Daliodd yn dynn, yn trio stopio'r bath rhag mynd yn bellach a gneud ei hun yn hirach 'run pryd. Gwelodd y pry copyn eto. Roedd y basdad bach yn chwerthin. Clywodd Cled ei hun yn gweiddi "Help!"

Drwodd yn y lownj roedd Tintin yn cael amsar drwg ac roedd ei feibs ffrantig yn effeithio ar Drwgi a Gai Ows.

"Rwbath i neud efo'r clown 'na yn y Trowt neithiwr 'di hyn," medda Drwgi a mynd drwodd at y drws ffrynt. "Helô. Penelope? Drwgi sy 'ma. Pam ti isio siarad efo fi?"

Brathodd Pennylove ei dafod. "Isio gair sydyn, *that's all.*"

"Am be?"

"Agor drws a wna i deud wrthat ti."

"Pam fedri di'm siarad ŵan?"

"Achos dwi ddim yn gallu gweld ti."

"Ti 'di gweld digon o'na i ddoe. Ffwcio chdi."

Aeth Drwgi nôl i'r lownj, tra y tu allan i'r fflat, addawodd Pennylove iddo'i hun ei fod o'n mynd i neud i Drwgi Ragarug ddifaru.

Yn y toilet, roedd Cled fel Harold Lloyd yn gafael am ei fywyd yn uchel uwchben y stryd mewn hen ffilm. Roedd bron â rhoi fyny a gadael ei hun ddisgyn pan edrychodd dros ei ysgwydd dde a gweld ei lun yn y drych bach siafio, crwn ar silff y sinc. Ar fadarch, mae gwynebau pobol yn edrych yn wahanol wrth i'w nodweddion amrywiol – fel trwyn fflat Sbanish neu ddannadd mawr Drwgi – gael eu hamlygu. Ond dim effaith y madarch oedd yn gyfrifol am yr hyn oedd Cled yn ei weld yn y drych. O dan ei fop o wallt du roedd ganddo sdwff du, tew o gwmpas ei lygid i gyd, a hwnnw wedi smyjio'n flêr, yn gneud iddo edrych fel epil Marilyn Manson a Mei Xiang, y panda. Tsieciodd eto, rhag ofn mai halŵsinêtio oedd o. Doedd o ddim. Roedd ganddo lipstic coch, hefyd, wedi smyjio dros ei geg a'i ên, fel gwaed, a gwelodd, ar ei dalcen mewn llythrennau bras, blêr, y geiriau *BABY KILLER* mewn *eyeliner* du. 'Y ffycin genod, neithiwr!' meddyliodd. Pan oedd o'n cysgu ar y bwrdd! Wel am slei!

Chwerthodd yn uchal. "Chwara teg!" medda fo wrth godi oddi ar y toilet a chodi'i drowsus. Gafaelodd yn y drych. 'Eyeliner' *a* 'mascara'! Roeddan nhw *wedi* bod yn brysur! Chwerthodd Cledwyn wrth ddychmygu'r genod yn giglo wrth gyflawni'r anfadwaith. A'r hogia! Y basdads bach heb ddeud ffyc ôl! Oedd o 'di amau eu bod nhw'n sbio'n rhyfadd arno fo, yn wincio ar ei gilydd a chwerthin yn slei, bora 'ma! Chwerthodd Cled yn uwch. Roedd o wrth ei fodd. Tan ddaeth bangio ar ddrws y bog.

"Cled!" Llais Drwgi oedd o eto. "Ma'r cops wrth y drws!"

≈ 69 ≈

Cafodd Sid Finch syniad. Roedd o'n gyfarwydd â'r fflat. Roedd o'n cael wisgi a sigâr efo Brian Harris, y *slum landlord* oedd yn ei rentio hi allan, yn y Lodge weithia. Roedd o'n cofio Harris yn llwyddo i gael ticad 'Fire Regs' i'r fflat er ei fod o wedi blocio'r unig allanfa dân – yr iard fach gefn – efo wal gerrig saith troedfadd o uchal. Doedd 'na'm posib gweld yr iard na'r drws cefn o unrhyw le heblaw tu mewn y fflat ei hun. Roedd hi'n amlwg nad oedd y cops yn gwbod am y drws cefn achos roeddan nhw i gyd wrth y drws ffrynt yn siarad efo rhywun ers chydig o funuda bellach.

"Henry, Basil," medda Finch. "Genna i syniad. Dowch efo fi." Agorodd ddrws y Range Rover a neidio allan. Gafaelodd yn y bat oddi ar y sêt. *"Let's go, rangers!"*

"Ti'n gall, y cont?" medda Henry wrth ddilyn ei frawd. "Ma'r cops yna ŵan! Fedran ni'm gneud dim byd!"

"Fedran ni ddim 'u brifo nhw rŵan, na fedran," medda Finch wrth i'r tri ohonyn nhw frysio drwy'r parc ac i lawr am gefn y fflat. "Ond 'di'r cops ddim yn disgwyl iddyn nhw ddianc drwy'r cefn. Mi rydan ni. 'Dach chi 'di clwad am *citizen's arrest*, do? Fyddwn ni'n *have-a-go heroes*, bois! Llun yn papur a bob dim! *Fine upstanding citizens that we are.* A gawn ni'r plesar o roi *few digs* iddyn nhw wrth eu dal nhw. Unrhyw farciau ar y tri *we can put down to self defence*. Cym on! Rhaid i ni ddangos i'r *druggie poacher scum* be sy'n digwydd pan maen nhw'n dwyn *fishes from the Finches…* "

≈ 70 ≈

"Pennylove? Cledwyn sy 'ma. Be 'di'r crac?" gofynnodd Cled drwy ffenast fach y drws ffrynt.

"Gawn ni ddod i mewn?"

"Pam?" Roedd Cledwyn yn canolbwyntio ar lais Pennylove a dim ar ei wynab, oedd yn edrych fel yr Elephant Man drwy'r gwydr-plygu-gola.

"Ydi Tintin yna?"

"Tintin? Na. Heb 'i weld o heddiw."

'Basdad clwyddog,' meddyliodd Pennylove. "Ydi Gai Ows a Drwgi yna?"

"Na. Heb weld rheiny chwaith. Ta-ra ŵan… "

"Cledwyn! Dwi'n gwbod 'u bod nhw yna, OK? Mae Drwgi newydd siarad efo fi. 'Dan ni isio *word* efo nhw. Deud wrth nhw ddod allan neu gadal ni mewn."

Roedd Cled yn cael digon o draffarth cadw'i ben fel oedd hi, heb sôn am drio peidio chwerthin ar acen ryfadd y copar. Roedd yr hen garpad brown budur dan ei draed yn edrych ac yn teimlo fel mwd, ac roedd y wal, a'i blobs a strîcs du o damp, yn edrych fel coedwig dywyll oedd yn trio'i hudo fo i mewn iddi. Ac yng nghorneli ei lygid roedd pob dim yn symud. Y walia, y llawr, y to a'r gola. Ac o flaen ei lygaid roedd 'na hyndryds-and-thowsands amryliw yn llenwi sgrin ei olwg. A roedd golau'n plygu popeth sgwâr yn grwn. "Sori, am be oeddan ni'n siarad?"

Tu allan, roedd 'mynadd Pennylove yn agos at gracio. Rhoddodd ei wynab reit i fyny at y ffenast nes bod ei wynt yn stemio'r gwydr. Pan welodd Cledwyn ei drwyn ar y gwydr, rhoddodd ei wynab yntau i fyny yn ei erbyn o'r tu mewn, a hynny'n sydyn. Dychrynodd Pennylove. Neidiodd pan welodd o wynab Cled, efo sdwff du rownd ei lygid a coch rownd ei geg. "Cledwyn?!"

Ond diflannodd y gwynab. Roedd Cled wedi mynd nôl at yr hogia yn y lownj.

"Dwi'n meddwl fod 'na fwy o gopars yna na jyst Penelope, hogia. Ma hynna'n meddwl 'u bod nhw am fynd â ni i mewn. 'Mond Tint, Drwgi a Gai ma'n nhw ar ôl – meddan nhw."

"Pysgod Sid Finch 'di hyn," medda Tintin, yn dal i gerddad

mewn cylchoedd. "Ma'n nhw 'di ca'l gair efo'r Elsie Crofter 'na oedd yn y Trowt neithiwr, garantîd! Ffycin hel, Cledwyn! Paid ti byth, byth â ffonio fi eto! Byth!"

"Reit, pawb i gŵlio lawr!" medda Cled efo'i freichiau allan o'i flaen fel Christopher Lee yn y colur llygid du a'r lipstic gwaetgoch dros ei ên. "Meddwl! Meddwl 'dan ni isio'i neud rŵan! 'Dan ni angan plan. Ma'r cops allan fan'na, yn pisd off ac isio'n arestio ni, a 'dan ni'n fan hyn, off ein ffycin bocsys, ddim isio ca'l ein arestio, ac yn bendant ddim isio cael ein cloi mewn ffwcin cell yn tripio ar madarch… " Rhoddodd Cled ei law i fyny at ei ên am funud i drio cael ysbrydoliaeth. "Reit. Sŵnyr or lêtyr dwi'n meddwl bydd rhaid i ni 'i legio hi dros y wal yn cefn."

"Be, hwnna 'di'r plan?"

"Sori, fedra i'm meddwl." Roedd yn rhaid i Cled chwerthin. "Ma'r golwg ar eich gwyneba chi'n cracio fi fyny!"

≈ 71 ≈

Allan, o flaen drws y fflat, roedd Pennylove yn sbio ar ei wats.

"*Are we going in or what?*" medda un o'r plismyn eraill mewn acen Glannau Mersi.

Meddyliodd Pennylove am eiliad cyn atab. "*It does seem as if we're getting to the situation where we might have grounds for a forced entry… But we'll leave it a minute. I don't know what's going on in there, but there's no reason why they should hold out much longer. They know the score. A spin down the station and coming out on bail isn't exactly unchartered territory for them.*"

"*They sound off their heads, though.*"

"*Which is probably why they're spooked. Probably hiding the spliffs and bongs and what have you. We'll wait a little, I think.*

276

They can't go anywhere anyway. There's no back door."

Draw yn y stryd gefn roedd y brodyr Finch yn rhoi leg-yp i Basil eu brawd-yng-nghyfraith er mwyn iddo allu edrych dros y wal i gefn fflat Cled. "Be ti'n weld, Basil? Oes 'na ddrws yna?"

"Oes, Sid."

"Ddudas i'n do. Ti'n gweld wbath arall?"

"Mae 'na gath yn y ffenast... "

"Rwbath efo dwy goes o'n i'n feddwl."

"*Hang on*... Oes, mae rhywun yn symud tu mewn."

"OK. Lawr â chdi. Arhoswn ni fan hyn. Hon 'di'r unig ffordd allan os byddan nhw'n gneud rynar. Deud y gwir, ma'n uffernol o ryfadd 'u bod nhw heb ei legio hi'n barod... "

Yn lownj y fflat roedd Tintin yn ista ar y soffa yn ysgwyd yn ôl a blaen fel ceffyl siglo â'i ddwylo ar ei glustia'n trio stopio'i frêns o doddi allan drwyddyn nhw. "'Im ffwc o beryg dwi'n mynd i *cells*. Neith y musus 'yn lladd i. Dwi fod yn ffycin Greenwood efo'r plant! Cledwyn! 'Sgin ti wn?"

"Be!?"

"Gwn! 'Sgin ti un, ta be?"

"Nag oes, y cont gwirion... !"

Dechreuodd Pennylove gnocio'r drws eto. "Cledwyn Bagîtha! Dwi'n rhoi tri munud i chdi. Os 'di Tintin, Gai Ows a Drwgi ddim allan erbyn hynny 'dan ni'n malu'r drws. *I'm a reasonable man*, Cledwyn. Ond, *as you may have heard*, dwi'n *deadly serious* hefyd. Ti'n clywad fi? *Time starts now.*"

≈ *72* ≈

Mae pobol sy'n gwneud trip madarch efo'i gilydd yn ffurfio bond seicolegol sy'n eu cysylltu efo'i gilydd, o ran cael y crac, drwy gydol y trip. Dyna pam mae pawb sy'n tripio'n gweld yr un petha'n ddigri a'r un petha'n ddifyr tra bod bobol sydd ddim yn tripio yn sbio arnyn nhw a meddwl 'u bod nhw, wel, ar drygs. Ond mae 'na fwy o siawns cynnal cynhadledd Islamaidd yn Prattville, Alabama, na cael pawb sy'n tripio i gytuno ar le i fynd neu be i neud. Dwyt ti ddim i fod i neud penderfyniada pan ti'n tripio – jesd dilyn y madarch i lle bynnag maen nhw'n mynd â ti.

Yn naturiol ddigon, felly, roedd y dewis syml rhwng aros i gael eu harestio neu ei gluo hi dros y wal gefn yn un oedd yn achosi mwy o ddryswch nag amserlen gaeaf Bws Gwynedd.

"Ond does 'na'm ffordd allan drwy cefn! Mae 'na wal yna!" Roedd Tintin, pan oedd o'n sobor, yn hen law ar ddringo walia, coed a chreigia, a nofio afonydd. A hynny ganol nos. Ond i Tintin-ar-fadarch roedd y wal yng nghefn fflat Cled yn edrych fel wynab dwyreiniol Tryfan.

"Tintin," medda Cled. "'Di'r wal ond yn sefn-ffwtar ar y mwya. Ti 'di neidio petha mwy wrth gael *chase* gan gipars y ffwcin sir 'ma… " Aeth y miwsig i ffwrdd. "… Drwgi! Sdopia ffidlan efo'r ffwcin socet 'na!"

"Sori!" Switsiodd Drwgi'r socet nôl ymlaen ac ailddechreuodd y Cynghorwyr ar eu rhialtwch.

"One minute and counting!" Daeth llais Pennylove drwy'r pasej. Roedd o'n gweiddi drwy'r bwlch rhwng y drws a'r ffrâm ac yn dal ei glust ato i wrando. "Cledwyn! Mae hyn yn *silly!*" medda fo wedyn – sylw a gyfarchwyd efo bloeddiadau anserchus a rasbris gan y cyfeillion tu mewn y fflat. Ond yn y byd go iawn, tu allan y fflat a thu allan rhith-fyd madarchol yr hogia, doedd hyn ond yn gneud Pennylove yn fwy penderfynol. Yn enwedig felly am fod pobol wedi dechra hel ar ochor arall y stryd i wylio'r ddrama'n datblygu, a doedd Pennylove ddim isio edrych fel twat.

"Wel. Dwi'n mynd eniwê," medda Gai Ows.

"Dwi'n dod efo chdi," medda Cled.

"Tintin! Last tsians!" medda Sbanish. "Ti'n dod 'ta be?"

"Fedra i ddim dringo," medda Tintin.

"Reit, 'dan ni'n mynd," medda Sban, gan gychwyn ar ôl Gai Ows a Cled, oedd yn symud am y gegin gefn. Gafaelodd Drwgi yn Maldwyn y gath a'u dilyn.

"*Thirty seconds and counting!*" medda llais Pennylove, yn fwy awdurdodol nag erioed o'r blaen.

Roedd Gai Ows, Cled a Sbanish yn agor y drws cefn pan fflipiodd Tintin. Efo sgrech fel Comanchee, cododd o'r soffa a rhedag am y pasej yn gweiddi, "Mae genna i wn! Mae genna i wn! Dowch i mewn a mi saetha i chi gyd!"

Tu allan y fflat cafodd Pennylove chydig o sioc. Cododd ei lais rhyw hannar *pitch* yn uwch. "Gwn, ddudasd di?!"

"Ia'r ffycars, a mi saetha i chi gyd... "

Neidiodd Bic ar gefn Tintin a cael ei gario drwodd i'r pasej fel *piggy-back*. "Nag oes, sgenna fo ddim gwn!" gwaeddodd Bic mor uchal ag y medrai.

"Oes mae genna i!" gwaeddodd Tintin wedyn. "A mae o'n lôded!"

Doedd Pennylove ddim yn gwbod be i neud. Roedd o'n trio trystio'i deimlad greddfol mai malu cachu wedi meddwi oedd Tintin, gan wbod hefyd os bydda fo'n anghywir y bysa fo mewn trwbwl am beidio cymryd y camau priodol.

"*Shall I call for the ARU?*" gofynnodd y plismon agosa ato fo.

"*Hold on a second* ... Bic? Sgin Tintin wn o gwbwl?!"

"Nag oes!" gwaeddodd Bic a Drwgi, oedd hefyd erbyn hyn ar gefn Tintin.

"Oes mae genna i!" gwaeddodd Tintin eto.

"Nag oes ffor ffyc's sêcs!!" bloeddiodd Bic a Drwgi.

Roedd Tintin fel tarw rodeo yn trio lluchio'r ddau ffrind oddi ar ei gefn. Ond roeddan nhw'n dechra cael y gorau arna fo, ac yn ei lusgo a'i bwsio'n ôl i mewn i'r lownj.

Yn y gegin, wrth weld yr argyfwng yn gwella rhywfaint,

aeth Gai Ows allan drwy'r drws cefn a dechra dringo'r wal. Aeth Sbanish ar ei ôl. Arhosodd Cled ychydig eiliadau nes bod Bic a Drwgi wedi cael Tintin yn ôl i'r lownj. Ar y stereo, daeth y Cynghorwyr at y gân roedd yr hogia wedi bod yn edrych ymlaen gymaint i'w chlywed. Ac efo teiming cystal â'r siwpyrhîro trôns-a-teits ei hun, dechreuodd *Y Slumddyn*.

Ar yr eiliad honno, roedd Pennylove yn camu i'r ochor i adael i heddwas – prop-fforward tîm rygbi Colwyn Bê – roi ei ysgwydd yn erbyn y drws. Mewn fflat DHSS *slum landlord* does neb yn disgwyl gweld drysau o safon uwch na cachu, ond cafodd hyd yn oed Pennylove, oedd wedi gweld amal i ddrws yn cael ei ddryllio, ei synnu pa mor hawdd y cafodd hwn ei oblityrêtio. Rhwygodd oddi ar ei golfachau fel papur allan o ddyddiadur gwleidydd. Disgynnodd yn sblintars ar lawr.

I gyfeiliant *Y Slumddyn*, rhuthrodd y cops drwy ddrws y lownj fel ffrynt-lein y Greenbay Packers, yn syth mewn i Drwgi, Bic a Tintin. Ac i lawr â nhw, y cwbwl lot, ar ben y tri ohonyn nhw. Rhywsut, cododd Drwgi o ganol y ryc a chael ei hun yn rhydd. "Tyd, Mald!" medda fo wrth gydio yn Maldwyn y gath eto a cychwyn am ddrws y gegin. Ond cododd un o'r copars mwya ar ei draed a rhuthro ar ei ôl, a mewn eiliad o banig taflodd Drwgi'r gath amdano. Sgrechiodd Maldwyn drwy'r awyr a phlannu'i gwinadd yn nhrwyn a chlust y plisman. Yn y dryswch rhedodd Drwgi i'r gegin.

Yn y cyfamsar roedd Gai Ows newydd gael ei hun dros grib y wal ac ar fin gollwng ei hun i lawr yr ochor arall pan deimlodd ddwylo'n gafael yn ei goesa a'i dynnu. Roedd Sbanish yn codi ei hun i fyny tu ôl iddo pan welodd ei fêt yn diflannu dros y top gan weiddi. Pan gyrhaeddodd Sbanish y grib ac edrych lawr yr ochor arall, y cwbwl welai oedd dau foi mawr, pen moel yn cicio a dyrnu Gai Ows ar lawr, a Sid Finch, y basdad dan-din, yn ei guro ar ei goesau a'i freichiau efo *baseball bat* ac yn gweiddi "am bob un ffycin sgodyn ffycin ddwynast di genna i!" Wnaeth Sbanish ddim meddwl ddwywaith. Efo sgrech fel ninja, neidiodd oddi ar y wal ar ben Sid Finch.

Pan gyrhaeddodd Drwgi'r gegin gefn cymrodd gip am yn ôl i'r lownj i jecio Bic a Tintin. Doedd 'na'm gobaith iddyn nhw. Pwmpiodd adrenalin drwy ei gorff wrth i'w feddwl madarchol orweithio a thrio peidio panicio. Gwelodd ddau gopar yn rhuthro drwy'r lownj amdano, un ohonyn nhw'n gwisgo cath ar ochor ei wynab. Caeodd ddrws y gegin yn glep a gafaelodd yn y ffrij a'i thynnu drosodd i'w rhoi'n fflat ar lawr i stopio'r drws agor. Ond stopiodd y ffrij hannar ffordd, a hongian yn gam o flaen y drws. Roedd weiran y plwg yn ei dal yn ôl. Gafaelodd Drwgi yn y plwg a'i dynnu'n rhydd. Disgynnodd y ffrij ar lawr fel oedd y cops yn cyrraedd y drws.

Fedrai Drwgi ddim stopio'i hun. Roedd *rhaid* iddo switsio'r socet ddaeth plwg y ffrij allan ohono ymlaen ac i ffwrdd. Fflic – fflic. Ac ar ôl gneud y socet hwnnw roedd *rhaid* gneud pob un. Wrth i'r cops hyrddio yn erbyn y drws tu ôl iddo, edrychodd ar y socet ddwbwl ar y wal arall. Neidiodd draw a fflicio'r switshys ymlaen ac i ffwrdd yn sydyn. Trodd am y drws allan. Roedd switsh y cwcar efo'r tâp insiwleiddio coch drosto reit wrth y drws. Doedd Drwgi ddim yn gwbod pam y gwnaeth – efallai am mai hwn oedd yr unig switsh yn nhai ei ffrindiau doedd o erioed wedi cael ffidlan efo – ond roedd un peth yn bendant, doedd o ddim yn disgwyl be ddigwyddodd eiliad ar ôl iddo wneud.

Mae batris yn gollwng nwy hydrogen os oes 'na hollt ynddyn nhw. Neu os ydi'r terminal wedi dod yn rhydd, fel terminal y batri yn y popty. Ac roedd yr hydrogen wedi bod yn hel yn y popty am dros bedair awr ar hugian. Pan switsiodd Drwgi'r switsh ymlaen, daeth y cwcyr yn *live*, yn union fel y rhybuddiodd Cledwyn. Ac yn union fel siarsiodd Cledwyn, dechreuodd sbarcs fflio o gwmpas y popty...

Roedd hi'n anfarth o glec – digon i chwalu'r batri, a drws ac ochor y popty yn racs, a gyrru tameidia o'r batri a'r cwcar, ac asid y batri, yn sownd i'r cypyrdda yr ochor arall i'r sdafall …

Pan glywodd Cledwyn y glec roedd o newydd neidio dros y wal ar ôl Sbanish, malu trwyn Henry Finch efo hed-byt a rhoi bŵt yn y tsiops i Basil wrth iddo ddyrnu Gai Ows ar lawr. Neidiodd yn ôl i fyny'r wal i weld be oedd 'di digwydd wrth i Sbanish orffan y job efo bêsbôl bat Sid Finch. Daeth Drwgi i'w gwfwr ar grib y wal, yn stryffaglio a chwythu. Rhoddodd help llaw iddo drosodd. "Lle mae Bic a Tintin?"

"Cops 'di cael nhw."

"Be oedd y glec 'na?"

"Ffyc nôs."

Gluodd yr hogia am y parc, cyn gyflymad ag y medran nhw efo Gai Ows ond yn hannar ymwybodol ar eu sgwydda. "Lle ffwc 'dan ni'n mynd?" gofynnodd Sbanish.

"Am y mynydd, hogia! Am y mynydd!" gwaeddodd Cledwyn â'i fraich yn yr awyr fel Geronimo. *"Engage! E-N-G-A-G-E! "*

≈ 73 ≈

Petai'r hogia wedi cyrraedd y mynydd, o leia bysan nhw wedi cael amsar i orffan eu taith ym myd y madarch. A pha le gwell i wneud hynny nag ar y mynydd, yn yr oruwchystafell, yn y cymundeb rhwng haul a daear a'r myfyrdod rhwng daear a dyn? Yno, fyddan nhw wedi gallu rhannu'r pnawn efo'r duwiau diog yn y grug, a'r lleisiau rhwng lliwiau a llun, lle mae llond gwlad o lonydd i'w gael.

Petai'r hogia wedi cyrraedd y mynydd byddan nhw wedi cael gwylio rhyfeddod cylchoedd naid y brithyll gwyllt ar ruddiau Llyn Merched neu dalcen glas Alltgam. Neu wrando ar sŵn tonnau'n llyfu'r canrifoedd o draed y creigiau a'u cario i ffwrdd i'w troi'n aur i gwrlid y nos. A gadael i'r meddwl

grwydro tu hwnt i ffiniau'r pen, i nofio ar yr awel tan deuai
Arianrhod i hebrwng y sêr i'r galeri i wylio sioe arall gan
selogion y nos.

Ond nid felly y bu.

Roedd Cled yn ista ar fatras blastig tenau, las ac roedd 'na
olau oren swnllyd yn chwarae efo'i synhwyrau cymysglyd.
Roedd o'n dod lawr o'r trip yn ddychrynllyd o sydyn. Roedd
y gell yn edrych yn llai a llai fel tu mewn i long ofod o funud
i funud. Doedd y waliau ddim yn goleuo mwyach a doedd
y drws ddim yn fynedfa i'r lifft i lawr i'r *engine-room*. Ac yn
araf a phetrus, fel deryn at fara ar stepan drws tŷ, daeth y
byd daearol i ymlwybro'n ôl i'w ben.

Dechreuodd y gwae droi'n belan blwm yn ei stumog. Be'n
union oedd wedi digwydd? Be ffwc oedd ar benna'r cops yn
tsiarjio mewn i'r fflat fel 'na? Pam 'u bod nhw yno yn y lle
cynta? A pam yn enw'r ffwc piws fod y cops wedi cymryd ei
wats a'i leitar o eto? Roedd Cledwyn yn methu dallt. Ond
roedd o'n cofio'r Sarjant yn sbeitio eu bod nhw 'di cadw'r gell
yn gynnas iddo. Ffyni iawn. Yn amlwg yn gwrando ar Steve
a Terwyn, medda Sban ...

Roedd Tintin a Bic yn copshop Dolgella tua awr cyn y lleill.
Roedd y cops wedi sbrêio sbrê pupur yn eu llygid nhw wrth eu
llusgo allan o'r fflat ac i gefn dau gar gwahanol. Bic yn gweiddi
'false arrest' a *'stitch-up'* dros y stryd i gyd, a Tintin yn gweiddi
bygythiadau fyddai'n gneud i Osama gochi. Roedd llygadau'r
ddau wedi cau, ac wedi chwyddo'n goch fel tomatos.

Aeth Cled, Sban, Drwgi a Gai Ows i mewn yn heddychlon
iawn o gymharu. Y cafalri ddaru eu sbotio nhw'n disgyn dros
y clawdd cerrig rhwng cae John Ffridd ac afon Alltgam. Llond
car o blismyn ar eu ffordd i gefnogi'r injan dân ac ambiwlans
a alwyd i'r fflat – dim bod angan yr injan dân. Doedd 'na'm
tân. Jesd ffwc o glec.

O fewn deg munud i gael eu sbotio roedd helicoptyr yn
hofran uwch benna'r hogia a *posse* o blismyn yn cau i mewn

arnyn nhw mewn cylch o bob cyfeiriad. Fe'u dalwyd wrth lyn golchfa Bwlch Meirch, yn ista ar greigan uwchben y pwll yn taflu cerrig i'r afon. Roeddan nhw wedi aros i dderbyn eu ffawd dan chwerthin. Heblaw Drwgi, oedd yn ffrîcio efo llais yr uchelseinydd yn yr hofrenydd uwchben. "Ffyc off Duw, dwi'm isio troedigaeth!"

Chafodd Cled ddim gwbod be oedd wedi achosi'r ffrwydriad tan ddaeth Pennylove at ddrws y fan heddlu a deud wrth Cled ei fod o'n wirion yn cadw batri yn y popty. Roedd o'n lwcus fod 'na neb yn sefyll o'i flaen pan chwythodd y batri, wir. Fysa fo 'di cael ei frifo'n ddrwg heb sôn am gael llosgiadau asid. Doedd gan Cled ddim syniad be oedd o'n sôn am, wrth reswm, ond doedd 'na'm pwynt mynd ar ôl hynny.

Doedd neb wedi brifo, beth bynnag. Dim efo'r ffrwydriad. Ond mi oedd Pennylove wedi cael sioc drydanol pan roddodd ei law ar y cwcyr a hwnnw'n dal yn *live*. Croeso i hofal *slum landlord* – dim sôn am ffiwsus RCD na *trip-switch* yn y mêns! Doedd Pennylove ddim gwaeth. Jesd wedi'i daflu ar draws y sdafall gan felltan o'r hob a landio ar Artoo Deetoo, y gasgan Stella wag. Ond mi oedd plisman arall angan triniaeth am gripiadau cath i'w glust a'i wynab.

Roedd Cledwyn wedi holi Pennylove pam eu bod nhw'n cael eu harestio. Roedd o wedi difaru gofyn.

"*Obstructing police officers in the execution of duty, perverting the course of justice, helping a criminal escape, harbouring a fugitive, resisting arrest, breach of the peace ac affray…* " Roedd Pennylove yn mwynhau ei hun. "*… assaulting a police officer, assault with a weapon (a cat), cruelty to a cat, causing an explosion, possession of cannabis, possession of drug paraphernalia, possession of contraband with intent to supply, possessing stolen goods, possession of illegal food… wilful neglect of safety… being negligent of the safety of others…* heb sôn am *foul and abusive language…* " Roedd o'n crafu'r gwaelod ers dipyn, wrth gwrs, ac yn amlwg yn gwneud rhai o'r tsiarjis i fyny ei hun, ond roedd Pennylove isio cyfleu i'r hogia eu bod nhw'n siŵr o ffendio rhyw gyhuddiad fyddai'n sdicio. Roedd Cledwyn wedi stopio gwrando ers meitin.

Doedd Sid Finch a'i thygs heb wneud cwyn. Roeddan nhw wedi diflannu yn y Range Rover efo'r Good Old Chicken Worriers neu beth bynnag. Fydda fo ddim yn hawdd iawn iddyn nhw wneud cwyn beth bynnag, efo'r olwg oedd ar Gai Ows. Ysbyty oedd y flaenoriaeth i'r 'Finch mob'. Roedd Henry Finch wedi torri'i drwyn, Basil angan tsiecio'i ên, a Sid – wel, mi fydda hwnnw mewn poen am ddyddia, roedd hynny'n saff.

Roedd Finch yn amlwg wedi dychryn wrth weld Sbanish a Cledwyn yn neidio dros y wal. Roedd gweld Cledwyn yn unig wedi bron â rhoi hartan iddo. Byddai gweld Alice Cooper ar fadarch yn disgyn drwy'r awyr amdano yn ddigon i ddychryn unrhyw un. Ond dim y *make-up* ar wynab Cled oedd wedi ei ddychryn fwya. Y ffaith fod Cled yno o gwbwl oedd wedi chwalu pen Finch. Roedd o wedi sylweddoli bod Cled fwy na thebyg yn y fflat efo'r hogia ond doedd o heb feddwl y byddai o'n dianc drwy'r cefn efo'r lleill. Wedi'r cwbwl, roedd Pennylove wedi deud mai ond Tintin, Drwgi a Gai Ows oedd y cops am 'u harestio. Doedd Finch ddim isio croesi cleddyfa efo Cledwyn Bagîtha. Gofyn am drwbwl fydda hynny.

Cododd Cledwyn a mynd at ddrws y gell. Pwysodd fotwm y gloch. Roedd o isio twrna. No wê fod hyn yn iawn. Cops yn tsiarjio i mewn i fflat rywun a mynd â nhw i ffwrdd am ddim rheswm. "Helô! Copars?"

"Cled!" Llais Sbanish o'r gell ar draws eto.

"Hei, Sban. Ti'n iawn? Faint o gloch 'di? Ma rhein 'di mynd â'n wats i eto."

"Hannar awr wedi dau," gwaeddodd llais Bic o'r un gell ag oedd ynta ynddi'r noson gynt. "Yn y pnawn."

"Ti 'di cael cadw dy wats eto?" gwaeddodd Cledwyn. "Ffacinel, mae hyn yn conspurasi!"

"Na, Cled," medda Bic. "Mae 'na *sundial* yn yr ardd gefn..."

"Ia, ia, OK!" medda Cled. Unrhyw adag, unrhyw stad, doedd Bic ddim yn methu cyfla.

"Ti 'di bod yn cysgu, Cled?" gwaeddodd Drwgi o'r un gell â Bic.

"Na, jesd gorwadd lawr yn meddwl... ffyc... dwi'm yn siŵr iawn lle ffwc dwi 'di bod, deud gwir." Doedd dim rhaid iddo egluro. Roedd pawb 'di bod yn yr un 'lle'. "Lle mae Gai a Tintin?"

"Ma Tintin yn cael ei holi a Gai'n cysgu'n fan hyn," medda Sbanish o'i gell. "Ma'i wynab o'n biws, y cont!"

"Basdads!" medda Cled. "Ffycin Sid Finch! Sortia i'r cont tew 'na ar ôl dod allan. Sut stad sy ar Tintin?"

"Gwell nag oedd o," medda Bic. "Fuon nhw'n gwitsiad am oesoedd iddo fo ddod i lawr. O'n i'n poeni 'na Hergest fysa'i le fo, deud gwir. Ond mi ddoth yn ôl aton ni'n diwadd."

"Diolch byth," medda Cled.

"Gafodd y cops dy fobail ffôn di tro 'ma Cled?" gofynnodd Bic.

"Na. Doedd hi'm genna i. Adewis i hi yn tŷ ben bora 'ma. O'n i ddim isio mynd i'w nôl hi rhag ofn i Sian roi stress i mi am y treiffl."

"Pa dreiffl?" gofynnodd Drwgi.

"Treiffl at parti Anarawd chdi, dydd Llun."

"Be, ti'm 'di fyta fo'r cont?"

"Na, 'nes i'm 'i fyta fo, na... " Trodd Cled at y botwm cloch a'i bwyso eto. "Yo! Oes 'na rywun yna? Dwi isio twrna a dwi isio piso!"

"Cled!" gwaeddodd Bic. "Paid â dechra gweiddi eto, plîs! 'Da ni isio mynd o'ma cyn ffasdiad â fedran ni."

"Bic!" medda Cled.

"Be?"

"Ffyc off!"

"Cled!"

"Bic?"

"Be wyt ti?"

"Browni gwyllt!"

Chwerthodd Drwgi, Bic a Sbanish.

"Sban!"

"Cled?"

"Be ffwc ddigwyddodd?"

"Cled!"

"Ia?"

"Paid â dechra… "

Am restr gyflawn o nofelau cyfoes Y Lolfa,
a'n holl lyfrau eraill, mynnwch gopi o'n
Catalog newydd, rhad – neu hwyliwch i
mewn i'n gwefan

www.ylolfa.com

i chwilio ac archebu ar-lein.

TALYBONT CEREDIGION CYMRU SY24 5AP
e-bost ylolfa@ylolfa.com
gwefan www.ylolfa.com
ffôn (01970) 832 304
ffacs 832 782